남자친구

2

유 영 아 대 본 집

남자친구

2

arte POP

contents

차 수 현
(여, 30대 중반)

동화호텔 대표, 전 서울 시장이자 현 당대표의 딸, 태경그룹 장남에게 이혼당한 여자···. 그녀를 수식하는 말은 화려하고도 다양하다. 가진 것 많고 부러울 것 없는 삶을 살 것 같지만, 한 번도 자기 의지대로 살아본 적 없는 인생이다.

이혼하며 망해가던 사업 '동화호텔'을 위자료로 받았고, 그때부터 동화호텔 대표로만 살아왔다. 미친 듯 매달린 덕에 업계 1위를 만들었고, 동화호텔은 차수현의 전부였다.

하지만 이제는 그저 차수현으로 살아보고자 한다. 김진혁이라는 남자를 만난 뒤로부터.

김 진 혁
(남, 20대 후반)

홍제동 포크레인, 홍제동 도슨트, 홍제동 포토그래퍼···. 홍제동에서 나고 홍제동에서 자란 스물아홉 청년이다. 장수 과일 가게의 든든한 장남이자, 동네 어른들에게 사랑받는 귀염둥이다.

책을 좋아해 소설과 시, 인문학 등 참으로 많은 글을 읽었다. 곧고 바르고 듬직한 면을 보면 푸른 잎이 풍성한, 커다란 나무와 닮았다.

일 년 동안 아르바이트해서 모은 돈으로 처음이자 마지막이 될 사치, 쿠바 여행을 떠난다. 무려 4주 동안이나. 바로 그곳, 열정적이고 낭만적인 쿠바의 해변에서 그녀를 만났다.

정 우 석
(남, 30대 후반)

태경그룹의 장남이자 태경전자 대표. 로열패밀리답게 수려한 외모, 여유로운 성격, 화려한 후광을 지녔다. 다 가졌지만 딱 한 가지 갖지 못한 것, 바로 아내 차수현의 마음이었다. 그래서 이혼하자고 했다. 그녀를 감옥 같은 태경그룹에서 놓아주고 싶었다.

그렇다고 사랑이 끝난 것은 아니었다. 어쩌면, 그에게는 시작이었을지 모른다.

9화

이겨도 슬프고 져도 아픈 그런 내기…
해봐요, 우리

1. 동화호텔 볼룸 (밤)

수현, 더 이상 모르는 사람들과 어울려 버티기 힘들다. 나갈까… 머리도 아프고. 이때.

디제이 자, 여러분! 대망의 새해가 1분 앞으로 다가왔습니다! 새해의 폭죽이 터지기 전 몇 초 암전의 시간! 마음에 드는 파트너가 있다! 저 여인의 마음을 훔치고 싶다! 저 남자 내 거다 하는 분들! 이 암전의 시간을 놓치지 마세요! 20초 남았습니다. 19! 18! 17!

진행자 카운트. 수현의 심장 소리가 크게 들린다. 불이 꺼지면 정말 어지러울 것 같다. 자리를 빠져나가려 하는데 어떤 남자가 앞을 막는다. 수현의 환심을 얻고야 말겠다 듯. 수현, 이러지도 저러지도 못한다. 저쪽에서 우석, 수현의 안절부절못하는 모습을 본다. 드디어 발견! 수현 곁으로 가려고 사람들 사이를 힘들게 헤치며 다가간다.

진혁, 곧 불이 꺼진다는데… 곧 새해인데… 수현은 보이지 않는다. 이 때 불이 꺼지고, 최소한의 빛으로 윤곽만 보이는 상태가 된다.

디제이 10! 9! 8…!

우석이 거의 다 다가왔다. 곧 수현 앞에 멋지게 나타날 수 있는데…. 수현이 도저히 못 참고 이곳에서 나가려 주춤하는 사이! 어디선가 들어오는 따뜻한 손. 수현의 손을 당겨 돌려세우는 남자. 김진혁. 수현, 너무 놀라서 손을 빼려고 하다가 뭔가 이상해서 고개를 들어 가면 쓴 남자를 본다. 단번에 진혁을 알아본다. 진혁과 수현, 행사장에서 빠져나온다. 진혁, 가면을 벗고 예의 그 청포도 같은 미소로 수현을 바라본다.

수현, 꿈만 같다. 진혁이 여기 있다니….

카운팅 소리 속에 진혁과 수현, 서로 바라보다가.

디제이   4! 3! 2! 1! 해피 뉴 이어!!!

진혁, 수현의 입술에 입 맞춘다.

두 사람의 실루엣에 온 몸이 굳어버린 우석. 그대로 서서 움직이지도 않고 이들을 보고 있다. 조용히 뒤돌아… 이곳을 빠져나가는 우석.

조명이 환하게 들어오고. 수현과 진혁은 아직 마주 보고 있다. 진혁, 수현의 손을 잡고 축제 분위기 속에서 나온다.

2. 동화호텔 엘리베이터 앞 (밤)

우석, 엘리베이터를 기다린다. 정말 다 털려버린 얼굴이다. 엘리베이터 문이 열린다. 생각에 잠겨 타는 걸 잊는다. 우석을 태우지 못하고 닫히는 문.

3. 서브웨이 안 (밤)

수현과 들어서는 진혁.

수현   아무것도 못 먹었다고요?

진혁   네. 오늘 송년이라 속초도 정신없었거든요. 일하다가 남 실장님 오셔서 바로 달려왔어요. 아, 배고파…. 식사하셨어요?

수현   샐러드.

진혁   그럼 같이 먹어요.

수현에게 의자를 내주는 진혁. 수현은 앉고 진혁은 주문한다.

진혁	더블치즈로 주시고, 아보카도랑… 양상추 넣어주시고요.

수현, 이런 곳은 처음이라 어색. 진혁이 주문을 마치고 앞에 앉는다.
방긋 웃는 진혁.

4. 동화호텔 레스토랑 룸 (밤)

야경이 아름답게 보이는 룸. 테이블 위에는 와인과 와인 잔 두 개,
케이크 하나. 케이크에 써져 있는 문구가 보인다.
'새해에는 더 행복하자'
그 케이크를 바라보는 우석, 혼자 우두커니 앉아 있다. 영혼이 다 날
아가버린 듯한 얼굴. 조용히 일어나 룸을 나간다. 뒷모습이 아프다.

5. 서브웨이 안 (밤)

진혁, 샌드위치를 맛있게 먹고 있다.

진혁	맛있다. (싱긋)
수현	배 많이 고팠어.
진혁	아! 남 실장님이 저 대표님 자리에 태워주셨어요.
수현	진짜? 장 비서가 예전에 그 자리 한 번 타본다고 했을 때 절대 안 된
	다고 하셨는데?
진혁	(흉내 낸다. 사투리 어색하게) 나 김진혁 씨 태우러 온 거 아닙니다.
	(소리 낮춰) 우리 대표님 남자친구 모시러 온 겁니다. 흐흐….

수현, 남 실장의 배려에 마음이 뭔가 뻐근하다.

진혁	대표님.
수현	?
진혁	저 와서 좋죠? (싱긋)

수현   알면서 굳이 물어요.

진혁   라이브로 듣고 싶어서요. (귀를 내민다)

수현   (참 나… 하면서도) 제일 신나는 새해를 열었어요.

진혁   (감동) 대표님이 신춘문예 응모해야 돼. 나날이 수려해.

수현, 지금 너무 좋은데… 진혁이 바로 가야 하는 걸까….

수현   다시… 가야죠?

진혁   내일 아홉 시 출근이니까. (아쉽다…)

수현   내가… 태워줄까요?

진혁   아니요, 아니요. 버스 타고 자면서 갈게요.

수현, 만나자마자 헤어지려니 너무 아쉬워 커피만 마신다.

진혁   우리… 심야 데이트 해볼까요?

수현   심야 데이트?

진혁   (끄덕) 첫 차 타고 가면 출근 시간에 맞출 수 있어요.

수현   피곤할 텐데….

진혁   싫음 지금 가고.

수현   이거 봐. 능청맞잖아.

진혁   영화 봐요, 우리.

수현, 보내야 맞지만… 어떻게 보내겠는가. 예쁜 미소.

수현   무슨 영화 봐요, 우리?

수현, 귀여운 얼굴로 진혁을 본다.

행운권 추첨 시간. 박 대리가 진행한다. 혜인이 돕는다. 여전히 가면 착용 중. 대찬과 진명이 응모권 들고 목 빠진다.

박 대리 자, 이제 호텔 숙박권입니다! (뽑는다) 23번!

대찬이 자기 번호 보더니 '야호!' 달려나간다. 장 비서, 같이 춤을 췄던 대찬이 나가자 어머…, 호기심으로 지켜본다.

박 대리 (숙박권 주며) 축하드립니다!
대찬 감사합니다!
박 대리 호텔 숙박권인데 어떻게 사용하실지 들어볼까요?
대찬 네? 아…. 제가 써야죠.
박 대리 혼자…요?
대찬 아직은. 흐흐….
박 대리 아… 여친이 없으시구나!
대찬 아직은. 네….
박 대리 그럼 이 기회에 가면을 벗고 공개 구애 한번 가보실까요?
대찬 아… 반하실 텐데…. (가면을 벗는다)

진명, 가면을 과감히 벗는 대찬을 걱정스럽게 본다.

진명 가려야 된다니까, 참….

해맑게 웃는 대찬을 보며 경악하는 장 비서.

장 비서 (가면이 있는데도 얼굴을 더 가리며) 웬일이니, 어머, 어머, 미쳐…. 나 누구랑 춤춘… 웬일이니…. 아씨!

장 비서, 살짝 몸을 돌려 행사장을 빠져나가려 한다.

7. 동화호텔 로비 (밤)

행사가 끝나고 나서는 사람들. 이제 가면을 다 벗었다. 장 비서도 서둘러 나가는데, 대찬이 장 비서의 뒷모습을 본다. 아까 춤췄던 여자다.

대찬   저기요!

장 비서, 대찬이가 부르는 것을 알고 '헉…' 걸음을 빨리한다. 대찬, 못 들었나? 달려와 장 비서 앞을 딱! 막아서다가, 뜨악!!! 두 사람 서로 알아본다. 진명이 다가와 거들 준비.

진명   아, 아쉽다! 이것도 인연인데… (하다가 장 비서 알아보고) 어…? 비서 누님?

장 비서 … 여기서 볼 줄 몰랐네. 그럼 전….

대찬   뭡니까?

장 비서 뭐가요?

대찬   아까는 호감이 남달랐던 거 같은데. 가면 벗으니까 쌩을 까시네.

장 비서 호감은 무슨… 파티니까! 그리고, 우리가 뭐 반가운 사이는 아니잖아요?

대찬   반갑진 않아도 모른 척할 사이도 아니잖아요. 진혁이도 있고, 그쪽 보스도 있고.

장 비서 그래서요?

막상 말을 못하는 대찬. 진명이 나선다.

진명   이렇게 만난 것도 인연인데 같이 맥주 한잔하고 가세요! 우리도 오늘 가게 문 닫고 모처럼 나왔거든요. 우리 둘 보세요. 얼마나 칙칙해

요? 아름다우신 누님이 선심 써주시면 분위기 완전 만렙일 것 같은
데. 네? (싱긋)

장 비서   (아름다우신… 에서 흔들렸다) 참 나…. 아, 나 바쁜데…. 오래 못 있어요.
진명   딱 한 잔만 하고 가요, 그럼.

진명, 대찬 옆구리를 푹….

대찬   갑시다!

일단, 악연의 분위기 수습된다.

8. 영화관 안 (밤)

고급 구성으로 만들어진 스페셜관. 수현과 진혁이 들어선다.

진혁   우리 좌석 어디예요?
수현   사람 없는 거 같은데…. 아무데나 앉아도 되겠어요.
진혁   이상하다. 오늘 같은 날 관객이…. 영화가 재미없나?
수현   박스오피스 1위던데. 여기 앉을까요?

수현의 어색한 말투와 피하는 시선에 진혁 눈치챘다.

진혁   통 대관했죠?
수현   아, 아니요?

수현, 거짓말이 어색해서 괜히 극장 안을 둘러본다.

수현   극장 좋다…, 좋네.

진혁, 수현의 마음 알고 웃는다. '대박, 대표님….' 옆자리에 앉는다.

진혁   그럼 오붓하게 영화 볼까요?

진혁, 수현 손을 잡아 자기 다리 위에 둔다. 수현, 이 모든 것이 새롭다.

9. 맥주 집 (밤)

장 비서, 대찬, 진명이 맥주를 엄청 마시고 있다. 장 비서가 많이 취했다.

진명   괜찮겠어요?

장 비서   술이 오늘 엄청 달게 와. 빠르게 촉촉…하게 와. 내가 종일 굶었거든요. 배 나올까 봐. 근데 뭐, 이제 뭐…. 자, 한 병 더!

대찬   집이 어딘지 주소는 주고 마셔요. 취하면 데려다주게.

장 비서   어머! 어머머! 웬 좍업? 미쳤니? 왜 내 집 주소 따? 댁은 내 스타일 아니거든요. 웃겨, 진짜.

대찬   내가 웃긴다, 진짜. 취해도 몰라요. 여기 두고 간다.

장 비서   끄떡 없거든요. 아…, 엄청 기대했는데… 또 이대찬이야.

대찬   나도 좀 그래. 피차 뭐.

진명   에이! 형님 누님 왜 이래! 해피 뉴 이어잖아요! 자 해피! 해피 해피!!!

건배를 권하는데.

장 비서   아니… 아 정말… 아니 형은, 속초로 유배를 갔는데… 동생은 해피해? 진짜? 사이 안 좋나?

진명, 무슨 말이지? 집중. 대찬도 '뭔 소리야…?' 하는 표정.

진명   형? 우리 형이요?

장 비서   당신 형, 김진혁! 김진혁이 형 아니에여?

진명   발령이지, 무슨 유배예요? 죄지었나?

진명의 얼굴이 굳자, 대찬이 무마하려 나선다.

대찬　취했어, 취했어. 무슨 주정을 헛소리로 하냐….

장 비서　(술이 과했다) 진짜 몰라요? 감이 안 와? 잠자는 사좌의… 코털을 건 드렸어. 김진혁 씨가. 어…. 무서운… 태경의 코털을 뽑았…쓰!!!

진명, 모든 것을 알 것 같다. 장 비서는 테이블에 편안하게 얼굴을 대고 새근새근 잠이 든다.

대찬　사태다. 진혁이도 사태고, 이 양반도 사태다.

진명, 심각한 얼굴로 일어난다. 대찬, 황당.

대찬　진명아, 진명아! 야, 이 여자… 진명아, 살려줘!

진명은 그냥 나가버린다. 잠든 장 비서가 난감한 대찬. 장 비서 본다.

대찬　새해 벽두에… (하…) 넌 누구냐.

환장할 것 같은 대찬.

10. 길거리 (밤)

진명이 화가 나서 진혁에게 전화를 건다. 신호가 길게 가는데 받지 않는다.

진명　김진혁 전화 받아, 씨!

속상해 죽겠는 진명.

11. 극장 안 (밤)

영화를 보고 있는 진혁. 가방에서 진동이 울리는데 모른다. 진혁, 수현의 손을 가져와 잡고 영화를 본다. 가끔 마주 보며 미소 짓고 다시 영화를 보는 수현과 진혁.

12. 극장 로비 (새벽)

사람이 많이 없다. 수현과 진혁이 나온다. 몇몇 사람들이 있긴 하지만, 자신을 의식하지 않는 것 같아 좀 편하게 이동하는 수현. 그러나 한 여자가 수현이 지나가자 조용히 '대박…' 하며 슬쩍 이들을 찍는다. 방향을 꺾는 사이 수현과 진혁의 얼굴이 노출된다. 그대로 찍는 여자.

13. 한강, 수현 자동차 안 (새벽)

해 뜨길 기다리는 수현과 진혁. 운전석에는 진혁이.

수현 좀 자요. 첫 차까지 시간 좀 남았어요.

진혁 그런 거 알죠? 내일 가족 여행 가는 날이면 밤에 잠 못 자는 거.

수현 그런 거 모르겠는데. 우린 그런 화기애애한 가족 여행을 해본 적이 없어서.

진혁 (앗…)

수현 (픔 웃더니) 이런 게 갑분싸구나.

진혁 그런 말도 알아요?

수현 장 비서가 나보고 갑분싸라고 놀려서요.

진혁 두 분 너무 재미있어요. 자… 그럼 우리… 음악 들을까요?

진혁, 버튼을 누른다. 라디오에서 좋은 음악이 나온다. 애틋한 시간을 보내는 두 사람.

14. 수현 집 앞 (새벽)

우석의 자동차가 서 있다. 수현의 집은 불이 꺼져 있다. 시간을 보면 새벽 4시가 넘었다. 아직도 오지 않은 수현을 생각하며 점점 더 분노 비슷한 감정에 휩싸이는 우석.

15. 터미널 앞 (새벽)

수현과 진혁, 헤어질 시간이다.

진혁   시간이 엄청 빨리 간다. 그쵸?

수현   오늘 체크아웃 많아서 고생하겠어요.

진혁   이런 애틋한 시간을 보냈는데 그 정도는 감내해야죠! 오늘은 아무 것도 하지 말고 푹 쉬어요.

수현   내 걱정은 하지 말아요. 잘하고 있을게.

진혁   그럼요. 우리 든든한 대표님.

손목시계를 보는 진혁. 시간이 빠듯하다.

수현   어서 가요. 차 놓치겠어.

진혁   그럼 진짜 갑니다! 운전 조심해요!

진혁, 내리려 문고리 잡는다. 그러다 다시 수현 돌아보고… 아쉽다. 어쩔 수 없이 문 열고 내린다. 문을 닫고도 수현 먼저 얼른 가라고 손짓하는 진혁. 수현, 차창을 내리고.

수현   통화해요!

진혁   창문 올려요, 감기 들어!

수현   갈게요.

수현, 창문을 올린다. 진혁, 손을 흔들고 돌아서 마구 달려간다. 다시 한 번 뒤돌아 손 흔들고, 또 달려 터미널로 들어간다. 수현, 진혁이 들어간 문을 한참을 본다. 진혁이 다시 고개를 내밀고 정말 바이바이 하며 손을 흔든다. 수현, 보내기가 참 아쉽다….

16. 수현 집 앞 (아침)

우석의 차가 그대로 서 있다. 우석, 하얗게 날을 샜다. 아직도 수현은 오지 않았다. 절망하는데…, 수현의 차가 지나간다. 주차장으로 들어가는 수현의 차. 우석의 슬픈 눈.

우석   우리 수현이 왔구나. 따뜻하게 푹 자라.

하…. 마음이 내려앉는다. 차를 출발시킨다.

17. 찬이네 골뱅이 안 (아침)

의자 여러 개가 마주 붙어 있고, 그렇게 확보된 공간에 누워 있는 장 비서. 꿀잠을 자다가 목이 마른지 부스스 일어난다. 여기가 어딘가…. 몽롱하다가 정신이 확 들며 놀라는 장 비서.

장 비서   뭐야! 여기 왜 있어?!

마스카라 다 번져서 허둥지둥 내려오는데 우당탕! 가게 방에서 까치집 머리를 하고 나오는 대찬. 엉망인 비주얼의 두 사람.

장 비서   뭐예요?
대찬   뭐겠어요? 아니, 술도 약하면서 어쩌자고…. 그러게 내가 주소 주고 마시랬죠.
장 비서   내가 잠들었어요?!

대찬	아, 허리야⋯. 업고 왔잖아요! 모텔도 위험하고. 아, 나⋯.
장 비서	호텔에 데려다주죠!
대찬	(와 나⋯) 내가 선심 써서 추첨 받은 거, 그거, 어? 호텔 숙박권으로 방 잡아주려고 했는데 전 객실이 풀이야! 그럼 어떡해. 여자 혼자 모텔에 들여놓고 오나?
장 비서	(고맙긴 하다⋯) 그래도 가게에 이렇게 방치해요?
대찬	입 돌아갈까 봐 유일한 전기장판도 양보했는데 방치라뇨? 물에서 건져줬더니 진짜 보따리 내놓으라고 하네. 속담이 진리야, 진리.
장 비서	⋯ 미치겠네⋯.
대찬	갑시다.
장 비서	어딜요?
대찬	싸우나.
장 비서	⋯ 가까워요?
대찬	요 앞. 싸우나 하고 국밥이나 먹읍시다. 아, 속 쓰려⋯.

장 비서, 몰골이 몰골인지라 핸드백 챙겨들며 주섬주섬 따라나선다.

18. 국밥 집 (아침)

깨끗해진 모습으로 국밥을 들이켜는 장 비서와 대찬.

장 비서	아⋯, 살 것 같다.

대찬, 툭 하고 약봉지 밀어준다.

대찬	먹어요. 술 엄청 마셨어. 속 편해질 겁니다.

장 비서, 좀⋯ 고맙다. 자상한 것 같기도 하고.

장 비서	(퉁명) 고마워요. 덕분에 살았네.

대찬	진혁이요.
장 비서	네?
대찬	왜 속초 발령이 유뱁니까?
장 비서	발령이지 뭐…, 유배는 아니고.
대찬	댁이 어제 유배 간 거라고 진명이 속 뒤집어놨잖아요.
장 비서	내가요? 아, 이 술…. 사실은 사실이잖아요. 거짓말한 것도 아니고.
대찬	무서운 태경 코털을 뽑았다는 말이 뭔 말이에요?
장 비서	(하 씨…) 그냥 술 취해서 헛소리한 거예요.
대찬	어쩐지 지방으로 간다고 할 때부터 이상했어.
장 비서	(국밥 휘저으며) 거기가 새로 지어서 완전 좋아요.
대찬	어떻게 된 거야… 에이….

장 비서, 어떡하지…. 괜히 핸드폰 열어보는데… 두 눈 휘둥그레진
다. 검색어에 차수현이 1위다. 기사 열어보면 SNS 캡처한 사진들.

장 비서	또 터졌어, 또!!!

벌떡 일어나는 장 비서.

장 비서	국밥값 나중에 갚을게요!

서둘러 달려나가는 장 비서. 대찬, 뭐야…? 핸드폰 열어서 본다. 진
혁의 얼굴이 노출된 기사를 보며 식겁하는 대찬.

19. 진혁 집 진명 방 (아침)

진명, 침대에 누워 뒤척인다. 한잠도 못 잔 것 같다. 문자가 온다. 보
면, 대찬이가 기사 링크를 보냈다. 열어보더니 벌떡 일어나는 진명.

진명	이럴 줄 알았어. 그 대표라는 여자 때문일 줄 알았어, 씨…!

열 받는 진명. 속 터진다.

20. 김 회장 집 거실 (아침)

기사를 보는 김 회장. 어딘가 전화를 건다.

김 회장 나예요. 소송 준비는 어디까지 진행됐어요? 좀 서두르고 싶은데. 차수현 정신 나가 있을 때 걸어와야지. 조만간 큰 사고 하나 터질 겁니다. 한 번에 끝낼 수 있는 좋은 기회가 될 거예요. 속도를 좀 내보시죠.

싸늘한 김 회장의 얼굴. 통화를 마친다.

김 회장 깜냥도 안 되는 걸 내 집안에 들여놔줬더니, 분수도 모르고 설쳐. 내 아들… 내 집안. 나를 우습게 여긴 벌. 달게 받아, 차수현.

서슬이 퍼런 비소를 짓는 김 회장.

21. 김 회장 집 우석 방 (아침)

침대에 쓰러지듯 누워 잠든 우석. 김 회장이 들어와 탁자에 여자 사진 세 장을 내려놓는다. 우석, 뭔지 보지도 않고 일어나 앉는데.

김 회장 다 볼래, 아니면 마음에 드는 애만 볼래?
우석 (머리가 띵…. 머리가 아프다) 무슨 말씀이세요?
김 회장 이 방은 언제까지 혼자 쓸 거니?
우석 (또 그 소리구나) … 좀 씻어야겠어요.
김 회장 이 방 안주인, 차수현은 절대 안 돼.
우석 (그만 좀 했으면 좋겠다…. 본다)
김 회장 상스럽게 신년부터 남자랑 사진이나 찍히고.

우석	!!!
김 회장	태경그룹이 덩달아 검색어에 올라와 있어. 니 이름도. 이게… 제정신이니? 셋 다 만나봐.

김 회장 나간다. 우석, 얼른 핸드폰 열어본다. 수현의 기사들을 본다. 일어나 방 안을 좀 서성이는 우석. 김 회장이 두고 간 사진을 집어서 서랍 속에 넣어버린다. 답답해 죽을 것 같은 우석.

22. 수현 집 거실 (아침)

이미 기사 본 수현. 고즈넉한 표정이다. 장 비서에게 전화가 온다. 받지 않는다. 곧 다시 울리는 전화. 수현모다. 아무 전화도 받지 않는다.

23. 라면 집 (아침)

남 실장, 라면 먹고 있다. 장 비서에게 전화가 온다.

남 실장	해피 뉴 이어!
(장 비서)	지금 해피가 아니에요! 난리 났어, 또!
남 실장	왜! 대표님 뭔 일 있어?!
(장 비서)	어제 같이 안 계셨어요? 지금 김진혁 씨랑 사진 찍혀서 포털 난리예요, 아저씨!

남 실장, 다시 라면 먹으며 여유다.

| 남 실장 | 별일도 아니구만. 잠이나 더 자. 좋아하는 사람들이 데이트 좀 한 게 이상한 일이야? 이러는 장 비서가 이상하다, 나는. |

장 비서, 뭐라고 꽥꽥 난리다. 귀에서 핸드폰 좀 멀리하며.

남 실장 기운도 좋다…. (다시 장 비서에게) 나 라면 뿐다. 어쨌든지 간에 해 피고 뉴 이어다, 미진아!

전화 끊는 남 실장. 맛있게 라면을 먹는다.

남 실장 (물 한 모금) 재채기도… 못 숨기고… 가난도… 못 가리고…, 애들도… 못 막는다. *끄윽*…. 트림도 못 막나? (심각하게 고민)

별로 심각하게 생각하고 싶지 않은 남 실장. 더 숨길 일도 아닌 것 같다.

24. 차 의원 집 거실 (아침)

화가 나서 폭발 직전인 수현모.

수현모 내가, 내가 이놈… 가만히 안 둬. 쓸어낼 거야!

지나가던 차 의원, 왜 또 저러나 본다.

수현모 당신 정말 수현이 이렇게 둘 거예요?! 내 전화는 받지도 않는다고요!
차 의원 새해 아침부터 왜 열을 내고 그래. 다 큰 자식이야.
수현모 이게 수현이만의 일이에요? 그래요?!
차 의원 만나볼 테니까 당신은 수현이한테 연락하지 마.
수현모 아휴, 정말…. 자식 하나 있는 게 도움이 안 되니, 원!
차 의원 그만해.

차 의원, 돌아서 방으로 들어간다.

25. 진혁 집 앞 (낮)

재활용 쓰레기를 내놓는 진혁모. 이웃집에서 대학생이 나오다가 진혁모를 보고 반색.

대학생 아줌마! 진혁이 형 맞죠?

진혁모 뭐가?

대학생 (핸드폰으로 사진 보여주며) 이 남자요.

뭐야…? 무심코 보다가 두 눈이 휘둥그레지는 진혁모.

26. 진혁 집 거실 (낮)

진명이 욕실에서 나온다. 진혁모 얼굴이 굳어 있다.

진혁모 이 기사 진혁이 맞지?

진명 (대충 보고) 글쎄…. 닮은 남자인 것 같은데?

진혁모 이 옷이랑 어? 가방이랑!

진명 아, 일 잘하니까 대표가 밥 샀나보지.

진혁모 속초로 발령 보내놓고 일 잘한다고 밥을 사? 극장엔 또 왜 가? 이게 언제 사진이야, 대체?!

진명 별일 아니야. 형 대표랑 친해. 그때 쿠바에서부터 알았대.

진혁모 진짜야?

진명 저런 대단한 여자가 형이랑 뭐 하러.

진혁모 니 형이 어때서.

진명 엄마… 엄마는 아들이니까 주관적이지….

진혁모 정말 그냥 좀 친한 사이 맞아?

진명 그렇다니까?

진명, 좀 찔린다. 진혁모, 좀 찜찜하다.

27. 진혁 집 진혁 방 (낮)

진혁모가 수현의 구두를 보고 있다.

FB/

진혁   어? 아 그거…. 쿠바에서 짐에 딸려 온 건데, (뭐라고 하지… 아무 말이나 하자) 나중에 사진 소품으로 쓰려고 둔 거야. (7화 #48)

아무래도 이상한 진혁모.

진혁모   쿠바… 쿠바에서부터 알았다면….

이상하다.

28. 속초 동화호텔 프론트 (낮)

진혁이 일을 하고 있다. 포털 난리 난 것 알고 있는지 표정이 무겁다. 그래도 밝게 웃으며 손님을 응대하는 진혁. 잠시 손님이 없는 사이, 옆자리 여자 클락이 진혁을 자꾸 훔쳐본다. 총괄매니저, 그 여자 클락을 본다.

총괄매니저   데스크 오늘 왜 이렇게 산만합니까.

여직원, '헙…' 얼른 시선 거둔다. 진혁, 걱정이다.

진혁   저 잠시만.

진혁, 자리를 나선다.

29. 속초 동화호텔 일각 (낮)

수현에게 전화하는 진혁.

진혁   좀 잤어요?

30. 수현 집 거실 (낮)

수현, 차분하게 전화를 받는다.

수현   자고 일어났더니… 시끄럽네요. 괜찮아요?
(진혁)   당연한 건데요, 뭐. 대표님 미모가 가려지질 않으니까.
수현   진혁 씨 얼굴이 노출됐어요.

31. 속초 동화호텔 일각 (낮)

별일 아니라는 표정의 진혁.

진혁   내 얼굴이 너무 잘 나왔어. 실물보다 낫죠?
(수현)   실물이 더 좋아요.
진혁   대표님. 이거 다… 아주 자연스러운 거잖아요? 예상된 일이고. 아무 걱정하지 말아요. 전 별일 없어요. 아주 조용해요, 여기. 듣고 있죠?
(수현)   배고프다. 나 밥 먹어야겠어요.
진혁   맛있는 거 먹어요. 든든하게.

진혁, 수현이만 걱정이다.

32. 수현 집 거실 (낮)

수현, 머리가 아프다. 조용히 눈을 감고 음악을 듣고 있는데 전화가 온다. 차 의원이다.

수현　　네, 아빠.

차 의원　밥 먹을까, 신년도 됐는데?

수현　　좋죠.

왜 만나자고 하는지 알기에 얼굴은 어두운 수현.

33. 한식당 (낮)

식사 중인 차 의원과 수현.

차 의원　여기 비싸. 니가 내. 나보다 잘 벌잖아.

수현　　백반집 가는 건데. (웃고) 기사 보셨죠…?

차 의원　응. 봤지.

수현　　… 아빠 이름도 검색어 올랐어. 미안해요.

차 의원　내 이름 검색어 오르는 일이 한두 번인가.

수현　　이번엔 다르잖아….

차 의원, 수현의 스탠스를 확인하고 싶다.

차 의원　태경에서는, 별말 없니?

수현　　이제 공격이 쏟아지겠죠.

차 의원　수비 잘 해야 될 텐데. 괜찮겠어?

수현　　최선의 수비는 공격인 것 같아서요.

차 의원　(수현을 본다) 이제… 싸워보려고?

수현　　늘 준비하고 있었어요. 때가… 오고 있는 것 같아요.

차 의원　흠… 변호사는 유능하고?

수현　　잘 안 나서요. 태경이랑 싸워줄 유능한 변호사 찾는 게 쉽진 않아.

차 의원　알아보자. 있을 거야.

수현	걱정이 있어요. … 제가 이렇게 시작하면… 아빠 일에 걸림돌이 될 것 같아서요.
차 의원	내가 네 인생에 걸림돌이지.
수현	아빠….
차 의원	큰 싸움이야. 너만 생각해.
수현	죄송해요.
차 의원	미안하다, 아빠가.

수현, 아빠가 왜…. 안타깝게 차 의원 바라본다. 차 의원 식사하다가.

차 의원	근데 말이다. 그 친구는… 괜찮겠니?
수현	…?
차 의원	(젓가락 내려놓고) 내가 요즘 많이 괴로워. 나는 내가 결정한 길이니 이 길을 가는데, 그 길에 니가 이리 치이고 저리 치이고.
수현	그렇게 생각하지 마세요. 내가 선택한 거야.
차 의원	사랑하는 사람이 내 사정 때문에 곤란해지는 걸 지켜보는 거… 아주 못 할 일이야. 넌 어땠어. 힘들지 않았어?
수현	….
차 의원	그 친구가 걱정이다. 평범하게 밥 먹고… 영화 한 편 본 건데 기사에 오르내리니… 우리야 오픈된 인생이 돼버렸는데 그 친구는 아주 평범한 사람이잖니. 평범함이 깨지는 것도 고통스러운 일이거든. 니가 더 잘 알겠지만.

수현, 차 의원의 말에 마음이 괴로워진다.

차 의원	너와 태경의 전쟁 속에 그 친구가 다칠까 봐. 그게 걱정이야. 그 친구도 어느 누구의 아들이고 가족이고 할 테니까.

수현, 맞는 말이다. 마음이 어두워진다.

차 의원	괜한 얘길 했지?
수현	일리 있는 말씀이세요.

다시 식사하는 수현. 넘어가지 않는 음식. 차 의원, 안쓰럽게 수현을 본다.

34. 수현 집 거실 (밤)

진혁에게 전화가 온다. 욕실에서 나오는 수현. 받으려니 끊겼다. 반 가움에 다시 걸려다가 주춤….

FB/

차 의원	나는 내가 결정한 길이니 이 길을 가는데, 그 길에 니가 이리 치이고 저리 치이고.
차 의원	그 친구는 아주 평범한 사람이잖니. 평범함이 깨지는 것도 고통스러운 일이거든.
차 의원	너와 태경의 전쟁 속에 그 친구가 다칠까 봐. 그게 걱정이야. 그 친구도 어느 누구의 아들이고 가족이고 할 테니까. (9화 #33)

수현, 핸드폰을 그냥 내려둔다. 생각이 많아진다.

35. 속초 거리 일각 (밤)

진혁, 수현이 전화를 받지 않자, 흠…. 터덜터덜 걸어간다. 진명이에게 전화가 온다. 아무렇지 않은 척 받는다.

진혁	어, 진명아!

36. 찬이네 골뱅이 앞 (밤)

속상한 게 가득한 얼굴인데 진명이도 아무렇지 않은 척.

진명   왜 전화도 없나 궁금해 죽을 뻔했는데 SNS가 알려준다? 사진 찍
          더라?

(진혁) 인물이 뭐. 훤하니까.

진명   …. (아 씨… 속상해…. 하지만) 형 너 영양제 잘 챙겨 먹어! 엄마가 걱
          정해! 난 안 사주고 형만 사준 거 알지?

37. 속초 거리 일각 (밤)

걸음을 멈춘 진혁. 동생의 배려와 마음이 전해져 울컥한다.

진혁   넌 내가 사줄게. 다들… 잘 계시지?

(진명) 형 거기 간 지 며칠 됐다고…. 휴무날 올 거지? 형 와야 고기 먹는다!

진혁   그래. 가야지.

진혁, 동생에게 애틋하다.

38. 찬이네 골뱅이 앞 (밤)

통화를 마치고도 우두커니 서 있는 진명.

진명   착해터져서는. 지 걱정이나 하지.

후…. 다시 가게로 들어가는 진명.

6세쯤 된 여자아이는 울고 있고, 엄마(이하 객원기자)는 전전긍긍이
다. 이미 체크아웃해서 옆에 캐리어가 있다. 안내직원(여, 30대 중반)
이 어쩔 줄 몰라 한다. 진혁이 지나가다가 그 모습을 갸웃 본다.

객원기자 죄송해요. 찾을 수 있는 방법이 없을까요?

안내직원 이미 시트들이 세탁실로 수거돼서요. 저희가 찾게 되면 택배로 보
내드리면 어떨까요?

객원기자 그게… 제 딸이 그 인형 없으면 꼼짝을 안 해서요…. (딸에게) 우리,
나중에 찾으면 안 될까? 지금 곰돌이가 어디 있는지 찾아야 되거든?

아이는 엄마 말에 더 서럽게 운다. 직원은 난감하다. 진혁이 다가와
아이의 눈높이에 맞게 앉아 물어본다.

진혁 친구를 잃어버렸어?

아이 (고개 *끄덕*)

진혁 큰일이네. (일어나 엄마 보며) 시트에 달려 나간 건 확실한 거죠?

객원기자 네. 체크아웃했는데 아이가 속이 안 좋은지 토를 해서요. 잠깐 다시
들어가서 옷을 갈아입혔는데… 그때 수거할 시트 위에 뒀대요. 어
떡하지….

진혁 (아이 앞에 앉으며) 조금 기다려줄 수 있어? 아저씨가 친구 찾아볼게.

아이 (울음을 좀 멈추고 본다)

진혁 엄마랑 아이스크림 먹으면서 기다려줄래? 여기 아이스크림 되게
맛있어. 아저씨도 두 개나 먹었거든. 울지 않고 기다릴 수 있지?

아이 (*끄덕끄덕*)

안내직원 (진혁에게) 저… 세탁실에 수거한 시트가… (엄마 의식하며) 엄청 많
을 텐데요….

진혁 일단 찾아볼게요. 꼬마가 인형 없으면 계속 울 것 같아서요.

객원기자 너무 죄송해요….

진혁   장담은 못 하지만 빨리 찾아보겠습니다. 기다려주세요.

진혁, 꼬마에게 방긋 웃어주고 세탁실로 서둘러 이동한다.

40. 속초 동화호텔 세탁실 (낮)

엄청난 크기의 세탁기와 건조기가 돌아가고 있다. 직원 서너 명이 설마… 하는 눈으로 진혁을 본다. 진혁도 아주 많은 양의 시트와 타월들이 쌓여 있는 것을 본다. 흠… 많구나….

아줌마직원   이걸 다… 뒤져본다고요?
진혁   일하시는데 방해되지 않게 찾겠습니다!
아저씨직원   괜찮겠어요?
진혁   (싱긋) 혹시… 마스크 있나요?

(점프)
진혁, 셔츠를 걷어붙이고 마스크를 착용하고 그 많은 시트들을 하나하나 뒤져본다. 땀이 난다. 직원들은 저런다고 찾을까 싶다. 진혁은 최선을 다해서 뒤지고 또 뒤진다.

41. 속초 동화호텔 일각 소파 (낮)

아이에게 아이스크림을 주는 객원기자. 아이는 시무룩… 고개를 젓는다. 객원기자 시간을 본다. 3시가 넘었다.

객원기자   (혼잣말) 두 시간이나 지났는데…. 후….

못 찾나 싶다.

42. 속초 동화호텔 세탁실 (낮)

진혁, 머리도 헝클어졌고 땀이 범벅이다. 그래도 포기하지 않고 시트 더미를 또 뒤진다. 이때, 툭 하고 떨어지는 작은 곰인형. 진혁의 눈이 반짝… 인형을 집어 든다.

진혁　　너구나.

기쁜 진혁.

43. 속초 동화호텔 일각 소파 (낮)

아이가 엄마(객원기자) 다리를 베고 잠들어 있다. 진혁이 다가온다. 곰인형을 본 객원기자의 눈이 커진다. 진혁, 잠든 아이 앞에 앉아 인형 손으로 아이 코를 톡톡….

진혁　　자는 거야? 나 왔는데….

아이 눈을 뜬다. 인형이 앞에 있다. 벌떡 일어나 곰인형을 품에 꼭 안는다. 객원기자 감동한다.

진혁　　거봐. 아저씨가 찾아준댔지?
아이　　(행복하게 웃는다)
객원기자　'감사합니다' 인사해야지?
아이　　감사합니다….
진혁　　별말씀을! 아저씨도 집에 예쁜 인형 있거든. 만약 그 인형 잃어버리면 너무 슬플 것 같아. 그래서 열심히 찾았지!

객원기자, 진혁의 가슴에 영어로 된 명찰을 본다.

객원기자	고맙습니다.
진혁	아닙니다. 찾아서 저도 행복합니다.
아이	엄마, 가.
객원기자	그래.

진혁을 보고 다시 한 번 웃는 객원기자. 아이 손을 잡고 짐을 끌고 간다. 진혁, 손을 흔들어준다. 멀어지자 이제 좀 지치는지 소파에 앉는 진혁. 이마의 땀을 닦고, 흐뭇한 얼굴로 한 곳을 본다.
저만치 가버린 줄 알았던 객원기자가 핸드폰으로 혼자 앉아 먼 곳을 바라보는 진혁을 찍는다. 의미심장한 미소. 다시 길을 나선다.

44. 속초 동화호텔 앞 (낮)

택시를 기다리는 객원기자와 아이. 객원기자, 영어로 통화 중이다.

객원기자	(영어) 이제 교토로 넘어갈 겁니다. 교토호텔을 끝으로 아시아 호텔 투어 시리즈 마무리할 겁니다. 그리고, 한국 호텔 기사 다시 써 보낼게요. 멋진 호텔을 만났어요. 교토에 가서 기사 작성해 보낼게요. 물론이죠. 사진도 첨부해 보낼 거예요.

개운하게 통화 마치는 객원기자. 흐뭇하게 호텔 외관을 본다.

45. 속초 동화호텔 프론트 (밤)

진혁, 체크인 돕고 있다.

진혁	카드 여기 있습니다. 짐은 곧 옮겨드리겠습니다.
손님	감사합니다.

진혁, 다음 손님 맞으려는데 수현모다. 진혁, 그녀를 알아본다. 지나

가던 매니저가 알아보고 깍듯하게 인사.

총괄매니저 사모님, 안녕하세요! 여기까지… 전화를 주시면 저희가… (하는데)
수현모 (진혁 보며) 자리 좀 비워도 될까요?

어…, 당황하는 총괄매니저와 긴장하는 진혁.

46. 속초 동화호텔 카페 (밤)

마주 앉은 진혁과 수현모. 진혁, 차분하려 애쓰고 있다.

수현모 나 누군지 알죠?
진혁 네.
수현모 멀리 발령 났네요?
진혁 교통이 좋아서 괜찮습니다.
수현모 긍정적이네. 꼭 해둘 말이 있어서 찾았어요.
진혁 네. 말씀주세요.
수현모 경고합니다. 다신 수현이 곁에 얼씬 말아요.

진혁, 예상한 일이지만 당황스럽다.

수현모 평범한 청년이 발 들일 관계들 아니에요.
진혁 …. (뭐라고 대답해야 하나)
수현모 대답… 안 하네요?
진혁 마음에 드시는 대답을 드릴 수 없어서요.
수현모 수현이, 아니 차 대표, 곧 정우석 대표랑 재결합해요. 집안끼리 다 얘기 끝났는데 이러면 곤란하죠.
진혁 (충격…) 대표님도 원하시나요?
수현모 그렇게 하기로 한 거면, 그렇게 하는 인생도 있어요.
진혁 외람되지만… 그런 인생은 없습니다. 대표님 삶인데 누군가 정한

대로 가야 하는 건 불행한 거라 생각합니다.

수현모   김진혁 씨 생각 따위가 왜 끼어들죠?

진혁   …!!!

수현모   우리 애가 좀 만나주니까 대담해지나 보구나. 여기 꽤 멀어요. 다시 먼 걸음 하게 하지 말아요.

수현모, 일어나다가.

수현모   차 대표, 마음이 여려서 아무 말도 안 하는 모양인데 김진혁 씨로 인해서 아주 큰 싸움이 시작될 겁니다. 수현이는 피투성이로 끝날 수밖에 없는 싸움이고, 김진혁 씨 상식과 상상 너머의 싸움이에요. 그 지경으로 차 대표 몰아넣고 있는 사람… 김진혁 씨라는 거 알아요?

진혁, 혼란스럽다. 그녀가 다친다면… 차갑게 돌아서 가는 수현모.

47. 속초 동화호텔 프론트 (밤)

데스크 클락 업무를 하고 있는 진혁. 아니, 자기도 모르게 다른 생각에 잠겨 있다.

FB/

수현모   수현이는 피투성이로 끝날 수밖에 없는 싸움이고, … 그 지경으로 차 대표 몰아넣고 있는 사람… 김진혁 씨라는 거 알아요? (9화 #46)

진혁, 너무 괴롭다. 정말 어떻게 해야 할지 모르겠다.

(직원)   김진혁 씨?

아… 놀라서 쳐다보는데 옆의 직원, 웃고 있지만 정신 차리라는 눈치. 진혁 시선 옮겨보면, 손님이 앞에 서 있다.

진혁   죄송합니다, 고객님. 체크인 도와드리겠습니다.

진혁, 다시 일을 한다. 무거운 마음으로.

48. 동화호텔 일각 (낮)

수현이 이동 중이다. 김 부장과 혜인이 오고 있다. 마주한 세 사람.

김 부장   대표님.

혜인이 목례한다. 수현, 혜인을 본다.

김 부장   아, 이 친구가 제 전화로 대표님께 전화한 사원이에요. 제가 혼냈습니다! (싱긋)

혜인   죄송합니다, 대표님.

수현   아니에요. 전화 줘서 고마워요. 김진혁 씨랑은…?

혜인   친구입니다. 고등학교 동창이에요.

수현   아….

김 부장과 혜인 다시 목례하고 지나가는데.

수현   저기….

김 부장과 혜인 돌아본다.

49. 동화호텔 카페 (낮)

수현과 혜인이 마주 앉아 차를 마신다. 혜인, 이런 자리 처음이라 긴장하고 있다.

수현	불편하죠?
혜인	아닙니다. 그냥… 좀 긴장돼서요.
수현	긴장할 거 없어요. 김진혁 씨 친구라니까…. 뭐 좀 물어볼까 해서.
혜인	(본다)
수현	도통 자기 얘길 안 하는 사람이라… 김진혁 씨… 잘 지낸다고 하나요?

혜인, 뭐라고 대답할까 잠시 고민. 솔직하게 말한다.

혜인	대표님. 솔직하게 말씀드릴게요.
수현	?
혜인	제가 대표님께 전화드린 거, 진혁이 이대로 속초로 가면 진혁이도 진혁이 가족도 힘들어질까 봐 무례하지만 전화드린 거예요.
수현	….
혜인	대표님도 말리셨겠지만… 저도 엄청 설득했는데. (후…) 진혁이 그러더라고요. 자기가 속초로 가야 대표님이 이 호텔 지킬 수 있다고. 그게 자기가 대표님 지킬 수 있는 유일한 방법이라고.

수현, 진혁의 깊은 마음을 다시 마주한다. 마음이 아프다. 아무 말 없이 찻잔을 잡는데 손이 떨린다.

혜인	대표님. 정말 무례한 거 아는데요. (용기를 내서) 이제… 그만하시면… 안 될까요? (진심이 담긴 눈, 글썽이는 눈)
수현	…!
혜인	진혁이 더 힘들어지면…. (더 말 못 하고 고개 숙인다)
수현	….
혜인	죄송합니다. 오래된 친구라 제가 마음이….
수현	아니요. 미안할 거 없어요. (푸근한 미소) 고마워요.

혜인, 미안해도 어쩔 수 없다.

50. 수현 집 수현 방 (밤)

수현, 침대에 걸터앉아 있다. 코트도 벗지 않고 깊은 시름에 잠겨 가만히 앉아만 있다. 시간이 지나간다. 새벽이 되었는데도 그렇게 우두커니 앉아 있는 수현. 고민이 매우 깊다.

51. 동화호텔 대표실 (낮)

수현, 책상에 앉아 깊은 생각에 잠겨 있다. 장 비서, 노크 후 들어와 주춤….

수현　　무슨 일?

장 비서　음…. 보여줄 게 있어. 이건… 비서로서가 아니라 차수현 친구니까… 생각을 좀… 해봐야 되는 거라.

수현　　뭔데?

장 비서, 핸드폰으로 네이트판 같은 페이지를 열어 보여준다. 수현, 본다. 웹페이지에 진혁의 대학 시절 사진들이 올라와 있고, 진혁을 아는 누군가의 썰이 적혀 있다.

(장 비서)　대학 때도 책 들고 다니면서 여자 꼬시는 기술은 대단했다. 진정한 위너다. 동화호텔 먹는 건가. 얼굴이 다 하는 세상.

장 비서, 진혁의 입장이 걱정된다. 수현, 참담하다.

장 비서　수현아. 김진혁 씨… 어떡하니.

수현, 조용히 어딘가 한 곳에 시선을 둔다. 생각이 많아진다.

장 비서　있잖아, 어머니 말이야. 속초호텔에 가서 김진혁 씨 만나신 것 같아.

수현   (미치겠다. 놀란 눈) 뭐?!

수현, 아…. 정말 너무 화가 나고, 미안하고. 진혁이 다칠까 봐 두렵다.

52. 속초 동화호텔 일각 (밤)

투숙객이 이용하지 않는 공간. 진혁, 멍하게 벽에 기대서 있다. 문자
와 톡이 마구 들어온다. 문자 보면.

문자1 인서트/   진혁아, 너 맞지? 야… 술 사야 되는 거 아니냐?
문자2 인서트/   야! 호텔 숙박 공짜로 해주는 거냐? 동화호텔 니꺼 되는 거
                     잖아. 큭큭.

아…. 세상의 어그러진 관심에 마음이 복잡하다.

FB/
수현모 김진혁 씨로 인해서 아주 큰 싸움이 시작될 겁니다. 수현이는 피투성
        이로 끝날 수밖에 없는 싸움이고, 김진혁 씨 상식과 상상 너머의 싸
        움이에요. 그 지경으로 차 대표 몰아넣고 있는 사람… 김진혁 씨라는
        거 알아요? (9화 #46)

괴로운 진혁. 아… 마른 얼굴을 쓸어내린다. 전화가 온다. 수현이다.
하… 받고 싶은데… 마음이 복잡하고… 그래도 받는다. 밝은 목소
리로.

진혁   대표님!

53. 동화호텔 대표실 (밤)

수현, 표정이 복잡하다. 어려운 상의를 할 분위기.

수현	바쁘죠?
(진혁)	호텔 파악하느라 좀 정신없었어요. 대표님은 식사 잘 하시고 미모 유지도 잘 하시고 계신 거죠?
수현	네. 잘 지내요.

수현, 이 말을 차마 어떻게 할까….

수현	진혁 씨.
(진혁)	네!
수현	진혁 씨 신상이… 다 열려버렸어요. 많이 왜곡돼서.

(이하 교차)

진혁	동창들이 장난치는 거예요. 마음 쓰지 마세요.
수현	진혁 씨의 남다른 모습들이… 하찮은 것들로 포장되고, 열심히 살아온 인생이… 이기적으로 왜곡되고…. 내가 마음이….
진혁	오천만 인구 중에 고작 몇 명이에요. 하나도 중요하지 않아요.
수현	그렇지 않아. 내가 알아요. 그 날카로운 한마디가 깊게 꽂혀. 상처가 깊어져서… 잘 낫지도 않아.
진혁	… 대표님. 나 정말… 아무렇지도 않아요. 대표님이 더 걱정이에요. 인터넷 하지 말아요. 그냥 음악 듣고 식사 잘 하고. 네?
수현	…. (차마… 하지만 겨우) 생각할 시간을 갖는 게 어떨까요?

진혁에게 수현의 어려운 마음이 전해진다. 그래도 괴로운 일이다. 하지만 웃겠다.

진혁	대표님 많이 힘드시죠! 제가 너무 평범한 사람이라…. 우리 대표님 더 난처하게 만들죠?

수현, 진혁의 애쓰는 밝은 목소리에 가슴이 더 내려앉는다.

수현	아니요. 그런 거 아니에요.
진혁	….
수현	겁나서.
진혁	…. (뭐라고 달래지… 뭐라고 해서 웃게 하지…)
수현	당신이 다칠까 봐 겁이 나요.

진혁, 마음이 너무 아프다. (눈물이 좀 고일 수도) 수현, 진심으로 겁이 난다. 진혁이 망가질까 봐. 가여워 보이는 수현.

54. 그리운 날들 몽타주

/ 진혁의 빈 방. 진혁모의 쓸쓸해 보이는 얼굴.
/ 진명, 찬이네 골뱅이에서 양파 썰다가 문득, 후…. 진혁이 생각에 잠시 멍….
/ 홍보실. 혜인이 진혁의 빈 책상을 본다.
/ 수현과 함께 왔었던 자판기 벤치에 혼자 앉아 있는 진혁. 손에 든 자판기 커피는 이미 다 식었다.

(진혁)	겁먹지 말아요.

/ 수현의 자동차 안. 퇴근 중. 진혁이 늘 버스를 타던 정류장. 그 정류장 앞에 깜박이를 켜고 한참을 정차하는 수현.

(수현)	내가 다가설수록 진혁 씨 일상이 흔들리는 것 같아서 망설여져요. 나를 지켜보는 시선들이 진혁 씨를 보게 되는 게 두려워요.

/ 속초 인형 뽑기 기계 앞. 진혁, 뽑지는 않고 물끄러미 보고 있다.

(진혁)	우리 그거 할까요, 무소식이 희소식이다. 서로 별일 없으니 무소식이다. 그렇게 시간을 좀 보내봐요, 우리. 누가 더 잘 버티나 내기. 어

때요?

/ 수현의 자동차 안. 뒷좌석의 수현, 카메라를 들고 차 창밖을 찍는다. 남 실장, 슬쩍 본다. 진혁의 카메라구나 싶다. 조용히 속도를 줄인다. 뒤차들 빵빵! 그래도 속도를 줄인다. 수현이 사진을 찍을 수 있게.

(수현) 이겨도 슬프고 져도 아픈… 그런 내기… 해봐요, 우리.

55. 동화호텔 일각 (낮)

혜인이 진혁이와 통화 중이다.

혜인 야. 너 왜 이렇게 안 와? 한 달이 다 됐는데 이런다고?
(진혁) 나도 가고 싶다, 진짜. 아, 여기 엄청 일이 많아.
혜인 경치 좋다고 눌러앉은 거 아니야?
(진혁) 바다가 좋긴 해. 흐흐….

밝은 목소리로 통화하는 혜인의 얼굴, 안타까워하는 표정이다.

56. 속초 동화호텔 직원 휴게실 (낮)

진혁과 남직원1, 2가 음료를 마시며 쉬고 있다.

진혁 그래. 또 통화해. 응!
남직원1 (진혁에게) 심심하지 않아요? 갑자기 낯선 데 와서.
진혁 첫날은 좀 적적했는데 점점 적응되는 것 같습니다.

진혁, 어색해서 음료만 마신다. 직원들 사이에서 웃고 있지만… 웃음의 끝은… 그리워 보인다.

57. 속초 동화호텔 화장실 (밤)

파우더 룸 분위기. 진혁이 거울을 보며 수현이 선물한 넥타이를 차분하게 매고 있다.

FB/
수현이 진혁에게 넥타이를 매주는 설레던 순간. (6화 #43)

진혁, 그날을 추억하며 하나하나 매어간다. 잘 된 것 같다. 넥타이를 본다. 수현이 많이 보고 싶다. 핸드폰에서 함께 찍은 사진을 열어 바라본다. 어느새 웃고 있는 진혁. 웃다가 점점 눈물이 날 것 같다. 억지로 참는 진혁. 다시 거울을 보고 넥타이 위치를 재정리하며 참아낸다.

58. 김 회장 집 우석 방 (낮)

우석, 서랍에서 주얼리 상자 꺼낸다. 열어보면 결혼반지로 보이는 반지 한 쌍. 가만히 바라보는 우석.

59. 회상-김 회장 집 우석 방 (밤)

탁자에 덩그러니 놓여 있는 수현의 결혼반지. 그 반지를 집는 우석의 손에는 여전히 결혼반지가 끼워져 있다. 떨리는 우석의 손. 반지를 집어 손바닥에…. 차분하게 바라보던 우석의 눈빛이 흔들리더니 빨갛게 충혈된다. 우석, 서랍에서 주얼리 상자를 꺼내 수현이 두고 간 반지를 넣고… 자신의 손에서 반지를 빼려다… 말다… 결국 빼서 나란히 넣는다. 주얼리 상자에 떨어지는 눈물 한 방울.

60. 현재-김 회장 집 우석 방 (낮)

그 반지 한 쌍을 바라보는 우석. 단단한 얼굴이다.

61. 동화호텔 레스토랑 룸 (밤)

연말에 케이크를 준비했던 룸. 우석과 수현이 마주 앉아 있다.

우석   꼭 해야 할 말이 있어서 보자고 했어.

수현   나는 더 이상 정우석 씨와 꼭 해야 할 이야기 같은 거 없어. 그런데도 내가 나온 이유는, (단호한) 말도 안 되는 농담들로 경계 넘지 말아줘.

우석   ….

수현   문자보다 얼굴 보고 얘기하는 게 정확한 전달일 것 같아서 왔어. 이만 가볼게.

수현, 단호하게 일어나려는데 우석, 케이스에 든 결혼반지를 내민다. 수현, 단번에 어떤 반지인지 안다. 당혹스러운 수현, 우석을 본다.

수현   내가 생각하는 그런 의미야?

우석   세월이 지나도 반지는 그대로 있고. 로맨틱하지?

수현, 상처되지 않게 어떻게 말을 전할까….

우석   돌아와.

수현   아니.

우석   본가랑 멀리 떨어져 살자. 집안 행사에 굳이 참석 안 해도 돼. 내가 다 막을게. 호텔 일은 그대로 해. 좋아하는 일이잖아.

수현   우석 씨.

우석   뭐든. (제발… 웃는다) 내가 다 할게. 말만 해.

| 수현 | 우석 씨 좋은 사람이야. |
| 우석 | 그런 말 하지 마. (슬픈 미소) 다음 말이 예상되잖아. |

수현, 마음이 어렵다. 가만히 생각한다.

수현	이제 와서 왜. 어머니 나 벌세우실 때마다… 아무 말도 못하고 지켜만 봤어, 당신. 어머니 나 힘들게 하시던 거? 이제 별로 생각도 안나. 지워지지 않는 건… 그렇게 늘… 우두커니 뒤에 서 있던 당신의 유약한 눈빛이야. 그런 날이 지나가면 백이며 주얼리며 청담동 샵을 옮겨온 것 같은 선물 공세.
우석	….
수현	그게 날 더 초라하게 만들었어.
우석	…. 그때, 그때는 내가….
수현	그때, 차수현 나는 식물인간이다…. 그렇게 숨만 쉬고 버텼어. 사랑하는 사람이 생겼다고 했을 땐 방법이 없었어. 내가 버텨야 할 명분도 없고.
우석	수현아. 그건….

수현, 답을 기다린다. 우석 다 말하고 싶다. 하지만 이용하고 싶지 않다.

우석	우리 해외 나가서 살다 올래? 아, 호텔 일이 있나? 쿠바 어때. 쿠바 호텔 짓잖아. 거기 가서 살까?
수현	그 사람, 의미 있는 사람이야.
우석	!!!
수현	나한테… 특별한 사람이야.
우석	…. (마음이 툭 떨어진다)
수현	잔인하지, 나. 그래도 이 말 해야 할 것 같아서. 우석 씨도 지금 만나는 사람… 의미 있는 사람이잖아. 근데 왜 나한테…. 이제 서로 웃으면서 봤으면 좋겠어.

수현, 조용히 일어난다.

우석　　바람이 불면 흔들리는 거야.

수현　　(우석을 안타깝게 본다)

우석　　(너그럽게 웃으며) 흔들려도 돼. 그 바람에… 날아가진 마라.

수현, 우석이 안타깝다.

우석　　다리 후들거려서 운전 못하겠다. (싱긋) 다음엔 데려다줄게.

수현, 대꾸하지 못하고 뒤돌아 간다. 그 모습을 한참 바라보는 우석.
마음이 아프다.

62. 속초 고속버스 터미널 (밤)

진혁이 시간표를 바라보며 서 있다. 가고 싶다. 수현이가 보고 싶다.
우두커니 서 있다. 대합실 시계는 7시 10분….

(수현)　　이겨도 슬프고 져도 아픈… 그런 내기… 해봐요, 우리. (9화 #54)

(점프)
대합실 시계는 11시 40분. 진혁, 대합실 의자에 앉아 있다. 우두커니
앉아 있다. 마음을 정리하고 일어난다. 천천히 대합실을 나선다.

63. 동화호텔 대표실 (낮)

수현, 전 사원에게 전달될 연하장 문구를 쓴다.

인서트/ 친애하는 동화호텔 가족 여러분. 2019년 새해에도 동화호텔과 더불
어 행복한

'행복한'까지 쓰고 더 적어나가지 못하는 수현.

수현 행복한….

입술이 마른다. 차마… '행복한'이라는 단어를 쓰기가 어렵다. 잠시 펜을 내려두고 쿠바 시계를 바라본다. 진혁이 그리워 눈가가 촉촉해지는 수현.

64. 동화호텔 홍보실 (낮)

직원들 모두 새해 선물을 열어본다. 바디워시 정도의 선물. 상자를 열면 놓여 있는 연하장을 제대로 보는 직원은 없다. 김 부장만 연하장 열어보고 싱긋….

은진 올해는 바디워시구나. 박 대리님 올해는 좀 클린하게 사세요.
박 대리 아침저녁으로 샤워하는데 뭔 소리야?
은진 정말? 근데 왜 티가 안 나냐.

혜인, 은진의 장난에 웃긴 하는데 시선은 진혁의 빈자리로.

65. 속초 동화호텔 직원 휴게실 (낮)

진혁이 본사에서 온 선물 상자를 열어본다. 연하장 봉투가 보인다. 애틋한 손길로 연하장 열어보는 진혁. 수현의 필체 그대로 인쇄된 연하장.

(수현) 친애하는 동화호텔 가족 여러분. 2019년에도 동화호텔과 더불어 마법 같은 행복이 가득하길 바랍니다.

진혁, 마법 같은…. 쿠바가 생각이 난다.

수현　　마법에 걸린 걸로 해두죠. 마법…. (1화 #43)

눈시울은 빨개지는데 입가에는 미소가 가득하다. 점점 고통스러워
지는 진혁. 수현이 너무 그립다. 연하장을 하염없이 바라본다.

66. 수현 집 거실 (밤)

수현이 잠들지 못하는 밤. 창밖에 눈이 내린다. 수현, 소파에 앉아
내리는 눈을 보다가 카메라를 찾아서 나온다. 눈 내리는 창을 찍는
수현. 한 컷 찍었는데 필름이 다 돼서 차르르 돌아간다. 수현, 조금
당황. 이제 어떡하지….

67. 회상─수현 집 거실 (밤)

나란히 앉아 카메라 작동법 알려주고 배우는 수현과 진혁.

진혁　　필름이 다 돌아가면 여기를 열어서 필름을 꺼내는 거예요. 필름 현
상은 어쩔 수 없이 현상소 가야 돼요.

수현, 꼼꼼하게 듣는다.

진혁　　인화하는 게 신경 쓰이시면 이 선생님 집에 가서 부탁해보세요. 거
기 암실 있어요.
수현　　나 혼자? 이상하잖아요.

절대 못 갈 것 같다는 얼굴인 수현.

68. 현재-이 선생 집 마당 (낮)

수현의 차가 들어온다. 마당을 쓸던 이 선생, 수현 자동차 알아보고 미소. 수현, 차에서 내려 인사한다.

수현　안녕하셨어요.

이 선생　어서 와요.

수현　지나던 길에… 혹시 계신가….

이 선생　심심했는데 너무 반가워요.

이 선생, 푸근한 미소.

69. 이 선생 집 거실 (낮)

차를 내주는 이 선생. 수현, 한 모금. 참 좋다. 옆에 두었던 고급 차 세트를 조심스럽게 내놓는 수현.

수현　차를 잘 몰라서요. 좋은 차라고 하는데 어떠실지 모르겠어요.

이 선생　왜 이런 걸 가지고 와요. 그냥 오지.

수현　그래야 또 오죠. (미소)

이 선생　고마워요.

수현이 쉽게 말을 못 꺼낸다.

이 선생　필름 가지고 온 거 맞죠?

수현　(너무 놀라) 어떻게 아셨어요?

이 선생　진혁이가 전화했었어요. 혹시 대표님 오면 인화 좀 해달라고. 속초 가 있다면서요? 아주 신선놀음이야. 바다 보고 일하니 얼마나 좋아요?

수현, 진혁의 사람들은 모두 이렇게나 좋구나.

수현   낯선 곳이라….
이 선생   암실 구경 해볼래요?

70. 이 선생 집 암실 (낮)

어두운 암실. 빨간 조명. 빛을 쬐인 인화지를 약품이 담긴 바트에 넣고 흔드는 이 선생. 수현, 신기하게 지켜본다. 인화지를 정착액에 담갔다가 세척하면 흑백사진의 내용이 드러난다. 수현이 찍은 쿠바 샌들 사진.

수현   신기해요.
이 선생   진혁이도 암실 작업하면서 맨날 그래요. 신기하다고. 이제 대표님이 해봐요.
수현   제가요?
이 선생   해봐야 늘지.

수현, 확대기에 필름을 넣고 크기를 정하고 빛을 쬐이며 하나… 하나…. 자동차 창밖을 찍은 사진도 나오고…. 모두 신기하다. 또 한 장의 사진이 모습을 드러낸다. 수현의 집에서 찍은 진혁의 웃는 얼굴이다. 수현, 진혁의 얼굴이 담긴 사진을 보니 모든 것이 멈춘 듯하다. 진혁의 웃는 얼굴이 담긴 인화지가 일렁인다. 수현, 인화지를 꺼내 들어본다. 당장이라도 보고 싶은 수현의 얼굴. 그 표정을 읽는 이 선생.

이 선생   나는 있잖아요. 먼저 간 남편이 아직도 너무 보고 싶어요. 내가 죽어야 만날 수 있으려나….

수현, 진혁이 그리워 두 눈이 촉촉해진다.

이 선생   볼 수 있을 때 보고 사는 게 남는 인생이에요.

이 선생, 암실을 나선다. 수현, 진혁의 얼굴이 담긴 사진을 한참을 바라본다.

71. 수현 자동차 안 (낮)

조수석에 진혁의 사진. 수현, 무작정 달려가고 있다.

72. 속초 등대 방파제 (낮)

진혁이 평상복 차림으로 방파제에 앉아 소설 『파도가 바다의 일이 라면』 읽고 있다. 그러다 바다를 보고… 다시 책을 보고.

73. 속초 바닷길 (낮)

수현이 운전하며 가다가 무심코 등대를 보는데 방파제에 앉아 있는 진혁을 발견. 차를 세우고 다시 유심히 본다. 정말 진혁이다. 하…. 홀로 앉아 바다를 보는 진혁의 모습에 마음이 쿵… 하는 수현. 속상하다.

74. 속초 등대 방파제 (낮)

진혁, 책 페이지 하나를 읽고 또 읽는 듯. 핸드폰이 울린다. 수현이 다. 너무나 반가워 표정이 환해지는 진혁. 얼른 받는다.

진혁   대표님!
(수현)   무소식이 희소식 내기. 내가 졌어요.
진혁   아…, 그걸 안 정했어요. 이긴 사람 뭐 해줄 건지.
(수현)   … 뭐하고 있어요?

진혁　　지금… 부서 사원들이랑 식사하려고 나왔어요! 여기 맛집 되게 많아요, 대표님.

(수현)　그래요? 근데… 다른 사원들은… 어디 있어요?

진혁　　아! 다른 사원들은….

진혁, 뭔가 이상하다. 어떻게 알았지. 두리번 돌아보면, 수현이 걸어오고 있다. 진혁을 향해 천천히 걸어오는 수현. 진혁, 믿을 수가 없어서 스르륵 일어난다. 책이 툭 바닥에 떨어진다. 진혁, 너무나 놀라고, 너무나 반갑고, 너무나 그리웠기에.
자기도 모르게 수현에게 달려가고 있는 진혁. 수현, 걸음을 멈추고 달려오는 진혁을 바라본다. 가까이 달려온 진혁에게 무어라 말하기도 전에 수현을 와락 껴안는 진혁. 꿈인지 현실인지… 그리운 수현을 보자 아무 말도 필요 없이 온 힘을 다해 수현을 꼭… 안는 진혁. 수현도 진혁이 그리웠다. 하얀 두 손으로 진혁을 꼭 마주 안는다.

그리고 『파도가 바다의 일이라면』 진혁이 읽던 부분이 펼쳐져 바람에 살랑인다.

(진혁)　파도가 바다의 일이라면
　　　　너를 생각하는 것은 나의 일이었다.

진혁, 눈물 고인 채 수현을 꼭… 안고 있다. 수현도 눈물이 고여 진혁에게 안겨 있다.
엔딩.

— 10 화 —

다시 만나면 물어보고 싶었어요.
남자친구 있는지…

1. 속초 등대 방파제 (낮)

나란히 앉아 바다를 바라보는 수현과 진혁.

수현   여기서 무슨 생각하고 있었어요?

진혁   대표님 생각.

수현   책 읽고 있었던 것 같은데?

진혁, 책을 펴서 글귀를 보여준다.

책 인서트/ 파도가 바다의 일이라면 너를 생각하는 것은 나의 일이었다.

수현, 글귀를 읽어본다.

수현   파도가 바다의 일이라면… 너를 생각하는 것은 나의 일이었다. (바다를 보며) 세상에 작가라는 직업이 있는 건 축복인 것 같아요. 문장만으로도 큰 마음이 전해지니까.

진혁을 애잔하게 본다.

진혁   엄마가 딸을 생각하는 마음을 적은 것 같아요. 여기 엄마도 나도… 누군가를 생각하는 마음은 같은 거니까.

고요하게 바다를 바라보는 수현과 진혁.

2. 속초 동화호텔 레스토랑 앞 (낮)

한 커플이 레스토랑으로 들어가려는데 총괄매니저가 정중하게 앞에 서며.

총괄매니저　죄송합니다, 고객님. 오늘 행사가 있어서 이쪽은 이용하실 수가 없습니다. 저희 이탈리안 레스토랑도 전망 좋고 맛도 훌륭한데 그쪽으로 안내해드려도 될까요?

남자　네, 뭐.

총괄매니저, 레스토랑 매니저에게 안내해드리라고 손짓. 다른 여자 매니저가 곁으로 와 조용히 묻는다.

여자매니저　대표님께서 고객님들 이용하실 수 있게 안내하라고 하셨는데요….

총괄매니저　또 시끄러워집니다. 이런 건 우리 선에서 지켜드려야지.

문지기처럼 버티고 서 있는 총괄매니저.

3. 속초 동화호텔 레스토랑 안 (낮)

수현과 진혁이 식사 중이다. 손님은 아무도 없다.

진혁　이 선생님 집에서 바로 달려온 거라고요?

수현　네. (진혁을 보고는) 돌아가신 남편 분 말씀하시면서… 뭐라시더라…. 아, 내가 죽어야 만날 수 있으려나. 보고 싶을 때 보고 사는 게 남는 인생이다.

진혁　이 선생님 말씀은 툭툭 던지시는데… 듣고 보면 되게 깊은 말이에요.

동의한다는 눈빛으로 미소 짓는 수현.

수현	매일… 방파제 가서 시간 보낸 거예요?
진혁	대표님이랑 모래 따먹기 하던 바닷가도 가고… 커피 마시던 자판기 벤치도 가고.
수현	나도 홍제동 놀이터 가볼걸 그랬나봐.
진혁	아 거기, 이제 없어져요.
수현	왜?
진혁	그 땅 주인 할머니께서 돌아가셔서 자녀분들이 매물로 내놨대요.
수현	많이 아쉽죠…?
진혁	아쉽죠. 저랑 같은 세월을 살아온 놀이터니까. 뭐, 세상은 다 변하니까.
수현	없어지기 전에 한 번 가봐야겠어요. 사진도 찍어놓고.
진혁	저 쉬는 날 서울 가면 같이 가요.
수현	그래요.

또 식사를 이어가는 두 사람. 수현, 이야기를 꺼낸다.

수현	시간을 갖자고 한 거… 서운하지 않았어요?
진혁	(수현을 바라보고) 그 말이 서운하진 않았어요. 다른 게 서운했지.
수현	(좀 당황) 어떤… 게 서운해요?
진혁	좋은 기억으로 이겨내자고 약속했는데… 내가 이겨내지 못할 거라 걱정하는 거. 그게 서운했어요. (웃는다)

진혁은 농담처럼 말하지만 눈빛은 진심이다.

진혁	문자가 엄청나게 날아오고, 동창들 사이에서는 요즘 김진혁이 이슈고, 가족들은 걱정하고 있고, 여러 가지 반응들이 휘몰아쳐 와요. 그래서… 그래서 나는 숨고 싶은가… 당황스러워 잠시 주춤하는가…. 그럴 마음 조금도 없는데. 해답은 아직 없지만 풀어낼 각오는 단단한데. 내가 대표님한테는 유약해 보였던 건가… 싶어서요.

수현, 진혁의 속상함을 다 느낀다.

| 수현 | 대표님이 잘못했네. (미안하고 든든하고) 그래서 한걸음에 달려왔잖아요. 한 번 봐주죠. |
| 진혁 | 그렇게 예쁜 얼굴로 봐달라고 하면… 봐줘야지, 뭐. |

싱긋 웃는 진혁. 수현, 모든 괴로움과 걱정이 다 사라지는 것 같다.

4. 속초 동화호텔 일각 (낮)

진혁이 남 실장에게 전화를 걸고 있다.

| 진혁 | 남 실장님, 안녕하세요. 네네…. 잘 지내요. 네. 다름이 아니라… 대표님…께서 오셨어요. 돌아가는 길이 걱정돼서요. (얼굴 환해진다) 감사합니다! 네! 오시면 연락주세요! |

진혁, 수현이 편하게 돌아갈 것을 생각하며 마음이 편해진다.

5. 태경그룹 김 회장 집무실 (낮)

수현모가 와인 상자를 들고 들어온다. 김 회장, 불편한 기색이 역력.

| 김 회장 | 앉으세요. |

김 회장이 테이블로 와 자리에 앉을 때까지 기다리는 수현모. 김 회장이 앉자 마주 앉는다.

김 회장	마침 시간이 좀 비어서 다행이네요. 이렇게 무작정 찾아오셨다가 헛걸음하실 뻔했는데.
수현모	안 계시면 와인만 전하고 가려고 했는데 마침 계셔서 인사나 드릴까 해서요.
김 회장	인사는 서로 쏟아지는 수현이 기사로 하고 있는 거 아닌가요.

수현모	회장님. 정말 죄송합니다. 제가 속초까지 가서 그 사원 잡아다놓고 호통을 쳤어요. 정신 차릴 겁니다.
김 회장	남의 집 귀한 아들을 잡아서 뭐합니까?
수현모	… 네?
김 회장	여사님 딸이 문제 아닌가요?
수현모	네, 그렇죠. 수현이도 제가 엄하게 꾸짖어요. 회장님께서 너그럽게….
김 회장	얼마나 더 너그러워야 한다죠?

김 회장의 살기 어린 눈빛에 제압당하는 수현모. 말을 잃는다.

김 회장	이런 이야기라면 그만하죠. 이미 관심사가 아닙니다.
수현모	회장님….
김 회장	우리 정 대표, 배우자 될 사람 한 사람 한 사람 만나보고 있어요.
수현모	!!!
김 회장	앞으로 이런 만남… 사양합니다.

수현모, 다급함에 털썩 무릎을 꿇는다.

김 회장	일어나세요.
수현모	제가 무슨 수를 써서라도 수현이 제자리로 앉혀놓겠습니다! 부탁드려요. 대선도 얼마 안 남았는데…. 회장님, 부디….
김 회장	그러게요. 청와대 안주인 되실 분이 이런 꼴을 보이시면 참…. 태경의 손을 놓고도 청와대 들어앉을지도 장담 못 하는 일입니다만.
수현모	회장님. 수현이가 곱게 자라서 철이 없어요. 다 제가 못나 그렇습니다. 다시는 심기 불편하시지 않게 하겠습니다….
김 회장	쉽게 일어나지 않으실 것 같아 제가 먼저 일어납니다. 진정하시고 안녕히 돌아가세요.

김 회장, 백을 들고 일어선다. 여전히 무릎 꿇고 있는 수현모 보며.

김 회장   보기 민망하네요.

김 회장 나가고, 비서가 들어와 수현모의 모습을 보고 헉…. 조용히 다시 나간다. 모멸과 수치에 입술이 떨리는 수현모.

6. 커피숍 (밤)

한쪽 테이블에 최 이사, 미스터 조, 이 과장, 김 대리(남, 30대 초반) 앉아서 심각하다. 가까운 테이블에 대학생처럼 보이는 남자가 앉아 있다. 남자, 핸드폰을 열어 동영상 촬영 모드로 만든 다음 핸드폰 케이스를 덮는다. 그대로 통화하는 척하며 이들의 모습을 촬영한다.

이 과장   이게 기회일 수 있어, 진태야. 아니, 김 대리.
김 대리   이 일로… 동화호텔이 어려워질 수도 있어요.
최 이사   차 대표가 무너지겠지.

김 대리, 어쩌지….

최 이사   운이 좋아서 정년까지 회사에 남았다고 칩시다. 그 나이에 남았다는 건 상무 정도 된 거고, 그 연봉 다 계산해서 책정한 선물인데… 놓겠다고요?
김 대리   제가 법적으로 책임을 져야 될 수도 있습니다….
미스터 조   태경에서 최고 로펌 붙일 겁니다. 물론 대외비고요.
이 과장   답답한 사람…. 내가 해외전략팀 과장이었으면 벌써 예스했어. 홍보팀에서 진행할 수 있는 건이 아니라 이러고 있지.
최 이사   이 건 정리하고. 바로 사직서 내세요. 가족들이랑 한 달쯤 해외 여행 다녀오면 모든 건 다 정리돼 있을 겁니다. 법적 책임? 물을 사람이 있어야 묻지. 차 대표가 대표 자리 쫓겨나서 무슨 자격으로 책임을 물어요. 그렇다고 내가 물까?

김 대리, 최 이사 말을 들으니 구미가 당긴다. 이 과장과 최 이사, 비릿하게 눈이 마주친다. 남자, 핸드폰으로 통화를 하는 척하며 자리에서 일어나 카페를 나선다.

7. 치킨집 (밤)

치킨을 먹는 혜인. 진명도 우적우적.

혜인　할 말이 뭔데 나들이를 하셨나.

진명　(다짜고짜) 진혁이랑 대표랑 연애하지.

혜인　(홉…) 뭐가 이렇게 돌직구야.

진명　맞잖아.

혜인　그래? 나도 기사 본 게 단데 어떻게 알아.

진명　웃기지 마. 같은 부서 있으면서 그걸 몰라? 솔직히 불어. 매일 찾아온다.

혜인, 맥주 한 모금. 쉽게 물러나지 않을 것 같은 진명을 본다.

혜인　서로 좋아하는 사이 같아.

진명　그래서, 그 대표 쫓겨난 태경에서 열 받으니까 우리 진혁이 속초로 날려보낸 거구나.

혜인　몰라.

진명　근데 대표는 왜 우리 형 못 지켜? 그 정도도 못 하면서 앞길 창창한 훈남을 만났어? 어이없네, 진짜.

혜인　대표님 해외 출장 캔슬하고 와서 다 뒤집어엎었지.

진명　결국 속초 갔잖아.

혜인　진혁이가 간다고 한 거야. 번복하는 것도 특혜라고.

진명　김진혁 진짜…. (치킨 먹다가) 누난 대표 믿어? 우리 형 이렇게 난감하게 다 털어놓고 버리는 거 아니냐고.

혜인　… 나도 그러면 어쩌나 짜증났었지. 이젠 인정하기로 했어. 대표님 마음이… 장난은 아니더라.

진명   만나서 물어봤냐?

혜인   내가 대표님을 어떻게 만나. 이 큰 동화호텔 대표라고. 니네 형이 만나는 여자라고 감이 안 잡히냐?

진명   그러니까 왜 인정하냐고.

혜인   속초에서 호텔 오픈하는 자린데… 기자들이 많았어. 태경 회장… 엑스 남편, 대표님 아버지 어머니 다 있는 자린데, 당당하게 말하더라. 라면 스캔들 남자, 나랑 썸 타는 사이다.

진명   (눈 껌벅… 껌벅…) 느낌 있네.

혜인   모른 척해라. 진혁이한테 종알종알 아는 척하지 말라고.

진명, 시원하게 맥주 마시고 대뜸.

진명   누난 괜찮아?

혜인   내가 뭐?

진명   … 우리 형 좋아했잖아.

혜인   뭔 소리야…. 다리 내가 먹어도 되냐?

진명   고등학교 3년, 대학 4년. 나 군대 다녀오면 김진혁 바라보는 조혜인 눈빛 좀 달라져 있을까 했더니 여전히 그 눈빛 그대로고. 누굴 속이냐….

혜인   아니거든.

진명   창피하냐?

혜인   까분다, 자꾸. 아니라니까.

진명   그러지 마라. 그럼 누나 그 시간들이 뭐가 되냐.

혜인   …!

혜인, 급기야 눈이 빨개진다. 진명, 안쓰럽게 본다.

혜인   맞다, 나 전화 좀 하고 올게. 먹고 있어.

서둘러 가게 밖으로 나가는 혜인. 아휴…. 진명 답답하다.

8. 치킨집 앞 (밤)

들어가야 하는데 눈물이 멈추지 않는 혜인. 팩트로 찍어 가려보지
만 그래도 눈물이 나고… 어느새 나타난 진명이 냅킨을 준다.

진명　　코 풀어, 쿵쿵거리지 말고.

혜인　　아, 짜증나…. (코 푼다)

진명　　짠내나 죽겠네. 나처럼 쿨하게 살아…. 소개팅 어플 추천해줄까?

혜인　　(피식 웃는다) 대찬이 오빠랑 만나는 거 아니냐?

진명　　아유… 상상력 정말.

혜인, 좀 진정된다.

혜인　　너 형한테 말하면 죽일 거야.

진명　　흑역사는 가슴 깊이 품어줄게.

혜인　　하… (한숨) 절망 포인트는….

진명　　돈 많고 유능한 거?

혜인　　그것도 그렇고. (코 풀고) 진짜라는 거야. 대표님 마음이.

진명　　누나가 어떻게 확신해. 기다려봐. 혹시 아냐, 헤어질지.

혜인　　어려운 연애가 오래간다. 야, 너 정말 대찬이 오빠한테도 말하면 죽
　　　　인다.

진명　　아니…, 난 왜 자꾸 목숨의 위협을 받지? 내 고민 털러 왔는데 이게
　　　　뭐냐?

혜인　　미안….

진명　　들어가자. 치킨 한 마리 더 시켜. 처음부터 두 마리 하자니까….

들어가는 진명. 혜인, 후…. 속은 좀 시원하다.

9. 찬이네 골뱅이 안 (밤)

장 비서가 들어선다. 손님들이 서너 테이블 있다. 대찬이 정신없이 서빙하다가 장 비서를 보고 놀란다.

장 비서   왜 보자고 그랬어요?

대찬   내가요?

장 비서   가게로 오라면서요. 그 김진혁 씨 동생, 전화했던데? 그쪽이 가게로 꼭 좀 와달라고 그랬다고….

대찬   진명이 오늘 가게 못 나온다고 해서 알바 한 명 불러놓고 쉬라고 했는데. 알바 온 거예요?

장 비서   (어이가 없다) 알바요? 내가?!

대찬   잠깐만요. 골뱅이 무쳐야 돼서.

대찬, 주방으로 들어가면 손님이 부른다.

(손님)   여기요!!!

장 비서, 뭐야… 참나…. 일단 백을 내려두고는 손님 테이블로.

장 비서   부르셨어요? 맥주 한 병 더, 같은 걸로 드리면 되죠? (팝콘 그릇 들고) 팝콘도 좀 더 드릴게요.

자연스럽게 서빙 시작하는 장 비서. 대찬, 주방에서 그 모습을 본다. 피식….

10. 속초 동화호텔 주차장 (밤)

남 실장이 운전석 옆에 서 있다. 방긋. 진혁이 수현의 자리 문을 열어준다.

수현	두 사람 나 몰래 이럴 거예요? 남 실장님 피곤하시게….
진혁	제가 부탁드렸어요. 저 마음 편하자고. 흐흐.
남 실장	고속버스에서 오징어도 먹고 핫바도 먹고, 재미있게 왔습니다.
진혁	조심해서 가세요, 두 분.
남 실장	베스트 드라이버 있는데 걱정하지 말고.
진혁	네. (수현 보며) 가면서 좀 쉬세요.
수현	갈게요.

수현, 아쉽게 진혁을 한 번 보고 차에 탑승한다. 문을 닫아주는 진혁.

남 실장	자주 오니까 고향 같고 좋다.
진혁	휴무날 오시면 맛있는 거 살게요, 실장님!
남 실장	회에 소주 한 잔 합시다! 갑니다!

남 실장도 차에 오른다. 수현의 차가 출발한다. 진혁, 오래도록 보고 있다.

11. 수현 자동차 안 (밤)

룸미러로 멀어지는 진혁을 보는 수현. 아쉽고 안타깝다. 고개를 돌려 보이지 않을 때까지 본다.

12. 속초 동화호텔 주차장 (밤)

차가 사라지고도 좀 서 있는 진혁. 온통 조용하다. 진혁, 지그시 웃는다. 돌아서 이동한다.

13. 수현 자동차 안 (밤)

수현, 창밖을 보며 생각에 젖어 있다.

남 실장	(자상하게 부른다) 수현아… .
수현	네.
남 실장	힘들지?
수현	… 견딜 만해요.
남 실장	내가 슬픈 얘기 하나 해줄까?
수현	(본다)
남 실장	내가 옛…날에, 좋아하는 여자가 있었어.
수현	(사실 좀 놀랍다) 정말요?
남 실장	내 억측일 수도 있는데… 그 여자도 나를 싫어하진 않았던 것 같아. 근데… 좋아한다고 말을 못 했어.
수현	왜요…?
남 실장	내 입장을 생각하니까… 언감생심. 그 여자는 참했거든. 멀리서 봐도 빛이 번쩍번쩍 났으니까. 내 눈에만 그랬나 몰라도…. 참했어.
수현	아저씨가 뭐가 어때서요.
남 실장	얼굴이 크잖아.
수현	못 살아…. (웃는다)
남 실장	내가 감옥에 갔다 왔잖아.
수현	… 도둑질을 한 것도 아니고, 누굴 해친 것도 아니고… 기사 하나 쓴 것 때문에 괘씸죄로 그런 거잖아요.
남 실장	어쨌든. 전과자란 말이야. 사실 뭐 수현이 니가 대표니까 나 거두고 있지, 내가 전과 달고 뭐하고 살겠어.
수현	아저씨 그렇게 말씀하시면 저 울어요.
남 실장	울라고 한 얘긴 아닌데!
수현	아저씨 아니었으면… 전 친구도 없었어요. 장 비서, 미진이도 아저 씨가 데려다줬잖아요. 엄마가 애들이랑 놀지 못하게 하는데도 엄마 몰래 미진이랑 콘서트도 보내주시고, 엄마 아빠 없는 날 파자마 파 티도 하게 해주시고.
남 실장	미진이가 애가 결이 고우니까 그렇지.
수현	아무튼, 자격 없다 그런 말씀하지 마세요. 그럼 아빠가 단식투쟁한 것도 의미 없는 일이 되잖아요.

남 실장	맞다. 수현이 말이 맞아.
수현	그래서요. 그 여자 분이랑 어떻게 됐는데요?
남 실장	아! 그래서 내가 고백을 못 했어. 니 좋아한다. 니 나랑 살래. 그래도 언젠간 기회가 안 있겠나 했는데…. 결혼할 남자를 데려오더라고.
수현	….
남 실장	축하해주고 뭐… 이렇게 됐지, 뭐. 슬프지?
수현	속상해요.
남 실장	지나간 일인데. 요즘 자꾸 생각이 나. 너랑 진혁 씨 보면서.
수현	…!
남 실장	너만 생각해. 내 마음이 이러면 회사는 어떻게 되나, 아버진 또 어쩌나, 엄마는 어떻게 될까…. 그런 거 뭐하러 고민해. 냉정하게 생각해. 니 인생이야.
수현	… 그 사람이 걱정돼요….
남 실장	그것도. 그것도 진혁 씨 인생이야. 그 친구가 선택하고 각오한 인생이라고.
수현	가족들이 힘들어지는 게 그래요.
남 실장	어떻게 들릴란가 몰라도, 그것도 그 사람들 인생이야. 아들이 선택한 길을 '아니다, 못 간다' 못 가는 거야. 제일 중요한 건 너랑 그 친구 마음이야.

수현, 남 실장의 말이 위로가 된다.

수현	고마워요, 아저씨.
남 실장	뭘 했다고 내가.
수현	슬픈 얘기해줘서.
남 실장	비밀 지켜라! 진짜 어디 가서 말하면 안 돼!
수현	김 부장님한테는 말 안 할게요.

남 실장, 식겁! 돌아보지도 못하고 식겁!

| 남 실장 | 여기서 선주가 왜 나와?! |
| 수현 | 그냥 생각이 나서요. |

지그시 웃는 수현. 남 실장, 무척 당황.

남 실장	무슨 생각… 퍼즐 희한하게 맞추고, 그러면 안 되지!
수현	자꾸 옛날 생각이 나서요. 선주 언니 바라보던 아저씨 큰 얼굴이 선명해서. 흐흐….
남 실장	오해야…! 내 눈이 작아서 잘 안 보여서 그래!
수현	저 좀 잘게요.

눈을 감은 수현은 웃고 있다. 남 실장은 매우 당황스럽다.

14. 식당 (밤)

김 부장과 지유가 밥을 먹고 있다.

김 부장	말랐어, 너.
지유	다이어트해서 그래.
김 부장	공부하는 애가 다이어트를 왜 해.
지유	엄마도 하면서?
김 부장	난 입맛 없어서 그런 거고.
지유	(엄마를 보고) 왜 입맛이 없어. 이혼해서 그래?
김 부장	(주위 한 번 보고) 아니야….

식사를 한다. 김 부장, 잘 먹지 못한다.

| 김 부장 | 나중에 너 결혼할 때 엄마 이혼했다고 흥보면 어떡하냐…. |
| 지유 | 그런 사람 안 만나. |

피식 웃는 김 부장. 지유가 어른 같다.

지유　　　엄마가 안 예뻐서 아빠가 바람난 거 아니야. 아빠가 이상한 거야.
김 부장　그렇게 생각 안 해.
지유　　　나 공부 잘하잖아.
김 부장　그럼. 알아서 잘하지.
지유　　　엄마처럼 되고 싶어서 하는 거야.

지유, 엄마를 바라본다.

지유　　　엄마가 멋있어. 나도 엄마처럼 좋은 회사 다니고 예쁘게 되고 싶어.
　　　　　　엄마가 좋다고. 제일 좋다고.

김 부장, 가슴이 쿵….

김 부장　고마워. 엄마가 힘이 난다. (눈물이 찬다) 너도 기죽지 말고 다녀. 엄
　　　　　　마가 너 유기농 먹여 키웠어.

지유, 엄마 말에 픕 웃는다. 처음 웃는다.

지유　　　유기농 먹여 키운 게 왜 나와. 큭큭….
김 부장　그니까. 흐흐….
지유　　　엄마 할머니 되면… 내가 유기농 먹여서 돌봐줄게.

김 부장, 참으려고 했는데 눈물이 툭…. 얼른 고개 숙인다. 젓가락을
든 손 서성이고…. 테이블에 슥 밀려 다가오는 냅킨. 김 부장이 지유
를 보면 못 본 척 밥을 먹는다. 기특하고 기특하다.

15. 찬이네 골뱅이 안 (밤)

손님들 나가고 테이블 한산하다. 장 비서, 아… 다리야…. 의자에 앉아서 종아리 주무른다. 대찬, 골뱅이무침을 내놓는다.

대찬	맥주 한 잔 할래요?
장 비서	좋죠.

(점프)
생맥주를 시원하게 쿨럭쿨럭 마시는 장 비서. 다 비울 듯.

장 비서	크…, 이걸 무슨 수로 끊어.
대찬	끊으려고요?
장 비서	(머쓱) 신년부터 사고 친 것도 있고 해서… 자중 좀 할까 했죠.
대찬	술 마시고 실수한 걸로 잣대 들이대는 남잔 만나지 말아요.
장 비서	남이사.

대찬, 봉투를 준다.

대찬	알바비.
장 비서	(폼… 봉투 입구 열어서 보더니) 짭짤하네. 오….
대찬	기특해서 더 넣은 겁니다. 바다 같은 사장님 마음을 아나 몰라.
장 비서	남자한테 매력 있단 말은 들어봤어도 기특하단 말은 첨 듣네.
대찬	(심드렁) 매력 있다 하면, 니 주제를 알아라 그럴 거잖아요.
장 비서	(헉…) 내가, 저기 뭐냐…, 타이밍을 못 잡아서 말 못했는데요. 그날 그렇게… 그 말들… 미안하게 생각하고 있다고요.
대찬	(팝콘 입으로 던져 넣으며 웃는 건지… 장 비서를 빤히 본다)
장 비서	미안해요. 좀… 심했어.
대찬	고졸이랑 연애하기 좀 그러면, 적적할 때 와서 맥주 한 잔씩 하고 가요. 시간되면 같이 마셔주고.

장 비서, 참나… 맥주 마신다.

장 비서   매상을 이렇게 올리나?
대찬   매력 있는 여자한텐 술값 안 받아.

장 비서, 흡…. 심쿵할 뻔. 정색하며.

장 비서   들이대지 마요! 내 타입 아니라니까. (봉투 탁 치며) 술값.

장 비서, 일어나서 종종종 나간다. 대찬, 여전히 팝콘 던져 먹으며.

대찬   끝까지 안 듣니? 그러므로 너한텐 받겠다는 건데.

깔깔 웃는 대찬. 맥주를 마신다. 괜히 기분은 좋다.

16. 찬이네 골뱅이 앞 (밤)

서둘러 나온 장 비서. 얼굴이 화끈.

장 비서   얻다 대고 작업질이야. 기막혀.

종종 걸어가는데 얼굴이 자꾸 화끈거리는지, 손으로 두드리며 간다.

17. 수현 집 거실 (밤)

씻고 나와 화장품을 바르는 수현. 잘 복장이다. 진혁에게 잘 도착했다고 문자를 보내는데, 영상 통화를 걸어온 진혁. 수현, 몹시 당황한다. 이런 거 안 해봤다. 얼음이 되어 핸드폰을 바라만 보고 있는 수현. 전화 끊긴다.

18. 속초 동화호텔 일각 (밤)

진혁, 수현이 전화를 받지 않자 '흠…' 좀 아쉽다. 이동하려는데 수
현에게 음성 전화가 걸려온다. 금방 표정이 좋아지는 진혁.

진혁 잘 도착했어요?

(이하 교차)

수현 남 실장님 와주셔서 편하게 왔어요. 호텔이에요?
진혁 네. 오늘 좀 늦게 끝나요. 대표님은 어디예요?
수현 집.
진혁 (뭐냐…) 집인데… 왜 영상 통화 안 받았어요?
수현 … 네? (당황…. 사실대로 말할까)
진혁 난 받기 곤란한 데 있나 했는데, 집이면서 안 받았다고요? 진심 서
운하네. 와….
수현 그런 게 아니고요…! 나 이런 거 안 해봤다고. 영상 통화… 이런 거.

진혁, 처음에는 '헐…' 하다가 처음이라는 수현이 이해가 되고, 귀
엽고….

진혁 그래서, 낯설어서 아예 안 받았다고? 대표님 캐릭터 진짜 귀엽다니
까….
수현 해외팀이랑 영상 회의는 자주 하는데, 이건 일 대 일이잖아. 좀 그
래….
진혁 뭐가 좀 그래요? 끊어봐요. 다시 영상 통화 걸어야지. 꼭 받아요!
수현 지금도 좋은데 그냥… 하…. (끊겼다) 여보세요?

수현, 영상…. 어떡하지? 급하게 거울을 본다. 지금 입고 있는 옷은
누가 봐도 잠옷이다. 급하게 티셔츠 하나 입었는데… 뒷면이 앞으

로 와 있다. 티셔츠가 거꾸로 된 줄도 모르고 거울을 보며 얼굴 상태 확인한다. 마음이 좀 바쁘다. 영상 통화가 걸려온다. 수현, 차분하게 아무 준비도 안 했다는 듯 받는다.

(이하 영상 통화)

진혁 안녕!

수현 (어색… 그냥 웃음 정도)

진혁 와…. 이렇게 얼굴 보니까 또 느낌 있어. 그쵸?

수현 뭐, 나쁘지 않네.

진혁 첫 영상 통화 소감은 나쁘지 않다. 오케이….

수현 어색해서 그렇지….

진혁 이런 재미도 있어요, 장거리 연애가? 이것도 괜찮네. 그쵸?!

수현 그러게요. 남다른 애틋함이 있네.

진혁 우리 그럼… 이제부터 자기 전에 영상 통화하고 자자!

수현 생각 좀 해보고….

진혁 왜 생각이 필요합니까? 다른 커플들 보니까 하루에 몇 번씩 영상 통화하고 그러던데?

수현 적응할 시간을 줘야죠. 지금도 되게 어색하단 말이야.

진혁 난 하나도 안 어색한데. 이런 거 보면 내가 더 대표님 좋아하는 것 같아.

수현 영상 통화 적응도 떨어져서 나 밀린 거지? 이게 어떻게 척도가 되나? 잘 못할 수도 있지? 태어나서 처음 해보는 건데!

진혁 화낸다. 큰일 났다.

수현 그런 거 아니거든요.

진혁 화난 거 아닌 걸로 할 테니까 얼굴 좀 가까이 와봐요. 보고 싶어서 영상 통화 걸었는데 안 그래도 작은 머리 더 작게 보여. (자기 얼굴 카메라에 가까이 당겨) 이 정도는 보여줘야죠.

수현 콧구멍 되게 커 보인다.

진혁, 컥…. 다시 얼굴 좀 뒤로 뺀다. 수현, 진혁 놀리기 재미있다. 진혁, 45도 얼짱 각도로 자세 잡으며.

진혁   역시 45도가 진리인가….
수현   멋있어요, 다.
진혁   와…. 나 오늘 일기 쓸 거야.
수현   ?
진혁   멋있다는 말 처음 한 거 알아요?
수현   (버릇하다) 그랬나…? 아니, 뭐…. 늘 생각은 하고 있어서….
진혁   나는 대표님 귀엽다, 예쁘다, 맨날 생각해서, 어? 틈날 때마다 엄청 표현하는데…. 사람이 생각만 하면 뭐하나? 말을 해야 기분 좋지.
수현   아니…. 그 말이 그렇게 듣고 싶었어요? 엄청 혼나는 거 같아, 나.
진혁   완전. 진짜. 매우!
수현   (옜다 들어보아라) 멋있어요. 멋져요. 엄청 멋있네. 세상 최고 멋지다. 김진혁 멋져서 숨 막혀요. 진혁이 제일 멋지다.

어때? 수현, 만족하는 얼굴.

진혁   아이고, 좋다. 특히, 진혁이라고 부르니까 희한하게 설레네. 흐흐….

두 사람의 영상 통화가 자연스러워졌다.

진혁   오늘 많이 피곤하죠?
수현   아니요. 전혀.
진혁   대표님, 요즘에도… 수면제 먹어요?
수현   …. (어쩔 수 없다는 미소)
진혁   내가 옆에 있으면 금방 재워줄 수 있는데. 인간 수면제거든요, 내가.
수현   음…. 홍제동 인간 수면제….
진혁   되도록 약 먹지 말아요.
수현   요즘 많이 줄었어요. 진혁 씨 덕분인 것 같아.

진혁	내가 대표님 잠들 때까지 자장가 불러줄까요? 잠든 거 보이면 끊을게. 좋다! 와… 기발한데?
수현	안 기발해요. 잠자기 전 모습은 보여주고 싶지 않아.
진혁	지금 보고 있잖아요.
수현	(어이없다는 듯) 보일 텐데? 나 일하던 중이었어요.
진혁	잠옷 입고, 그 위에 급하게 티셔츠 앞뒤 바꿔 입고 일하면 집중이 잘 되는구나. 음….

수현, 뭐?! 거울을 본다. 헐…. 정말 앞뒤가 잘못 되어… 있다.

수현	난 영상 통화 체질 아닌 것 같다. 별로야.
진혁	난 최고인데?
수현	끊을 거야.
진혁	아 잠깐잠깐!!!
수현	(퉁…. 기다린다)
진혁	고마워요.
수현	?
진혁	나 보고 싶어서 여기까지 달려와줘서… 고마워요.
수현	(마음이 녹는다) 뭐가 고마워. 진혁 씨도 그랬으면서.
진혁	그런 의미에서 영상 통화 매일 한 번씩 합시다!
수현	봐서.
진혁	아…. 진짜 너무하네! 이 아이티 세상에서 영상 통화도 맘대로 못 해?!
수현	원래 이런 스타일이었어요? 나 당황해서 팔에 소름 돋았어. 보여요?
진혁	이런 스타일이 어떤 스타일인데? 집착 같고 좋구만.
수현	(웃으며) 뭐라고요?

화기애애 영상 통화를 이어가는 두 사람. 끝날 기미가 안 보인다.

19. 동화호텔 홍보실 (낮)

박 대리가 해외 호텔 잡지 들고 야단법석이다.

박 대리   투어리스트에 동화호텔이 실렸어요! 여기 광고성 기사도 안 받는
                잡지잖아요! 야… 우리 김진혁, 속초 가서도 한 건 하는구만?

이 과장   호텔 브랜드도 있고 하니까 어필된 거지.

김 부장   잡지 대량 구매해서 각 부서에 돌려요. 난 대표님 보고 좀 하고 올게.

김 부장, 기분이 너무너무 좋다.

박 대리   우리 부장님 입꼬리 올라가셨네.

김 부장   당연하지. 투어리스트에 소개되는 게 호텔리어들 로망인데.

김 부장, 잡지 하나 더 챙겨서 나간다. 혜인, 잡지를 펴서 진혁이 얼
굴 나온 부분을 촬영한다. 자기 일처럼 좋은 혜인.

20. 속초 동화호텔 일각 (낮)

이동 중인 진혁, 문자를 본다. 별일 아니라는 듯 웃는다. 바로 전화
가 온다.

(혜인)   올… 김진혁! 이러다 승진해서 내 상사되겠어?

진혁   하지 마, 좀…. 그냥 우연이야. 응. 그래? 야, 이 사진 우리 아버지랑
         엄마한테도 좀 보내드려줘라. 내가 보내기 민망하잖아.

앞에서 총괄매니저가 세상을 얻은 얼굴로 오다가 진혁을 보더니 반색.

총괄매니저   김진혁 씨!

진혁   혜인아, 나 끊을게. 매니저님 오셔. (전화 끊고 목례. 방긋)

총괄매니저 우리 호텔에 복덩이가 왔어, 복덩이가!

진혁 과찬이십니다. 전 진짜 그런 분인 줄 모르고….

총괄매니저 난 우리 대표님이 김진혁 씨를 왜 이렇게 아끼나 했어! 역시!

진혁, 헉… 뭐라 대답하려 하는데 매니저 핸드폰이 울린다.

총괄매니저 전화가 불이 나네. (가면서 전화 받는다) 어, 박 부장! 아유, 뭘!
어쨌든 기분이 좋은 진혁.

21. 동화호텔 대표실 (낮)

진혁의 사진과 속초 동화호텔 사진이 담긴 기사를 보는 수현. 표정
애써 숨긴다. 김 부장이 앞에 서서 매우 흡족해한다.

수현 좋네요.

김 부장 그게 끝이세요?

수현 축하 꽃바구니 보내주세요.

김 부장 그건 늘 하는 거고요. 이 정도면 저희 홍보팀 해외 파트가 1년을 공
들여도….

수현 선례가 없어서…. 어떻게 포상하면 좋을까요?

김 부장 다시 저희 팀으로 보내주세요. 연말 파티도 그렇고 이번 일도 그렇
고…. 제가 김진혁 씨가 필요해요, 대표님.

수현, 고민.

수현 휴가, 포상금, 호텔 이용권 넉넉하게. 그렇게 정리해주세요.

김 부장 대표님…. 이게 절호의 기회예요. 진혁 씨 본사로 다시 데려올 기횝
니다!

수현 원하지 않을 거예요. 선행이… 빛을 잃을 거고요.

김 부장 (실망이 가득) 네. 무슨 말씀인지 이해했습니다.

김 부장, 아깝다⋯. 인사하고 나간다. 수현, 다시 잡지를 펴서 본다.
한껏 미소. 문자 보낸다.

22. 속초 동화호텔 일각 (낮)

진혁, 수현이 보낸 문자를 보며 빙그레.

문자 인서트/ 멋있어요.

진혁, 기분이 너무 좋다.

23. 태경그룹 우석 집무실 (낮)

아담한 카드 한 장 펴놓고 매우 고심 중인 우석. 만년필만 만지작만
지작.

우석   뭐라고 써야 차수현 씨 마음에 혹 들어갈까⋯.

김 비서가 들어온다.

김 비서   말씀하신 꽃바구니 준비 다 됐습니다.
우석   네.
김 비서   저⋯.
우석   ?
김 비서   돌려보내라고 하면⋯ 꽃은 어떻게 처리할까요?
우석   (눈 껌벅⋯ 껌벅⋯) 왜 그런 것까지 생각을 합니까?
김 비서   저는 혹시나⋯ 대표님 상처 받으시면 어쩌나, 걱정이 좀⋯ 네⋯.
우석   (싱긋) 백 번 정도는 거절당할 각오하고 있어요. 상처를 받으면⋯
운동할까? 술보다 낫잖아요.
김 비서   그렇죠.

우석, 카드를 보다가.

우석　　김 비서.

김 비서　네, 대표님.

우석　　작문… 잘해요?

김 비서　어떤 글을…?

우석　　그냥 뭐 꽃바구니랑 어울릴 만한….

김 비서　(매우 심각하게 고민 후) 그대가 꽃인지, 꽃이 그대인지 분간할 수 없는 이 마음 고이 접어 보내나니…. (크…!)

우석　　(이런…) 네, 일 보세요.

김 비서　네. (아, 멘트 너무 좋다)

김 비서, 도취되어 나가면.

우석　　(고민하다가) 니가 꽃일까, 꽃이 너일까. 가려낼 수 없는 내 마음을 보낸다.

에이…. 펜 툭 던진다. 다시 고민…. 뭔가 생각났다. 정성껏 적는다. 매우 만족한다.

우석　　김 비서!!!

24. 동화호텔 대표실 (낮)

꽃바구니가 한… 아무튼 꽤 많다. 수현, 서서 꽃바구니들을 본다. 흠…. 어이없고 머리 아프다. 장 비서, 수현이 눈치 보며 사진을 찰칵….

수현　　뭐하러 찍어요?

장 비서　흔한 샷은 아니니까요.

수현	돌려보냈어야지 이걸 들이면 어떡해요, 장 비서.
장 비서	대표님도 안 계시고 어떻게 해야 할지를 몰라서요. 순식간에 벌어진 일이라… 죄송합니다.
수현	대체 이걸 왜…. (하…)

카드가 보인다. 수현, 흠…. 어쨌든 펼쳐본다.

(우석)	너 닮은 아이들 보낸다.

수현, 돌겠다. 눈을 감고 한참 있다가.

수현	정리 좀 해줘요.
장 비서	어떻게… 이 많은 걸.
수현	장 비서 집으로 실어갑시다.
장 비서	우리 집… 애들 들여놓으면 전 어디 눕나요?

이때, 우석에게 전화가 온다.

(우석)	투어리스트에 호텔 기사 난 거 축하해. 엄청 까다로운 잡지라던데.
수현	정우석 씨.

25. 동화호텔 스카이라운지 (낮)

우석, 말소리와 달리 좀 안절부절못한다. 앉은 자세 바꿔가며 통화.

우석	스카이라운지야. 잠깐 보자.
(수현)	미팅 많아. 기다리지 마. 그리고, 다신 이러지 마. 부탁할게.
우석	기다릴게. 천천히 일 보고 와.

전화 끊는 우석. 물 한 모금. 또 한 모금.

우석   김 비서 멘트로 할걸 그랬나….

        자세 편하게 하고 기다리는 모드.

26. 동화호텔 대표실 (낮)

        꽃들은 사라졌다. 수현, 밀린 서류 보느라 정신없다. 장 비서 차를 내주며 슬쩍.

장 비서   저… 아직 기다리는 거 같은데… 벌써 세 시간이나….
수현   해외전략팀 들어오라고 해줘요. 쿠바에서 보낸 문서 확인할 게 있어요.
장 비서   네. (하고는 다시) 내가 가서 못 온다고, 진짜 미팅 많아서 정신없다고 할까?
수현   (장 비서를 본다) 해외전략팀, 콜 부탁해요.
장 비서   넵….

        우석이 좀 짠한 장 비서. 안타깝다.

27. 동화호텔 스카이라운지 (낮)

        찻잔을 새로 내주는 직원. 우석, 오래 기다려 기운이 좀 빠졌다.

우석   감사합니다.

        차 한 모금.

우석   우리 수현이 많이 바쁘구나.

        차 한 모금.

우석	그래서 니 호텔로… (갸웃) 이보다 최단 동선이 어디… 있나. 정우석 상처 받았다.

차 한 모금.

우석	앞으로 아흔아홉 번 정도는 괜찮아.

찻잔 내려놓고 일어나는 우석. 의연한 척하지만 안쓰러워 보인다.

28. 장수 과일 (밤)

진혁부, 핸드폰으로 진혁과 수현의 기사를 보고 있다. 걱정이 많은 얼굴이다. 이때, 가게로 들어서는 혜인.

혜인	아저씨!
진혁부	(반가우면서 퉁) 난 너 이민 간 줄 알았지. 골뱅이만 먹고 사라지고.
혜인	그래서 오늘은 과일 좀 먹으러 왔죠. 흐흐….

(점프)
진혁의 기사가 실린 잡지 보는 진혁부. 흐뭇하다.

혜인	아저씨, 이 잡지요. 엄청 유명한 잡지예요. 아무 기사나 안 실어줘요. 그런 잡지에 진혁이가 실린 거예요! 멋지죠!
진혁부	월급 받았으면 일하는 거고, 일하다보면 얻어걸리는 거지, 뭐.

퉁 하면서 입가에는 좋아서 미소가 솔솔….

진혁부	곶감 먹을래? 좋은 놈들 들어왔어.
혜인	네! 저 배고파요….

진혁부도 혜인도 기분이 좋다.

29. 동화호텔 대표실 (낮)

소파에 수현과 해외전략팀 두 직원이 앉아 있다. 경직된 수현의 얼굴. 심각하다.

수현　　전면 취소라뇨. 설계도가 잘못 간 거라고 설명해도 입장이 바뀌지 않는다고요? 직원의 실수로 보낸 메일 하나로 이렇게 된다는 게….

전략팀장　저희도 난감합니다. 메일 보낸 김 대리는 자기 실수 인정한다고 사직서 내고 사라졌어요. 전화기도 꺼져 있고, 집에도 아무도 없습니다.

전략부장　그 메일을 쿠바에서 리토스 받아 검토해봤는데, 이 사람 아주 작정을 하고 만들었어요. 동화는 절대 그 정원을 유지할 생각이 없다. 비생산적이고 낙후된 정서다. 쿠바의 경제적 도태를 여실히 보여주는 정원 대신 세련된 풀장을 만들기로 했다. 만약 이 경제적인 제안을 거절한다면 동화도 호텔 준공에 대해 다시 생각해보겠다….

수현　　동화의 입장이 아니라고 그 직원에게 사과문 받아 보냈다고 하세요.

전략팀장　이미 그렇게 진행했습니다. 근데 소용없습니다. 자존심이 많이 상했어요.

전략부장　그리고 그 호텔 부지 주인이 절대 땅을 내놓지 않겠다고 했답니다. 정원만 지켜달라는 게 조건이었는데 이렇게 돼버려서….

수현　　부지 주인 연락처 알아봐주세요. 내가 가요.

전략팀장　대표님. 저희가 이렇게 보고를 드리기까지 다 해봤습니다. 연락처도 구하려고 다 알아봤습니다, 제가 쿠바로 들어가려고…. 쿠바 호텔 관계자들이 막는 눈치예요.

전략부장　이 기사가 터지면서 유럽 호텔들이 기다렸다는 듯이 쿠바에 접촉하고 있습니다. 카리브해 최고 전망 좋은 부지를 그냥 둘 리가 없죠.

수현, 미치겠다….

수현   먼저 내가 쿠바로 갈게요. 그동안 계속 알아봐줘요.

전략부장   지금 아무 준비 없이 가시는 건 더 역효과일 수 있습니다. 저희가 다른 호조건들을 검토해서 다시 접촉하겠습니다.

이때, 노크 소리. 장 비서 난처한 얼굴로 들어와.

장 비서   대표님. 지금 긴급 이사회… 열렸습니다. 참석하셔야 할 것 같습니다.

수현, 폭풍처럼 밀려오는 일들에 점점 굳어지는 얼굴.

30. 동화호텔 대회의실 (낮)

이사들이 모두 모였다. 살벌한 분위기. 최 이사가 물 만난 물고기처럼 흥분했다.

최 이사   주가가 반 토막이 났어요. 이게 말이 됩니까? 동화호텔이 한 순간에 추락하고 있어요!

이사1   일시적인 겁니다. 그렇게 호도하진 마시죠.

최 이사   이런 치명적인 사고를 일시적이라고 치부할 수 있나요? 이래서 전문적인 CEO가 필요한 거예요. 신방과 나온 대표가 경영을 얼마나 알겠어요. 호텔 규모가 커지고 있잖습니까. 사실… 지금 태경에선 동화호텔 권리에 대한 소송을 시작했습니다!

웅성거리는 이사들. 이때 수현이 들어선다.

수현   태경 소송은 아직 법무팀에 공식적으로 들어오지도 않았는데, 최 이사님 정보력 대단하시네요.

움찔하는 최 이사. 선불렀다.

수현 모두 놀라셨죠. 한 직원의 악의적인 소행입니다. 해외전략팀에서 바로잡기 위해 발 빠르게 움직이고 있습니다.

이사2 타격이 큽니다, 대표님. 국내 주식 분석은 그렇다 쳐도 해외 주식 분석마저 부정적이에요.

수현 쿠바 호텔 진행이 바로잡히면 정리될 일입니다. 이사님들의 애사심을 신뢰하고 있습니다. 동요하기보다는 기다림으로 응원해주시길 당부드립니다.

수현, 말을 마치고 목례하고 나가는데.

최 이사 수장이 사생활로 바쁘시니 이런 사고가 나는 거 아닌지, 참….

수현, 그 말에 걸음을 멈춘다. 최 이사를 돌아본다. 최 이사, 어쩔 텐가….

수현 신문방송학이 전공이라 궁금한 게 있으면 기자 정신으로 들여다보게 되는데… 이 범죄를 저지르고 사라진 김진태 대리, 그 배후를 꼭 찾을까 합니다. 그것도 기다려주시길 바랍니다. (사이) 이사님들.

차갑게 돌아서 나가는 수현. 최 이사, 콧방귀를 뀌는 듯.

31. 속초 동화호텔 일각 (낮)

진혁이 근심이 가득한 얼굴이다. 혜인에게 전화를 건다.

진혁 혜인아, 통화 괜찮아?

32. 동화호텔 일각 (낮)

혜인, 전화를 받고 있다.

혜인   너도 기사 봤지? 회사 지금 난리 났어….

(이하 교차)

진혁   어떻게 된 거야? 정말 전면 취소야?

혜인   그런 것 같아. 이사회 열리고…, 시끄러워졌어.

진혁   갑자기 왜?

혜인   직원 한 명이 쿠바에 메일을 보냈대. 원래 정원인가 뭔가 그 공간은
지켜주기로 했다는데, 그 정원을 파내고 풀을 넣겠다고 설계도를
바꿔서 보냈다나 봐. 근데 그 부지 주인은 정원을 살리는 게 중요한
조건이었고. 아내 유언? 아닌가? 아무튼 중요한 정서가 있나 봐. 그
걸 건드렸으니.

33. 속초 동화호텔 일각 (낮)

통화를 마치고 서성이는 진혁.

진혁   정원… 아내와의 정서… (하다가) !!!

FB/

사무엘   (영어) 그대로 지키느라 고된 시간이었어요. 내 아내의 정원이었어
요. (1화 #14)

진혁, 뭔가 갈피가 잡히는 것 같다.

(총괄매니저) 휴가?

34. 속초 동화호텔 직원 공간 (밤)

총괄매니저의 벙찐 얼굴.

총괄매니저 며칠 쉰다고?

진혁 미리 말씀드려야 했는데…. 좀 급한 일이 생겼습니다.

총괄매니저 어차피 본사에서 포상휴가 줬잖아. 휴가 쓰는 걸로 하지, 뭐. 나쁜 일 생긴 건 아니지?

진혁 아닙니다. (웃는다)

총괄매니저 잘 다녀와요.

진혁 어깨 두드려주고 가는 매니저. 진혁, 다행이다…. 급한 마음에 핸드폰으로 어플 열어서 항공권을 예매하는 진혁. 출발지와 도착지 검색해서 가장 빠른 노선을 찾는다. 찾은 노선을 클릭해서 결제를 하는 진혁.

35. 문화당 당대표실 (밤)

태블릿으로 동화호텔 쿠바 관련 기사를 보는 차 의원. 전화를 건다.

차 의원 명식아. 수현이는 어떻게 하고 있나 해서.

36. 동화호텔 일각 (밤)

통화 중인 남 실장. 속상한 얼굴.

남 실장 저도 아직 얼굴을 못 봤어요, 계속 회의고. 장 비서 얘기 들어보니까… 형님, 아무래도 일이 커지는 것 같습니다. 태경에서도 소송이 들어온답니다. 이혼 계약서 들이밀면서 호텔 소유권 가지고 말도 안 되는…. 아유….

37. 문화당 당대표실 (밤)

얼굴이 차갑게 굳어 있는 차 의원. 가만히 앉아 깊고 냉정한 생각을 하고 있다.

차 의원   김화진 회장… 목줄을 조이겠다…. 그 목줄이 끊어지면… 당신이 물릴 거란 생각… 못 하는 건가.

차 의원, 차가워지는 얼굴.

38. 진혁 집 진혁 방 (아침)

여름옷을 급하게 챙기는 진혁. 진혁부가 문을 열고 놀란 얼굴로 들어온다.

진혁부   언제 왔어?
진혁   아, 좀 전에요. 깨실까 봐 조용히 했는데. (웃는다)
진혁부   내도록 얼굴 안 보여주다가 밤손님처럼 와…? 그래도 보니 좋다. 근데 여름옷은 왜?
진혁   아, 저 쿠바 출장가요. 아침 비행기로.
진혁부   뭐야… 보자마자 바이바이냐?
진혁   출장 다녀오면 집에 들렀다 속초 갈게요.
진혁부   회사 일이 많네…. 몸 축나면 어쩌냐.
진혁   잘 먹고 잘 쉬고 하는데, 뭐. 청과시장 가시게요?
진혁부   응. 엄마 깨울까? 뭐 좀 먹을래?
진혁   아직 시간 남았어요. 엄마 일어나시면 아침 먹고 갈게요.

진혁부, 진혁이 또 나가는 게 아쉽다.

진혁부   짐 잘 챙기고. (나가다가 다시 돌아보고는) 사진 잘 나왔더라?
진혁   인물이 있으니까. (아버지 마음 편하도록 농담)
진혁부   나 닮아서 그래.

방을 나서는 진혁부. 진혁, 한동안 문을 바라보다가 다시 짐을 챙긴다.

39. 인천공항 (낮)

비행기를 기다리는 진혁. 손에는 티켓. 수현에게 문자를 보낸다.

문자 인서트/ 파도가 바다의 일이라면 당신을 생각하는 건 나의 일! 그래서
나는 나의 일을 할 겁니다. 힘내요!

일어나 게이트로 가는 진혁.

40. 동화호텔 대표실 (낮)

해외전략팀 부장과 팀장과 회의 중인 수현.

수현 아직 호텔 부지 주인, 연락이 안 닿는 건가요?

전략팀장 부지 주인도 완강한 것 같고, 일단 호텔 관계자들이 함부로 알려줄
수 없다는 입장이에요.

수현 내가 직접 가야겠어요. 호텔 관계자들 마음이 흔들리는 것도 막아
야죠. 유럽 호텔이 들어가게 둘 수는 없어요. 쿠바에 도착해서 상황
공유하죠.

수현, 일어난다. 팀장, 부장도 일어나 인사하고 나간다. 수현, 후….
머리가 아프다. 인터폰으로 장 비서에게 지시.

수현 장 비서. 쿠바 항공, 호텔 부킹해줘요.

전쟁 같은 시간들. 수현, 안정제를 꺼내 삼킨다. 이제야 문자를 본다.

(진혁) 파도가 바다의 일이라면 당신을 생각하는 건 나의 일! 그래서 나는

나의 일을 할 겁니다. 힘내요!

무슨 말이지…? 전화를 거는 수현. 진혁의 전화가 꺼져 있다는 안내 멘트. 뭔가 불안해 걱정이 되는 수현.

41. 수현 집 수현 방 (밤)

쿠바 갈 짐을 챙기는 수현. 다시 진혁에게 전화를 건다. 여전히 꺼져 있다는 안내 멘트 들린다. 일이 하나도 손에 잡히지 않는다. 왔다… 갔다… 서성인다.

42. 비행기 안 (밤)

좁은 좌석. 진혁이 스페인어 사전 어플을 열고 편지를 쓰고 있다.

43. 수현 자동차 안 (아침)

공항으로 가는 길. 수현, 놀란 얼굴.

수현 휴가를요?
남 실장 제가 속초호텔에 알아봤더니 며칠 휴가 냈다고…. 쿠바 호텔 기사 다 봤을 텐데 연락이… 없죠?
수현 알 수 없는 문자만 왔어요. (작은 한숨)

계속해서 걱정되고 답답한 수현.

44. 쿠바 어느 거리 (낮)

수현의 문자들이 많이 들어와 있다. 진혁, 택시를 기다리며 문자를 적는다. 택시가 온다. 택시를 잡는 진혁. 기사에게 주소를 보여준다.

45. 쿠바 협력 업체 로비 (낮)

진혁이 하염없이 기다린다. 직원이 온다.

(이하 영어)

직원 오래 기다리게 해서 미안합니다. 보스로부터 연락이 늦게 왔어요. 우리는 협력 업체일 뿐, 호텔 부지 주인을 설득할 수가 없습니다. 그 주인이 이미 마음을 닫아버렸습니다.

진혁 부지 주인의 연락처를 알고 싶습니다.

직원 그건 알려줄 수 없습니다.

진혁 그럼…, (작성해온 페이퍼 건네며) 이 편지라도 전해줄 수 있나요?

직원 우리 업체에도 화가 단단히 나서 만나주질 않습니다. 그 낡은 정원이 뭐라고…. 우리도 당신을 여기까지밖에 도울 수 없겠네요.

직원, 애석해하며 들어간다. 진혁, 연락처도 없고…. 답답하다.

46. 쿠바 어느 정원 (낮)

진혁, 그 어느 날처럼 이 정원 벤치에 앉아 있다. 그날과 다른 것은 좀 초조하다는 것. 별수 없다. 여기서 죽자고 기다리는 수밖에. 『노인과 바다』 꺼내 읽기 시작한다.

47. 쿠바 어느 정원 (밤)

진혁, 벤치에 그대로 앉아 책의 마지막 장을 덮는다. 시간을 본다. 오늘은 안 나타날 것 같다. 어떡하지… 고민이다. 지갑을 열어서 돈을 본다. 얼마 없다.

진혁 여기서…. (하…. 그러나 이내 싱긋) 자자, 그냥.

진혁, 가방을 베개 삼아 벤치에 눕는다. 하늘을 본다. 별이 가득하다. 핸드폰으로 별밤 하늘 사진을 찍는다.

진혁 저렇게 많은 중에서
별 하나가 나를 내려다본다.
이렇게 많은 사람 중에서
그 별 하나를 쳐다본다….

FB/
/ 떨어질 뻔한 수현을 잡는 진혁. (1화 #34)
/ 진혁의 어깨에 기대 잠이 든 수현. (1화 #35)
/ 돈 좀 있어요? 하는 수현의 어린아이 같은 모습. (1화 #39)
/ 맥주를 마시며 야경을 바라보는 수현의 얼굴. (1화 #43)

진혁, 다시 생각해도 좋다. 이 노상 취침에도 굴하지 않고 수현 생각에 미소가. 그렇게 점점 잠이 든다.

48. 쿠바 어느 정원 (아침)

진혁, 잠들어 있다. 배에 올려둔 책이 스르륵… 툭, 바닥으로 떨어진다. 얼결에 잠이 깨서 떨어진 책을 집으려는데, 이미 다른 손이 집어든다. 눈이 부셔서 인상을 쓰며 올려다보는 진혁…. 헉! 벌떡 일어난다. 사무엘 할아버지가 진혁의 책을 슥슥 본다. 옆구리에는 잡지 한 권을 반 접어 끼고 있다. 진혁을 본다.

사무엘 (영어) 본 적 있는데?

진혁, 자신을 기억해주는 사무엘을 보며 천만다행이라는 듯, 저절로 환한 미소가 얼굴에 가득.

97

(점프)

사무엘과 나란히 앉은 진혁. 사무엘, 돋보기를 쓰고 진혁이 적어온 스페인어 페이퍼를 차분하게 읽고 있다. 진혁, 곁에서 애가 탄다.

(진혁)　이 정원이 소중한 이유를 이해합니다. 내가 살고 있는 마을에도 세월을 품은 놀이터가 있거든요. 애석하게도 그 놀이터가 곧 사라진다고 합니다. 나의 유년시절과 나의 친구들과 나의 가족들… 또 사랑하는 한 여자와의 추억까지. 소중한 모든 것이 담긴 놀이터가 사라집니다. 마음이 많이 허전하고 안타까워요. 그래서 당신의 분노를 이해할 수 있습니다. 부디 이 오해를 용서해주시길 바라는 마음에 다시 찾았습니다. 동화호텔과 대표인 그녀의 진심은 정원을 지키는 것입니다.

다 읽고 돋보기를 케이스에 넣는 사무엘.

사무엘　(스페인어) 스페인어 잘해? 잘 썼는데?
진혁　어….

(이하 영어)

사무엘　내가 영어 교사였던 게 천만다행인 줄 알아.
진혁　천만다행입니다!
사무엘　여기서 잤어?
진혁　네. 흐흐….
사무엘　물어볼 게 있어. 대답 잘 해야 나도 다시 생각할 거야.
진혁　(침 꿀꺽) 물어보세요.
사무엘　이 글의 요점은, 호텔 대표를 사랑한다는 거지?
진혁　그건, 이곳에 호텔이 다시 진행되어야 한다고 생각하는 저의 개인적이면서 중요한 이유고요. 동화호텔은 이 정원을 매우 아낍니다.
사무엘　그래서, 아니라는 거야? 안 사랑해?

진혁   …. (빛나는 눈) 보고 싶어 죽겠습니다.

사무엘 아침 먹을 시간이네. 생각해볼게. 여기서 그만 버텨.

진혁, 불안하다. 설득하지 못한 것일까… 사무엘, 옆에 둔 여행 잡지 들어서 어느 페이지 펼친다. 진혁의 속초호텔 선행을 다룬 기사. 진혁 사진을 가리키며,

사무엘 당신 맞지?

진혁   (눈 휘둥그레) 어떻게 이 잡지를…?

사무엘 아내가 가고 나서는 여행도 시큰둥하고…, 이 잡지가 낙이야. 근데… 실물이 낫네.

사무엘, 잡지 챙겨서 간다. 진혁, 어떤 대답도 듣지 못해서 불안하고 찝찝하다.

사무엘 여기서 더 버티지 마. 내일 아침까지 답 줄 테니까. 잘 가.

사무엘 가버린다. 혼자 남은 진혁, 벤치에 털썩 앉는다. 긴장이 풀린다. 배에서 꼬르륵 소리가 난다.

진혁   배고프다….

가방을 뒤지는 진혁. 에너지바 반 개 나온다. 일단 먹는다. 핸드폰을 꺼낸다. 앗…! 배터리가 완전 아웃이다. 보조배터리에 끼워본다. 그마저 아웃되었다. 이런…. 일단 먹는다.

49. 쿠바 공항 (낮)

진혁이 보낸 문자를 보고 멍하게 서 있는 수현.

(진혁) 나 쿠바에 왔어요. 연락이 잘 안 될 거예요. 내가 연락할게요. 아무 걱정 말아요.

수현 (맙소사) 쿠바…?!

수현, 상기되고 걱정되는 얼굴로 공항을 나선다.

50. 쿠바 바닷가 (낮)

진혁, 바다를 바라보며 음료수를 마시고 있다. 경치가 아주 좋다.

51. 쿠바 호텔 룸 (낮)

수현, 캐리어를 두고 옷도 갈아입지 않고 서성인다.

수현 어디 있는 거야….

다시 전화를 해보지만 받지 않는다. 서둘러 방을 나선다.

52. 쿠바 거리 (낮)

무작정 길을 나선 수현. 지나가는 사람들을 보고, 레스토랑 안을 보고, 진혁을 애타게 찾고 있다. 지치는 걸음을 잠시 쉰다. 어디로 가야 할지 몰라서 막막한 수현. 들어오는 생각.

FB/
/ 신발을 사준 진혁. (1화 #46)
/ 살사 공연을 같이 관람하는 진혁. (1화 #51)
/ 빵과 커피를 함께 마시던 진혁. (1화 #49)

진혁   혹시 내일 아침에 시간 되면… (방긋) 아침 사요, 그 카페에서. (1화 #52)

수현, 일단 그 카페로 가보고 싶다.

53. 그 카페 (낮)

수현이 카페로 들어온다. 손님 중에 진혁은 없다. 실망이다. 수현, 다시 나가려다가 문득 작은 게시판을 본다. 여러 메모들 사이에 반쯤 보이는 메모 한 장. 눈에 띄는 문구….
'From 과일장수'
뭔가 감이 오는 수현. 한 걸음 한 걸음 메모판 앞으로 간다. 떨리는 손으로 다른 메모지에 반쯤 덮인 과일장수의 메모지를 들춰본다. 흔들리는 두 눈. 메모지를 떼어낸다. 가만히 들여다본다.

메모 인서트/ 다시 만나면 물어보고 싶었어요. 남자친구 있는지….
                    From 과일장수

수현, 하…. 마음이 벅차오른다. 눈에 눈물도 고인다. 진혁이 그리워 미치겠다. 이때….

(진혁)   돈 좀 있어요?

믿을 수 없는 비현실적인 그의 목소리. 수현, 설마…. 돌아보면, 맙소사. 그가 서 있다. 예의 그 미소로 수현을 바라보며 거기 서 있다.

진혁   돈 좀 있어요?
수현   (눈물 그렁… 차분한 표정을 지으며) 얼마나 있으면 돼요?
진혁   음…. 빵이랑… 커피 마실 정도?

눈물이 그렁한 수현을 보는 진혁. 다시 이곳에서 만난 수현을 보니 마음이 벅차다. 진혁, 그대로 수현의 얼굴을 감싸 잡으며 키스한다….

54. 모로 까바냐 (밤)

그 어느 날처럼 나란히 앉아 맥주 한 병씩 들고 마시는 진혁과 수현.

수현 정말 그분을 만났단 말이에요?

진혁 네. 근데 결과는 잘 모르겠어요. 내일 아침까지 답 준다는데. 잘 되겠죠? (싱긋)

수현 진혁 씨가 최선을 다했으니까.

진혁 우리 진심이 통했으면 좋겠어요.

수현 그랬으면 좋겠어요.

둘 다 노을을 바라본다.

진혁 덕분에 우리가 여기서 다시 만났어요.

수현 정말 마법 같아요.

진혁 메모… 봤잖아요?

수현 네.

진혁 이제 속이 후련해요. 내가 먼저 대표님 좋아한 거 증명했으니까.

수현, 진혁을 본다. 진혁의 사랑에 가슴이 벅차다. 이때, 수현의 핸드폰이 울린다. 장 비서다.

수현 네. 네…, 그래요? 네. 알겠어요.

수현, 담담하게 정경을 바라본다. 진혁, 무슨 전화일까.

수현 사무엘 할아버지가 선물을 시원하게 주셨네요.

진혁	…!!! 설마…?
수현	(진혁을 보며 웃는다) 어떻게 마음을 돌려놓은 걸까? 연금술사인가 봐.
진혁	야호!!!

만세를 부르며 신나 하는 진혁. 사람들이 웃으며 본다. 보거나 말거나 신나는 진혁.

수현	축하해요.
진혁	우리 진심이 통했어요!
수현	다 진혁 씨 덕분이에요.
진혁	다 대표님 열정 덕분입니다!

서로 마주보며 웃는 진혁과 수현. 진혁, 수현의 손을 끌어와 잡는다. 다독… 다독…. 수현의 마음도 정말 편안해진다.

진혁	차수현 씨.
수현	?! (어색하고 생뚱맞아 진혁을 본다)
진혁	(밤바다만 보며) 수현 씨.
수현	이제부터 그렇게 부르기로 했어요? 나쁘진 않아요.

진혁, 수현의 손을 자신의 두 손에 꼭 담고… 수현을 바라본다. 수현도 진혁을 본다. 또 무슨 장난을 칠까 가벼운 마음으로 진혁을 보는 수현.

진혁	(미소) 사랑해요.

처음으로 진혁이 전한 단어다. 사랑. 두 사람, 아주 사랑스러운 눈으로 서로 코가 닿을 듯 마주 보며 웃는다. 모처럼 환하고 귀엽게 웃는 두 사람의 얼굴에서,
엔딩.

11화

내 안에…
당신이 촘촘하고 가득해

1. 쿠바 공항 (낮)

진혁이 대기 의자에 앉아 잠시 졸고 있다. 너무나 피곤하다. 수현이 티케팅을 마치고 온다. 피곤해 보이는 진혁이 안쓰럽다. 진혁, 잠이 깬다.

수현 기억이 막 난다. 비즈니스 타고 가라니까 자신과의 약속을 지키겠다고 거절한 남자가 있었어요?
진혁 아…, 그때…. 그렇죠.
수현 비즈니스로 티케팅하긴 했는데, 이번에도 원하지 않으면 뭐….

진혁, 앞이 캄캄하다. 그 먼 길을.

수현 난 비즈니스 타러 갈게요.

수현, 놀리듯 캐리어 끌고 걸어가면 진혁, 벌떡 일어나 수현의 캐리어를 자기가 끌며 한 손으로는 수현의 팔짱을 끼고 귀엽게 바짝 붙어 따라 걷는다.

진혁 나 데려가요….

수현의 팔을 꼭 품고 함께 걸어가는 진혁. 두 사람, 아주 행복해 보인다.

2. 동화호텔 직원 로비 (아침)

배너에 게시 정보가 떠 있다.

'동화의 얼굴 김진혁 사원 우수사원 선정'
'인사발령 / 2019년 1월 9일 김진혁 사원 본사 홍보팀 발령'

수현, 장 비서와 지나간다. 배너를 지나치는가 싶더니 멈춰 서는 수현. 다시 돌아서 천천히 배너 앞으로. 수현, 공고를 본다. 차분한 눈으로 내용을 본다.

장 비서 이번엔 인사과에서 일 좀 제대로 한 것 같은데요?

별일 아니라는 듯 다시 걸음을 옮기는 수현. 엘리베이터를 기다린다. 언뜻 미소가 지나간다.

3. 동화호텔 홍보실 앞 (아침)

진혁, 출근을 한다. 다시 복귀한 첫날. 새삼스럽게 떨리는 진혁, 후! 호흡 가다듬고 들어간다.

4. 동화호텔 홍보실 (아침)

진혁이 등장하자 폭죽을 터뜨리는 은진과 혜인과 박 대리. 김 부장이 꽃다발을 진혁에게 안겨준다. 이 과장은 어정쩡하게 박수를 치는데, 얼굴은 매우 불안해 보인다.

김 부장 홍보실 재입성 축하해요, 김진혁 씨!
진혁 (모두에게 인사하며) 감사합니다, 감사합니다!
박 대리 어때, 다시 오니까 두 번 입사하는 것 같고 좋아?
진혁 네, 좋습니다!
은진 난 이럴 줄 알았어. 진혁 씨가 그렇게 쫓겨날 사람은 아니지.

모두 '으유…' 하며 은진을 본다.

은진	좋단 말이잖아요…. 진혁 씨, 내가 오늘 진혁 씨 책상 싹 닦아놨어요!
진혁	감사합니다, 선배님!
혜인	축하해!

모두 신나서 환영한다. 김 부장, 기특하고 뿌듯하다. 이 과장은 전전 긍긍이다.

박 대리	이 과장님도 한 말씀하시죠!

그러게…. 모두 이 과장을 본다. 당혹스러운 이 과장.

이 과장	잘 왔네.
은진	아우, 드라이해….
이 과장	뭐 다 아는 사이끼리.
김 부장	한결같이 시니컬해.

진혁, 별로 신경 쓰지 않고 웃고만 있다.

5. 동화호텔 대표실 (낮)

수현, 일을 하고 있다. 쿠바 호텔 진행 사항 보고 있다. 문자가 들어온다.

진혁 문자 컴백했는데 얼굴 한번 보여줘야 되는 거 아닙니까?

수현, 피식…. 문자를 쓴다.

수현 문자 컴백 축하해요.

6. 동화호텔 일각 (낮)

진혁, 문자를 하고 있다. 수현의 답장 보고는 조금 섭섭. 다시 보낸다.

진혁 문자 끝? 섭섭한데….

7. 동화호텔 대표실 (낮)

수현, 얼핏 웃음. 음…. 뭐라고 보낼까….

수현 문자 더? 뭘 더 해야 하나…?

/이하 각자의 공간에서.

진혁 문자 얼굴 한번 보여주죠.
수현 문자 대표실로 와요, 그럼.
진혁 문자 대표실은 너무 사무적이지 않을까… 싶습니다.
수현 문자 또 나가서 놀자는 건 아니죠.

진혁, 안 되겠는지 전화를 건다. 수현, 전화를 받는다.

진혁 컴백하자마자 그러면 안 되죠.
수현 대표실도 사무적이라고 하고… 나가자는 것도 아니고. 그럼?
진혁 대표님은 모를 수 있는 직원 동선이 있거든요. 거기서 잠깐 봐요.
수현 내가 모르는 동선은 없는데? 동화호텔 구석구석 다 알거든요, 내가.
진혁 내기할까요?
수현 뭐 내기할 건데요.
진혁 음…. 저녁 사기?
수현 그래요. 어디로 갈까요?
진혁 일단, 대표실에서 나와서… 엘리베이터를 타시죠.

8. 몽타주

/엘리베이터 안.

수현 몇 층?
(진혁) 지하 2층.

수현, 지하 2층 버튼을 누른다.

수현 물품 출납 동선 말하는 거 아니죠?
(진혁) 거기서 만나면 완전 튀죠. 나에 대한 기대치가 이렇게 낮나….

/지하 2층 엘리베이터 공간. 수현이 내린다. 수현, 나와서 보면 직원들이 좀 보인다. 납품 차량도 보이고.

수현 나 여기 좀 아는데. 저 동선 들어가면 바로 세탁실이고, 더 들어가면 레스토랑 주방이고.
(진혁) 오…. 다 알고 있네요? 역시 우리 대표님.
수현 (아… 난감) 직원 꽤 많아요. 여기서 보자고요?
(진혁) 에이…, 그럴 거면 로비에서 보죠. 일단은 직원들 출입구로 다시 들어오세요.

수현, 직원들이 좀 보이는데 거길 뚫고 지나가야 한다. 민망한데….
직원들 인사한다. 수현, 업무 관련 통화인 척한다.

수현 네, 이사님. 말씀하세요.
(진혁) 올! 저 이사 된 거예요?

수현, 직원들 출입구를 지나며 하아…, 직원들 인사 미소로 받으며.

수현   이사님께서 그런 뜻으로 이해하셨다면 당황스럽고요.

(진혁)   자! 이제 복도 안쪽 문 하나 보이시죠? 그 문을 열고….

수현, 주위를 본다. 이쪽은 직원이 보이지 않는다. 문을 연다. 다시 복도가 나온다. 조금 놀라는 수현. 또 공간이 있었네, 하는.

(진혁)   지금쯤 깜짝 놀랄 텐데. 김진혁 이사가 보이죠?

수현   아니요. 어디 있는…?

9. 동화호텔 직원 동선 공간 (낮)

수현, 공간 안으로 들어와 몇 걸음 걸으면 진혁이 손을 번쩍 들고 웃으며 서 있다. 이제 마주하게 된 수현과 진혁.

진혁   솔직히 몰랐죠, 대표님?

수현   공사를 했나 보네요? 이런 공간 활용은 시설팀에서 정리하는 거니까.

진혁   대표님은 잘 모르지. 내기는 제가 이긴 것 같습니다.

수현   (두리번) 조용하긴 하네.

진혁   좋죠? 여기가 행사 있을 때만 사용하더라고요.

수현   나보다 호텔 공간을 더 잘 아는 것 같아요?

진혁   지난번 행사 때 여기에 비품 보관했었거든요.

수현   그렇구나.

진혁, 수현의 얼굴만 봐도 좋다. 그러나 덩그러니 마주 서서 할 게 없다.

수현   내기도 이겼고, 얼굴 봤으니까 이제 가요.

진혁   뭡니까. 이렇게 짧게 얼굴 보여주고 간다고요?

수현   복귀해서 할 일 많지 않아요?

진혁   그렇다고 30초 보여주고 갑니까. 그건 본 것도 아니고 안 본 것도 아니죠.

수현　그렇다고 여기서 딱히 할 것도….

진혁　업무 중에 잠깐 얼굴 보고, 이런 게 사내연애지. (매우 흐뭇)

수현　사내연… (맙소사…) 근데… (역시나 좀 불안하다) 누구 지나가면… 더 이상해질 것 같다.

진혁　에헤… 오늘 행사 없어서 지나갈 사람이….

하는데, 메이드가 통화하며 오는 소리 들린다.

(메이드)　거긴 어제 정리 다 했어요. 네. 네….

수현, 몹시 당황. 얼결에 반대편 문으로 진혁을 밀어넣는다. 진혁, 아니…, 어어…, 밀려들어가 숨겨진다.

10. 진혁이 숨겨진 공간 (낮)

진혁, 앗…. 조용히 상황 끝나길 기다린다.

(메이드)　어머. 안녕하세요, 대표님.

(수현)　수고 많으십니다….

11. 동화호텔 직원 동선 공간 (낮)

수현이 진정하려고 애써 미소 지으며 서 있다. 메이드(50대 초반)는 당황했다.

메이드　대표님께서 이런 곳까지… 너무 놀라서요.

수현　직원분들 동선이 쾌적한가… 둘러보느라….

수현, 서둘러 이동한다. 혼자 남겨둔 진혁이 신경 쓰여 다시 돌아보면, 메이드가 갸웃갸웃하며 여전히 수현을 보고 있다. 어색하게 서로 또 목례하는 수현과 메이드.

12. 진혁이 숨겨진 공간 (낮)

혼자 남은 진혁, 밖의 소리를 듣는다. 다 간 걸까…? 이때 핸드폰 진동이 울린다. 헉…. 보면, 박 대리다.

진혁   (소근) 네, 대리님.
(박 대리) 다시 속초 갔니?!
진혁   (소근) 설마요. 저 화장실입니다….
(박 대리) 대충 끊고 오지?
진혁   다 끝났습니다. 네….

진혁, 전화 끊고 후…. 조용히 문을 열고 나간다.

13. 동화호텔 직원 동선 공간 (낮)

문이 열리고 진혁이 나오고, 문을 닫고 '휴우…' 가려는데, 뜨악! 메이드가 아직 있다. 진혁, 식은땀이 난다.

진혁   안녕하십니까…. 수고하세요….

조용히 돌아서 다다다 빠른 걸음으로 사라지는 진혁. 그 모습을 심드렁하게 보는 메이드.

메이드   좋을 때다. 좋을 때야.

창고 문을 열어 비품을 찾는 메이드.

14. 동화호텔 일각 (낮)

최 이사 이동 중이다. '정우석 대표' 번호로 문자가 들어온다. 동영상 하나. 뭐지…? 무심코 열어보는데, 김 대리를 설득하던 날의 영상이 플레이된다. 기겁하며 영상 닫는 최 이사. 손이 떨린다. 주위를 살피며 우석에게 전화를 건다.

(우석) 놀라셨죠. 만나서 상의하시죠?

당황하고 화도 나는 최 이사.

15. 수현 자동차 안 (밤)

수현, 퇴근 중이다. 남 실장, 운전 중.

수현 아저씨.

남 실장 (냅다) 홍제동 가자고?

수현, 남 실장의 반응이 웃기면서도 난데없어하는 표정.

수현 아저씨 홍제동으로 이사하게 생겼어….

남 실장 심각하게 고민 중이야. 김선주 부장이랑 한동네 사니까 뭐랄까…. 삶의 피로도가 높다 할까? 김진혁 얼굴 보고 사는 게 낫지. 같이 이사할래?

수현 (농담이 귀여워서 그냥 웃는다)

남 실장 홍제동 가자는 것도 아니고. 뭐 해줄까?

수현 (차분…) 쿠바 호텔 사건 말이에요.

남 실장 안 그래도 내 물어볼라 했는데. 이대로 그냥 덮고 갈라고? 김 대린지 뭔지 그놈 안 잡고?

수현 배후를 잡아야죠. 공개적으로 경찰에서 수사하게 할 순 없어요. 쿠바 호텔이 언론에 오르내리는 거 싫어요. 그래서 생각해 봤는데…
아저씨가 좀 도와주셔야 돼요.

남 실장   말만 해!

남 실장, 뭐든 할 얼굴이다. 수현, 눈이 반짝반짝.

16. 와인 바 (밤)

우석과 최 이사. 최 이사의 눈빛은 살벌하고 우석은 여유롭다.

우석   한 잔 하실래요?

최 이사   그게 좋겠네요.

우석, 와인을 따라준다. 조용히 한 모금 하는 두 사람, 긴장.

최 이사   깜짝 놀랐습니다.

우석   저도 놀랐어요. 이렇게까지 하셔야 하나….

최 이사   김 회장님께서 반가워하실 일은 아닌 것 같습니다.

우석   결과가 중요하니까요.

최 이사   말씀주시죠. 원하는 게 있으시니 절 부르신 거 아닙니까?

우석   당당하시네…. 회장님 지시대로 했을 뿐이다. 그런 의미인가요?

최 이사   (그렇다는 눈빛)

우석   이 동영상으로 최 이사님 곤란하게 하고 싶은 생각 없습니다. 절 좀
           도와주셨으면 좋겠는데 거절하실 것 같아 패를 보여드린 거예요.

최 이사   그 영상에 미스터 조도 있어요. 미스터 조가 누군지는 아시죠?

우석   회장님 일 돕는 비서 말인가요? 지금쯤 국내에 없을 텐데요. 벌써
           숨기시지 않았을까요? 최 이사님 우리 어머니 잘 모르시네.

최 이사   (당황한다)

우석   그럼 이렇게 하시죠. 이 영상은 최 이사님과 저만 아는 걸로 하고,
           우선 회장님 의중을 한번 여쭤보시죠. 최 이사님을 보호하실지…

아니면 최 이사님께 모든 걸 떠넘기실지. 전 후자 같은데.

최 이사 (확신하지 못한다. 와인을 마신다)

우석 만나보시고, 다시 상의하시죠. 아, 이 영상에 대해서 미리 언급하시면 저도 더 생각하지 않고 차수현 대표한테 넘기겠습니다.

우석, 자신만만하다. 최 이사는 불안하다.

17. 찬이네 골뱅이 안 (밤)

진혁과 혜인, 대찬이가 건배를 한다.

대찬 야…, 우리 오랜만에 본다. 진혁이 컴백하니까 동네가 훤하다, 야.

혜인 너 없는 동안 대찬이 오빠 엄청 조용했던 거 모르지. 우울증 온 줄 알았어.

대찬 적당한 멜랑콜리였어. 오빠 겨울 탄단 말이다.

진명이 두피관리기 쓰고 카운터에 서 있다. 대찬이 돌아보다가 그 모습 보고.

대찬 너 일 안 해, 알바!

진명 형 겨울 탄다고 나를 얼마나 들들 볶아. 스트레스 너무 받아. 머리 다 빠지겠어!

대찬 그거 내 건데! 써도 된다고 안 했는데!

진명 나누면서 살아…. 사람이 인색해.

혜인 여긴 두 사람이 제일 시끄러워.

진혁과 혜인, 눈 마주치고 웃는다. 진명, 두피관리기 벗고 자리로 와 앉는다.

진명 그리고 왜 자꾸 알바라고 부르냐? 파트너, 얼마나 듣기 좋아?

대찬	파트너는 알바비 안 받지 않니? 나야 좋지.
진명	알바해, 그냥.

혜인, 진명이 잔에 맥주 따라준다.

혜인	어머니 생신 선물은 준비했어?
진혁	고민하고 있어.
진명	어머니가 우리 엄마 말하는 거야?
혜인	한집에 살면서 진짜 달라.
진명	선물에 나 껴줘. 같이 한 걸로 하자.
진혁	그러든가.
혜인	그럼 우리 어머니 축하 파티하는 거야? 어머니 밥 너무 맛있어.
진혁	이번엔 밖에서 모시려고.
진명	좋아, 장남!
대찬	외식 좋지. 야, 생신날 상 차리는 것도 얼마나 힘드시냐. 잘했어.
진혁	지난번에 포상으로 받은 호텔 숙박권도 사용하고…, 호텔에서 식사도 하시게 하고. 좋아하시겠지?
혜인	엄청 좋아하시겠다, 야!
진명	아주 좋아, 장남!
대찬	난 있잖아. 진혁이 같은 아들 낳는다면 결혼도 해볼 만하다 싶어?
진명	복불복이야. 나 봐! 같은 부모님인데 완전 다르잖아?
혜인	알긴 아니?
진명	사람들이 우리 형 보면 아이고 저 집은 뭔 복을 몰빵으로 받았냐, 막 이런 눈이거든? 근데 나를 딱 보잖아? 아…. 세상은 공평하구나. 한집에 둘은 안 나오는구나…, 이런다니까?
대찬	알면 좀 어떻게 안 돼? 아이고, 어머니….
진명	그러니까 형도 생각 잘 해. 진혁이는 되게 특별한 케이스고, 대개는 한꺼번에 안 주거든. 얼굴 받을래, 인성 받을래.
진혁	나 진짜…, 내가 오늘 안주구만. (해놓고 빤히 대찬 보며) 뭐 받을 거야.
대찬	음…. 얼굴. 내 아들이라도 그 얼굴로 살았으면 좋겠다.

모두 신나게 웃는다. 혜인, 이곳에 진혁이가 있어서 마음이 편하다.

18. 식당 (낮)

남 실장과 형사(남, 남 실장 연배)가 식사 중이다.

형사   남 기자, 아니 남명식이 이러고 입고 다니니까 말 까기가 상당히 그렇잖아. 아, 적응 안 돼….

남 실장   나는 적응될 것 같냐? 아침마다 힘들어.

남 실장, 김진태의 생년월일과 전화번호가 적힌 종이 한 장 내민다.

형사   에이…. 밥은 좀 다 먹고 주자.

남 실장   입으로 먹잖아. 귀로 들어. 이 번호 통화 목록 열어주라.

형사   오랜만에 남 기자 같다이? 뭔 일 있어?

남 실장   내 인생엔 아…무 일이 없다. 신세 좀 지자. 꼭 알아야 되는데 조용히 처리해야 돼.

형사   지 일도 아닌 것 같은데 힘을 주고 그래. 시간 좀 줘야 돼.

남 실장   (방긋. 다시 식사하다가) 아참, 내가 누굴 좀 패잖아? 그 노마가 맞을 짓을 했거든. 바람을 폈어. 그래서 좀 팼어. 그럼 어떻게 되나?

형사   (아유 진짜…) 구속.

남 실장   그래.

다시 식사에 매진하는 두 사람.

19. 수현 집 거실 (밤)

쿠바 호텔 자료 보는 수현. 정원 사진이 눈에 들어온다. 문득….

FB/
진혁   아 거기, 이제 없어져요.
진혁   아쉽죠. 저랑 같은 세월을 살아온 놀이터니까. (10화 #3)

수현, 많이 아쉬운 얼굴이다. 진혁에게 전화 건다.

20. 진혁 집 진혁 방 (밤)

진혁, 침대에서 쉬고 있다. 수현에게 전화가 온다.

(수현)   내가 저녁 사기로 했잖아요?
진혁   생각났어요? 아니, 저녁 사기 내기 져놓고 말도 없고, 말하기도 뭐하고. 이런 게 되게 애매한 거거든요. 생각났다니까 속이 시원하네.

수현을 놀리는 진혁은 연신 웃음을 참는다.

21. 홍제동 놀이터 (밤)

수현, 캐주얼한 차림이다. 진혁과 그네에 앉아 이야기 중.

수현   깜빡할 수도 있지 뭐 그렇게 속까지 시원해. (혼잣말하듯 디스)
진혁   저녁을 사야 얼굴을 보잖아요. (야경을 내려다보며 심드렁) 약속도 안 지키고, 내 마음도 몰라주고. 그래도 난 대표님이 맨날 보고 싶고. (수현을 본다) 어쩌겠어요, 내가 이해해야지.
수현   난 진혁 씨 놀이터 생각이 나서 사라지기 전에 같이 와보려고 저녁 내기 핑계 삼아 왔더니. 내 마음은 진혁 씨도 몰라주는 것 같다!

수현도 그네를 조금씩 타며 심드렁, 야경을 본다.

진혁   아이고, 이런. 진혁이가 잘못했네.

진혁, 일어나 수현의 앞으로 가 앉아서 수현의 무릎을 살짝 밀며 그 네를 태워준다.

수현 쿠바 호텔 정원 사진 보다가 여기 생각이 났어…. 이 놀이터 진혁 씨한테 많이 의미 있는 곳인데, 사라지면 어떨까 마음이 좀 그랬어 요. 속상하죠?

진혁 (그네 살살 밀어주며) 쿠바 호텔 정원…. 그 할아버지가 그랬어요. 그 정원에서 아내랑 사랑을 시작했고, 사랑을 완성했다고. 이 놀이터 사라져서 서운하긴 하지만…, 사랑을 시작하게 해준 곳이니까. 보내 줄 수 있어요.

다정하게 가까이 왔다 갔다…. 그네의 수현과 기다리는 진혁.

수현 다리 저리지 않아요?

진혁 (하…) 로맨틱 1도 없어 진짜.

고개를 절레절레 흔들며 일어나는 진혁.

진혁 가요, 저녁 사야죠.

진혁, 살짝 다리 저리다. 수현, 거봐…. 웃는다.

수현 어디로 가요? 아, 오랜만에 골뱅이집 갈까?

진혁 아, 거긴 멘탈 건강에 안 좋을 수 있어요. 오늘은 다른 데 가요.

진혁, 수현의 어깨를 잡아 방향을 돌려준다. 기분 좋게 나란히 걸어 간다.

22. 우석 자동차 안 (밤)

우석, 조수석에 놓인 와인 선물을 본다. 수현에게 문자를 보낸다.

우석 문자 오늘 잠깐 볼 수 있니? 전해줄 것도 있고.

답장 기다리는 우석.

23. 포장마차 (밤)

수현과 진혁이 메뉴판을 본다. 테이블 위 수현의 핸드폰에 문자가 들어온다. 진동소리 듣지 못하는 수현.

진혁 뭐 먹을까…. 대표님이 살 거니까. 어….
수현 포장마차는 우동이죠.
진혁 그렇죠. 그럼 우동으로 시작해보겠습니다.
수현 (주위 보며) 면치기 하지 말아요.
진혁 (정색) 우동은 난이도 높아서 잘 안 해요.

수현, 주위를 좀 의식하며 본다. 모두 각자의 술잔에 열중. 아저씨들 술 마시는데 수현을 알아보지 못한다.

수현 우리도 소주 한잔하면 안 돼요?
진혁 우리 대표님 하고 싶은 거 다 해. 소주 마시면 되죠. (씩 웃더니) 이 모님 여기 소주 한 병 주세요. 그러고 보니까 대표님 취한 거 한 번도 못 봤네.
수현 나 술 잘 마셔요. 자주 안 마셔서 그렇지.
진혁 그럼 오늘 한번 달리는 건가?

좀 신난다. 수현, 이게 뭐라고 설렌다.

-시간 경과-

다 먹어가는 닭똥집, 식은 우동, 소주 두 병. 수현은 발그레 취해 자꾸 웃는다. 진혁은 그런 수현이가 귀여워 자꾸 웃는다.

수현 근데… 왜 안 마셔요?

진혁 난 오늘 대표님 대리 기사 할 거니까.

수현 재미없게… 혼자 취하니까… 재미없잖아….

진혁 그래도 할 수 없어요.

수현, 물을 한 모금 마시고 진혁을 본다. 눈이 취해 있다.

수현 진혁 씨.

진혁 네.

수현 진혁 씨 알아요? 나… 요즘 되게… 좋아요.

진혁 나도 좋아요.

수현 내가… 더더더… 더 좋아요.

진혁 뭐가 더더더… 더 좋아요?

수현 음… 같이 라면도 먹고, 떡볶이도 먹고, 우동도 먹고, 닭똥집도… 나 처음 먹었어, 닭똥집.

진혁 (웃고)

수현 맛있어.

진혁 대박이죠?

수현 대박이야. 흐흐….

진혁 취하니까 더 귀엽네.

수현 내가 좀 귀엽지. 사실은 되게… 귀여운 스타일인데… 잘 몰라, 사람들이.

진혁 사람들이 모르면 어때요. 나만 알면 되지.

수현, 취해서 눈이 가물가물.

수현	나… 되게 좋아요.
진혁	알아요.
수현	진혁 씨 있어서… 되게 좋아요.
진혁	올… 기분 좋은데?
수현	근데… (눈물이 찬다) 좀… 그래.
진혁	뭐가?
수현	다… 꿈일까 봐.
진혁	…. (안타깝다)
수현	아침에 눈뜨면 있잖아요? 오늘도… 김진혁 있는 거지? 어젯밤 꿈인 거… 아니지? 그렇게… 확인하고… 안심하고… 또… 무섭고… 당 신… 사라질까 봐. 흐…. (슬픈 미소)
진혁	왜 사라져요, 내가…. 이렇게 여기 있는데.
수현	데려갈까 봐. 내 친구들이었던, 그 친구들처럼. 후…. 데려갈까 봐.
진혁	대표님.
수현	네.
진혁	나는 좌표가 생겼어요.
수현	좌표…?
진혁	네, 좌표. 나는 차수현 앞 1미터가 내 좌표예요. 늘 거기 있을 거예요.
수현	흐… 좋다. (웃다가 갑자기 정색) 좀 멀지 않나? 1미터는?
진혁	(얼굴을 훅 내밀며) 이 정도는 어때요? 10센티미터.
수현	좋네. 딱 좋다. 좌표 수정해요. 10센티미터….

그 거리를 두고 웃는 두 사람. 아이같이 해맑게 미소 짓는 수현. 봄
날 같다.

24. 수현 집 앞 (밤)

수현의 자동차가 와 선다. 운전석에서 진혁이 내리고 곧 취한 수현
을 부축해서 집으로 들어간다. 그 모습을 보고 있는 자동차 안 우석.
참담하다….

25. 수현 집 수현 방 (밤)

진혁이 수현을 부축해 침대에 앉혀준다. 수현이 외투 벗는 것을 도와주는 진혁. 수현, 외투는 벗었지만 외출복 그대로 침대에 쓰러지듯 눕는다. 진혁, 수현에게 이불을 잘 덮어준다. 잠이 든 수현. 진혁, 옆에 걸터앉아 수현의 머리카락을 올려준다. 수현의 얼굴을 사랑스럽게 쓰다듬어주는 진혁. 불을 꺼주고, 수현을 한 번 더 보고, 문을 닫으며 나가는 진혁.

26. 우석 차 안 (밤)

우석, 망부석이 된 듯.

우석　나와라, 이제. 너무 오래 있잖아….

슬픈 눈을 수현 집에서 떼질 못한다. 잠시 후, 진혁이 나온다. 옷깃을 여미고 걸어가는 진혁이 보인다. 미소 가득한 진혁이 보인다. 문을 열고 나가려다가 참는 우석. 수현에게 주려 했던 와인병을 본다.

27. 수현 집 수현 방 (아침)

머리가 아픈 수현. 부스스 일어난다. 외출복 그대로다. 어제 일을 생각한다.

수현　아, 몰라….

전화가 온다. 진혁이다.

수현　진혁 씨. 어제 잘 갔어요?

28. 진혁 집 진혁 방 (아침)

진혁, 웃는 얼굴로 난데없이 노래를 부른다.

진혁   그래, 난 취했는지도 몰라. 실수인지도 몰라. 아침이면 까마득히 생각이 안 나 불안해할지도 몰라.

29. 이하 교차–수현 방/진혁 방

/수현, 아 정말…. 난감해한다.
/진혁, 기분이 좋다.

진혁   하지만 꼭 오늘 밤엔 해야 할 말이 있어. 약한 모습 미안해도 술김에 하는 말이라 생각지는 마.

/수현, 난감하다.

수현   그만해요. 다 기억나.

/진혁, 아랑곳없이.

진혁   언제나 네 앞에 서면 준비했었던 말도 왜 난 반대로 말해놓고 돌아서 후회하는지. 이젠 고백할게, 처음부터 너를 사랑해왔다고

/수현, 이제 듣는다. 아침 세레나데 좋다.

(진혁)   이렇게 널 사랑해. 어설픈 나의 말이….
(진명)   야, 김진혁!!! 아침부터 뭐하냐, 너!

수현, 헉… 어쩌지.

(진혁)   2절은 나중에요.

뚜⋯. 수현, 풉⋯! 너무 웃긴다. 덕분에 기분이 좋다. 기지개 켜고 일어난다.

30. 진혁 집 진혁 방 (아침)

머쓱한 진혁, 괜히 스트레칭.

진명   장난 없다, 진짜⋯. 늦바람 무섭다, 무서워.
진혁   왜 일찍 일어나고 그러냐, 갑자기.
진명   형 너 노랫소리가 알람인 줄! 내 살다 살다⋯. 엄마, 형이⋯!

진명의 입을 틀어막는 진혁.

진혁   용돈 줄게.
진명   (손 떼며) 얼마.
진혁   오만 원.
진명   아부지, 형 좀 봐요!
진혁   (다시 입 틀어막는다) 십만 원!!!

진명, 오케이라고 손가락. 진혁부 고개를 들이민다.

진혁부   형이 왜.
진명   회사 때려치우고 오디션 프로 나간다잖아⋯.

진명 나간다. 진혁부 심각하게.

진혁부   그럴 실력은 아니잖아.
진혁   그래서 안 하려고.

진혁, 어색하게 웃는다. 진혁부, 뭐야… 나간다.

31. 태경그룹 김 회장 집무실 (낮)

최 이사, 근심 가득한 얼굴로 김 회장에게 매달리고 있다. 김 회장은
냉소를 짓는다.

최 이사 쿠바 호텔 일, 차 대표 성격에 전말을 캐고도 남을 텐데…. 불안해서
요….

김 회장 그런 일을 벌이셨어요?

최 이사 (배신감이 든다) 회… 회장님…!!!

김 회장 근데 왜 여기로 오셨을까요?

최 이사 (파르르) 그 자리에 미스터 조도 있었습니다.

김 회장 미스터 조가 누구지?

최 이사 이러시면 곤란합니다, 회장님.

김 회장 내가 왜 곤란한가요?

김 회장의 차가운 눈. 최 이사의 절망….

FB/

우석 우선 회장님 의중을 한번 여쭤보시죠. 최 이사님을 보호하실지… 아
니면, 최 이사님께 모든 걸 떠넘기실지. 전 후자 같은데. (11화 #16)

최 이사 너무 하십니다. 제가 모든 걸 걸고 회장님을….

김 회장 대체 무슨 말씀을 하시는지 모르겠습니다. 차수현 대표랑 상의할
일을 왜 여기 태경에 와서 하소연인지….

김 회장, 모르쇠다. 최 이사, 마음을 정한다.

32. 장수 과일 안 (낮)

진혁부, 조용히 앉아 핸드폰을 본다. 수현과 진혁의 휴게소 사진과 기사를 보고 있다. 하⋯. 고민이 깊은 진혁부.

33. 동화호텔 로비 (낮)

진혁, 반가운 얼굴로 나온다. 보면, 진혁부가 기다리고 있다. 두 사람, 반갑게 웃는다.

34. 카페 (낮)

진혁과 진혁부, 차를 마시고 있다.

진혁	가게는요?
진혁부	마실 나왔어. 가게에만 있으려니까 심심하고. 빨리 들어가야지?
진혁	아직 점심시간 30분 남았어. 식사는 하셨어요?
진혁부	아침을 늦게 먹었어.

잠시 차를 마시는 두 사람.

진혁부	얘기 좀 하고 싶은데 집에선 엄마도 있고 하니까.
진혁	가게로 오라고 하시지.
진혁부	너 일하는 데도 한번 보고 싶고. (사이) 진혁아.
진혁	네.
진혁부	아빠가 계속 모른 척하기도 뭐하고 그래서.
진혁	⋯?
진혁부	엄마도 걱정하는 것 같고. 너랑 저기 뭐냐⋯. 그 대표님 말이야.

진혁, 아버지가 온 마음을 알 것 같다.

진혁	제가 먼저 말씀드렸어야 했는데… 타이밍을 못 잡았어.
진혁부	너 속초 갈 때도 마음이 좀 안 좋았거든. 왜 갑자기 가나 묻기도 뭐하고. 사람이 사람을 사랑하는 게 노력이 어쩌구 저쩌구…. 그 사람이랑 힘드니까 나온 소리지, 뭐.
진혁	(다 알고 계셨구나….)
진혁부	괜찮을까?
진혁	어떤… 게요?
진혁부	호텔이 크고 좋더라. 저런 호텔이 여러 개 있다는 거잖아. 쿠바에도 있고.
진혁	….
진혁부	유명한 사람이잖아…?
진혁	네….
진혁부	아빠는 너 믿어. 그렇긴 한데….
진혁	아빠.
진혁부	(본다)
진혁	고민 많이 했어요. 아빠도 걱정되시죠? 근데 아빠, 저는 이 사람이랑 같이… 가보려고. 어디까진지 모르지만, 갈 수 있는 곳까지 가보려고요.

진혁이 눈빛이 단단해 보인다.

진혁부	그러다 아니면 어쩔 거야….
진혁	(답은 정해져 있지만 말을 아끼고 그냥 웃어준다)
진혁부	그래. 사람이 사람 좋아하는 건데. 더 가보면 어떻게 될까 계산하면 좋아하는 거 아니지.
진혁	(정답을 말해주는 아버지가 좋다)
진혁부	알았어. 너 어떤지 알아야 나도 마음을 정할 것 같아서 왔어. 응원을 하든지, 말리든지.
진혁	응원해줘, 아빠.
진혁부	(확답은 못하고) 점심시간 다 끝나겠다. 들어가봐야지?

진혁, 아버지의 고민이 느껴진다.

35. 카페 앞 (낮)

추울까 봐 아버지 옷깃을 잘 세워주는 진혁.

진혁부 엄마 보다 낫다, 야.
진혁 아, 엄마 생일 선물은 준비하셨죠?
진혁부 (처음 듣는다) 엄마 생일이야?
진혁 이럴 줄 알았어…. 엄마 또 서운할 뻔했네.
진혁부 무슨 생일이 일 년에 두세 번 같아. 밥이나 먹으면 되지, 뭐.

무심한 척하는 아버지 보고 '아휴…' 하는 진혁.

36. 찬이네 골뱅이 앞 (밤)

장 비서, 들어갈까 말까…. 아니지, 이건 아니지…. 다시 돌아서 갈까 하는데 열리는 문. 대찬이 훅 나온다. 깜놀하는 장 비서.

대찬 아, 30분째 뭐 합니까? 얼어 죽을 일 있어요?
장 비서 우연히 지나는 길에 여기가 걸린 거거든요!
대찬 알았어, 알았어. 지나는 길 해. 이 서울 대도시에 하필 여기 지나는 길 해, 그냥.

장 비서 손목 잡고 끌고 들어가는 대찬.

37. 찬이네 골뱅이 안 (밤)

장 비서에게 따뜻하고 매콤한 탕 내주고 맥주 내주는 대찬.

장 비서	공깃밥 있어요?
대찬	진명아! 공깃밥 하나 내드려라!

진명, 주방에서 고개 내밀고.

| 진명 | 오케이! |

옆 테이블 아저씨 일어나 지나가며,

아저씨	사장님 여자친구?
장 비서	손님입니다, 아저씨.
아저씨	그렇지? 안 어울린다 했어.
대찬	픕….
장 비서	희한해, 동네….

공깃밥 들고 나온 진명. 자연스럽게 합석한다.

진명	자주 만나니까 패밀리 같고 좋네요, 비서 누님.
장 비서	비서, 비서, 그만해요. 퇴근했는데 출근한 기분이잖아요.
진명	성함이…?
대찬	장미진.
장 비서	나한테 엄청 관심 많나 봐? 이름도 외워?
대찬	소개팅 어플로 만나 그렇게 욕을 얻어먹었는데 이름도 기억 못하겠어요?
장 비서	뒤끝 정말…. 사과했잖아요!
대찬	그래서 받아췄으니까 밥도 주지.
장 비서	사 먹는 거거든요? 매력 있는 여자는 밥값도 안 받나 봐요?
대찬	그렇긴 한데. 매력 있는 여자가 어디 있어, 여기.
장 비서	(컥…)

놀리느라 웃겨 죽는 대찬. 삐져서 일어나는 장 비서.

장 비서	내가 겨울 찬바람에 정신이 잠깐 얼었던 거지. 여길 뭐 하러.
대찬	(잡아 앉히며) 농담이잖아요.
장 비서	왜 자꾸 손목을 잡고 이래요!
대찬	그럼 안아서 앉히나?
장 비서	이대찬 씨!
대찬	와… 나 이름 오랜만에 풀로 들어보네. 기분이다! 술도 밥도 다 공짜로 줄게요!
장 비서	됐거든요. 맥주 말고 소주로 줘요!
대찬	에헤…. 또 소주 마시고 취해서 여기서 잘라고?
진명	(와우!) 잤어?!
장 비서	김진혁 동생 맞아? 뭐 이렇게 유전자가 극과 극이야?!
진명	비주얼은 별 차이 없는데 성격이 좀 다르긴 하죠.
장 비서	진짜 그렇게 생각해요?
대찬	하긴, 어? 진혁이랑 우리 셋이 다니면 삼형제냐고, 막…. 그치?
진명	언제?
대찬	(확 씨…) 소주 찾으시잖아.

그럭저럭 잘 맞는 조합이다.

38. 카페 룸 (낮)

최 이사가 와 있다. 소파에 마주 앉은 우석과 최 이사.

최 이사	원하시는 게 뭔가요.
우석	김 회장님 만나신 결과는 묻지 않는 편이 낫겠네요. (웃음기 거두고 진지) 주주들, 주식 모아서 저한테 넘기세요. 제가 가지고 있는 지분으로는 아무것도 못합니다. 적어도 차수현이 가지고 있는 지분보다 많아야… 최 이사님이든 누구든 지키지 않겠어요?

최 이사	….
우석	좋은 값에 받아오세요. 비용은 걱정 마시고. 서둘렀으면 좋겠습니다. 주주 총회 열어야 되거든요.
최 이사	주주 총회요?
우석	네. 중요한 안건이 있어서. 동화호텔…, 차수현이 혼자 감당하기에는 덩치가 커졌잖아요? 전문 인력이 필요한 시점 같은데… 어떻게 생각하세요?
최 이사	그럼… 차 대표를 대표 자리에서 물리시겠다는 말씀인가요?
우석	그건 봐서요. 일단… 내가 좀 들어가볼까 해서.
최 이사	(매우 놀라며) 공…동 대표로 들어오시겠다는 말씀인가요.
우석	그럼 나쁘지 않죠?
최 이사	아시겠지만, 태경 쪽 이사들 지분 얻는다고 공동 대표 자리 얻지 못합니다. 차수현 대표 우호 지분 소유 이사들이 반대할 게 뻔합니다.
우석	그쪽은 내가 알아서 할게요. 태경 쪽 이사들 지분만 조용히 가져다줘요. 김 회장님 모르게 진행되면 더 좋고요.

우석, 꼭 해야겠다는 표정. 최 이사, 복잡해진다.

39. 동화호텔 대표실 (낮)

차 의원과 수현이 차를 마시고 있다.

차 의원	우리 수현이 사무실 오랜만에 와본다.
수현	똑같죠? (좀 걱정되는) 아빠. 혹시 무슨 일 있어요?
차 의원	아니. 왜?
수현	갑자기 룸을 내달라고 하시니까. 한 번도 그런 적 없었잖아.
차 의원	중요한 손님을 만나야 해서. 기자들 눈이 좀 많아야지.
수현	별일 아닌 거죠?
차 의원	중요한 일인데 걱정할 일은 아니야. 신경 쓰지 마.
수현	그럼 됐어요. 미팅 편하게 하세요.

차 의원   그래. 고맙다. 슬슬 가볼까?

차 의원 나가고. 수현, 그래도 좀 걱정이 된다.

40. 동화호텔 룸 (낮)

기운이 맑아 보이는 제2야당 대표와 미팅하는 차 의원.

야당대표   이런 곳에서 만나자 하신 거 보니까… 예민한 말씀하실 것 같은 데요.

야당대표 사람 좋게 웃는다. 차 의원도 부드럽게 웃는다.

차 의원   이 대표님. 우리 문화당이랑, 합당하시죠.

야당대표, 전혀 예상 못 한 일이라 잠시 생각을 한다.

야당대표   갑자기 이런 말씀을… 이유를 알고 싶습니다.
차 의원   우리 문화당이나 대표님 당이나 혼자서는 대선 장담 못 합니다.
야당대표   그래서… 우리 당이 문화당 들러리가 되어달라는 말씀이십니까.
차 의원   아니요. 힘을 합치자는 말입니다.
야당대표   글쎄요. 우리가 합당을 하게 되면 차 대표님과 저, 경선 치를 거고… 당원들 세를 생각하면… 차종현 대표님이 경선 승자가 될 게 자명한데… 들러리가 아니라고요.

차 의원, 단단하고 깊은 눈으로 바라본다.

차 의원   경선은 없을 겁니다. 이 대표님께서 대선 단일 후보로 나가실 겁니다.

더 놀라는 야당대표. 또 생각….

야당대표	왜 이런 제안을 하시는 건가요.
차 의원	어차피 난 대선 주자가 되지 못할 겁니다. 그러니 문화당을 지켜달라는 뜻이에요.
야당대표	(이해가 안 된다) 대체… 무슨 말씀이신지….
차 의원	큰 바람이 불 겁니다. 문화당이 날아가지 않게 울타리를 치는 걸로 해둡시다.
야당대표	우리 당이 울타리가 되어달라는 건가요. 문화당이 더 큰 울타리일 텐데.
차 의원	(쓰게 웃고는) 이 합당으로 문화당 정치관이 훼손되지 않는 것. 그게 유일한 내 조건입니다.

진심으로 제안하는 차 의원. 야당대표, 아직 얼떨떨하다.

41. 동화호텔 일식 레스토랑 룸 (낮)

우석이 정 이사(남, 60대 후반)와 식사 중이다. 정 이사, 정색하며 젓가락을 내려놓는다.

정 이사	정 대표. 이게 무슨 말 같지 않은 소리야?
우석	도와주세요. 저 공동 대표 들어갈 수 있게 차 대표 라인 이사님들 마음 좀 열어주세요.
정 이사	결국… 너도 김 회장 자식이구나.
우석	작은아버지….
정 이사	나 이 회사 이사 할 자격 없는 사람이야. 학생들 가르치는 게 천직인 사람이 다 내려두고 왜 여길 들어왔겠어. 죄책감. 수현이를 너한테 보내라고 부채질한 그 죄책감 때문에 온 거다. 니 엄마한테서 수현이 지키는 게 그나마 내가 할 수 있는 일 같아서.
우석	작은아버지 탓 아니에요.
정 이사	아니. 차 의원님 나 믿고 수현이 보낸 거다. 내가 너는 다르다고 했거든. 내 형님이나 형수랑은 다르다고. 수현이 아끼고 잘 보살필 거

라고. 근데 너 어떻게 했어. (괘씸함에 욱하고…) 우리 집안만 발걸음 끊은 줄 아니. 그 후로 차 의원님 뵙질 못해. 면목이 없어, 이 사람아!

우석 … 저 동화호텔 들어가야 합니다. 도와주세요.

정 이사 이사회 참석 안 한 지 오랜데 이번에 열리는 이사회는 꼭 가야겠구나. 꿈도 꾸지 마라. 이 호텔 차 대표한테 어떤 의미인지 몰라?

엄하게 바라보며 꾸짖는 정 이사. 우석, 포기하지 않고 정 이사를 의미심장하게 바라본다.

42. 동화호텔 일식 레스토랑 앞 (낮)

남 실장이 차 의원 팔짱을 끼고 일식 레스토랑으로 막 들어가려 한다. 차 의원은 부드럽게 웃으며 버틴다.

차 의원 나가서 먹자니까. 길 하나만 건너면 우리 단골집들 얼마나 많아.

남 실장 정말 이러깁니까, 형님. 내가 형님 아니면 언제 우리 호텔 레스토랑에서 밥 한번 먹나? 내가 쏜다고.

차 의원 그래 니가 쏴. 나가서. 빈대떡 먹자.

남 실장 회 한 접시 합시다…. 나 회 못 먹어서 얼굴 붓는 거 봐.

차 의원 타고난 사이즈를 왜 회로 갖다 붙이냐. (에이…) 마음 좀 편하게 먹자!

남 실장, 쩝….

남 실장 돈을 좀 쓴다고 해도 이렇게들 말리니 원…. 남명식 재벌 되겠어.

방향을 돌리는 남 실장. 차 의원, 이제야 웃는다. 진혁이 옆 이탈리안 레스토랑에서 나온다. 남 실장, 진혁을 보고 반색한다.

남 실장 어, 진혁 씨!

진혁, 남 실장을 보고는 환하게 웃으며 꾸벅 인사한다. 그리고 차 의원을 인식한다. 수현의 아버지임을 당연히 알고 있는 진혁. 좀 급작스럽긴 하지만 예의 그 밝고 차분한 미소로 차 의원에게도 꾸벅 인사한다.

남 실장   (소근) 그 노마예요, 저 노마가.

차 의원, 이미 알고 있는 듯 차분하고 꼼꼼한 눈으로 진혁을 본다. 가까이 서게 된 세 사람.

남 실장   인사해요. 이 분은….
차 의원   나 차 대표 아버지되는 사람입니다.
진혁   네, 알고 있습니다. 처음 뵙겠습니다. 김진혁이라고 합니다. 홍보팀에서 일하고 있습니다.

진혁의 가식 없는 미소가 마음에 드는 차 의원.

남 실장   우리 요 앞에 빈대떡 먹으러 갈 건데 같이 갈까?
진혁   아…, 빈대떡 너무 좋아하는데 지금은 근무 중이라서요.
차 의원   다음에 같이 식사 한 번 합시다.
진혁   불러주시면 언제든 찾아뵙겠습니다.

흐뭇하게 진혁을 보는 차 의원. 진혁도 남다르게 차 의원을 바라보며 훈훈한 분위기.
일식 레스토랑에서 우석이 나온다. 이들의 모습을 보게 되는 우석. 이 조합이 좋아 보인다. 우석의 얼굴은 그다지, 아니 매우 안 좋다.

43. 동화호텔 홍보실 (밤)

퇴근 준비하는 직원들.

박 대리	퇴근하는 길이 얼마나 또 추울까. 진혁 씨, 한 잔?
진혁	아 저…, 어머니 생신 선물 사러 가야 해서요. 다음 주에 한 잔?
박 대리	내일도 모르는데 다음 주를 어떻게 알아. 오늘 하루가 소중한 거라고.
은진	매달리는 스타일. 피곤해.

은진의 말에 다들 웃는다. 박 대리 아 진짜…, 짜증 난다. 이 과장은
혼자 퇴근 준비도 안 하고 멍하다.

김 부장	이 과장은 퇴근 안 해요?
이 과장	(멍…)
은진	과장님?
이 과장	어? (다들 자기를 본다) 아….

주섬주섬 일어나는 이 과장. 김 부장, 이 과장이 이상하다.

| 김 부장 | 요즘 무슨 안 좋은 일 있어요? 컨디션이 안 좋아 보여. |
| 이 과장 | 아닙니다. 감기 기운이 있어서. |

묵묵히 퇴근 준비하는 이 과장. 진혁도 퇴근 준비를 한다.

44. 주얼리 샵 (밤)

진혁, 엄마 생일 선물로 목걸이 보고 있다.

여직원	어머니 선물이시면 이런 디자인은 어떠세요?
진혁	화려한 걸 별로 안 좋아하셔서요. (다른 거 고르며) 이거 주세요.
여직원	선물 포장해드릴까요?
진혁	네.

여직원이 목걸이 꺼내서 준비하는 동안 커플링 코너를 보게 되는

진혁. 눈이 반짝…. 커플링들을 본다.

FB/

수현   아침에 눈뜨면 있잖아요? 오늘도… 김진혁 있는 거지? 어젯밤 꿈
인 거… 아니지? 그렇게… 확인하고… 안심하고… 또… 무섭고… 당
신… 사라질까 봐.

수현   데려갈까 봐. 내 친구들이었던, 그 친구들처럼. 후…. 데려갈까 봐.
(11화 #23)

진혁, 마음에 드는 커플링 디자인을 유심히 본다.

45. 수현 집 수현 방 (아침)

에센스를 바르는 수현. 거울에 얼굴을 이리저리 비춰본다. 오늘 기
분이 좋다.

(진혁)   카메라 꼭 가지고 오는 겁니다! 연습 많이 했나 체크할 거예요!

화장대에 올려놓은 카메라를 보는 수현.

46. 메타세콰이어 길 (낮)

/수현, 숲길을 본다. 쭉 뻗은 나무들. 한가로운 길. 하…. 머리가 시
원해지는 것 같다. 입가에 큰 미소가 활짝. 그 모습을 보는 진혁은
아빠 미소다.

진혁   걸어볼까?

진혁, 수현의 손을 잡고 메타세콰이어 길을 걷는다. 수현, 잠시 걱정
을 뒤로하고 진혁과 가벼운 시간을 갖는다. 다정하게 걸어가는 두

사람.

/수현이 나무를 찍는다. 진혁이 숲길과 나무를 가리키며 구도를 설명한다.
/조용히 산책하는 수현을 카메라에 담아주는 진혁. 나무에 기대 서 있는 수현의 발을 찍고, 그 곁에 서서 두 발을 함께 찍고, 장난스러운 표정을 짓는 수현을 찍어주는 진혁. 나무랑 씨름하는 듯 장난하는 진혁을 찍는 수현. 둘 다 즐겁다.
/진혁과 수현, 손을 잡고 걷는다.

진혁 우리 쿠바에서 처음 만났을 때, 사고 난 날.
수현 카메라 떨어져서 김진혁 마음 상한 날?
진혁 그렇지, 그날.
수현 그때 뭐요?
진혁 내가 읽던 책 기억 안 나죠?
수현 공항에서 읽던 책은 기억나.
진혁 아, 맞아. 그 책. 거기에 이 메타세쾨이어 나무가 나와요. 거기 나오는 시인이, 사랑하는 사람한테 편지를 썼는데 그 나무 아래 묻어둔 거야. 나중에 그 시인의 선생님이 그걸 알고 파봤거든요? 전해주지 못하고 떠나서 대신 전해주려고 팠는데… 거기서 끝나. 읽을 때마다 궁금해. (수현 보며) 뭐라고 썼을까?
수현 음… 난 사랑을 책으로 배웠다. 이제 선명하다. 그런 거?

수현이 막 웃는다. 진혁, 쩝….

수현 근데 그 시인은 왜 직접 안 전해주고 나무에 묻었을까? 헤어졌나?
진혁 시한부였어요.

수현, 걸음을 멈추고 뭐냐…. 진혁을 본다.

수현	이 분위기 어쩔 거예요? 새드엔딩이잖아.
진혁	그게 왜 새드야. 사람이 사라진다고 사랑도 사라지나? 트루 러브죠.
수현	환기 시켜준다고 하고 슬픈 얘기하고. 갑자기 기분 별로야.

수현, 혼자 걸어간다. 진혁, 토라지는 수현이 귀엽다. 얼른 다가와 수현의 손을 다시 잡는다. 수현, 손 놓으려고 하는데, 더 꼭 잡더니.

진혁	갑자기 기분 별로면 안 되는데. 기분 좋게 해줘야 되는데… 큰일 났네….

진혁, 수현과 잡은 손을 자기 외투 주머니에 같이 넣는다. 수현, 그러거나 말거나 무뚝뚝하게 걷는데… 진혁이 주머니 안에서 수현의 손에 뭔가 쥐여주는 듯. 수현, 걸음을 멈추고 손을 빼본다. 필름통이 쥐어져 있다.

수현	(퉁명, 어쩌라고) 이거 뭐.

진혁, 흔들어보라고 액션 보여준다. 수현, 심드렁하게 흔들어본다. 달그락…. 뭔가 있다. 열어보라고 눈짓하는 진혁. 수현, 뭐야… 열어서 손바닥에 쏟아낸다.
반짝이는 커플링 두 개가 수현의 손바닥 위에. 수현, 맙소사… 예쁜 커플링을 한참을 들여다본다.

진혁	갑자기 기분 좋아졌죠?
수현	(진혁을 본다) 엄청.

행복하게 미소 가득 짓는 수현. 진혁이 반지를 수현의 손가락에 끼워준다. 자기 손도 내민다. 수현이 진혁의 손가락에 반지를 끼워준다. 두 사람 각자의 손을 내밀어 본다.

수현	예쁘다.
진혁	일 년에 한 번씩 업그레이드 시켜줄게요.
수현	그런 게 어디 있어…. (웃겨서) 커플링을 매년 바꿔요?
진혁	대표님 주얼리랑 많이 차이 나니까….
수현	차이 많이 나지.
진혁	(거 봐…. 젠장…)
수현	이게 제일 예쁘잖아.

진혁, 수현이 좋아해주니까 너무 좋다.

진혁	내 안에… 당신이 촘촘하고 가득해.
수현	(진혁의 남다른 고백에 설렌다)
진혁	차수현이 좋아했던 친구들처럼 멀어질 수도, 사라질 수도 없어요. (사이) 나는 온통 차수현이니까.
수현	(더욱더 깊어지는 수현의 두 눈)
진혁	내가… 당신이 잠드는 그날까지 당신 곁에서 지킬 거야.

수현, 점점 눈물이 꽉 차오른다. 수현, 진혁의 허리를 꽉 안는다. 진혁의 두 팔이 수현이를 따뜻하게 안는다.

| 진혁 | 천천히 다 해줄게요. |

수현, 진혁의 얼굴을 바라본다. 가장 행복한 미소.

| 수현 | 신난다. |

진혁과 수현, 행복하다.

| 진혁 | 기념사진 찍자. |

수현과 진혁 각자 손을 내밀어 커플링이 잘 보이도록 해서 사진을 찍는다.

47. 수현 집 드레스 룸 (밤)

시계를 풀고, 귀걸이를 풀어내는 수현. 손에 커플링도 빼려고 하다가, 가만히 본다.

FB/

진혁　　내 안에… 당신이 촘촘하고 가득해.

진혁　　내가… 당신이 잠드는 그날까지 당신 곁에서 지킬 거야. (11화 #46)

마음이 너무 행복한 수현.

48. 진혁 집 진혁 방 (밤)

진혁, 침대에 누워 손가락의 커플링을 본다. 연신 좋아서 싱글.

FB/

수현　　차이 많이 나지.

수현　　이게 제일 예쁘잖아.

수현　　신난다. (11화 #46)

갑자기 벌떡 일어나 달력에 '커플링' 적고 흡족해하는 진혁. 커플링을 이리저리 보며 신나한다.

49. 진혁 집 거실 (낮)

텅 빈 집. 진혁모, 아침 식사한 걸 다 치운 후. 얼굴에 서운함이 가득하다. 식탁에 앉아 물을 벌컥!

진혁모   아니. 다 몰라도, 어? 진혁이는 알아야지. 한 번도 식구들 생일 놓쳐
본 적이 없는 앤데. 너무하네, 진짜….

진혁부   뭐가 너무해?

들어오는 진혁부. 진혁모, 놀라서 현관을 본다.

진혁모   왜 금방 와?

진혁부   금일 휴업 붙이는데 금방 하지, 그럼.

진혁모   오늘 가게 문 닫아, 여보? 왜?!

진혁부   진혁이가 지 일하는 호텔로 오라잖아. 같이 점심 먹재.

진혁모   갑자기 왜?

진혁부   미역국 사줄 건가보지.

진혁모, 어머…. 모두 다 알고 있었던 거야? 매우 흐뭇.

진혁모   우리 진혁이는 정말…, 아유!

진혁부   편한 옷이랑 해서 챙겨. 오늘 집에 못 와.

진혁모   (이번엔 더 놀란다) 집에 왜 못 와?!

진혁부   호텔서 자래. 숙박권 받았잖아. 지난번에 왜 거, 잡지 기사. 됐다가
지나 쓰지.

진혁모   (뭐래…? 발끈) 진혁이가 쓸 일이 뭐가 있어? 우리랑 가면 모를까?

방에서 진명이 잠 덜 깨서 나온다.

진혁모   너 오늘 무슨 날인지 알지!

진명, 엄마를 놀린다.

진명	알지…. 아빠 생일?
진혁모	넌 라면 끓여 먹어. 우리끼리 나갈 거야.

진혁모, 휙 욕실로. 진명, 토라지는 엄마 보고 재미있어한다.

진혁부	재밌냐?
진명	어.

진명, 해피 벌스데이 투 유! 계속 놀린다.

50. 동화호텔 홍보실 (낮)

혜인, 일하고 있다. 진혁이 혜인에게 문자를 보낸다.

진혁 문자 부모님이랑 진명이 오는데 같이 점심 먹을래?
혜인 문자 아냐. 가족끼리 오붓하고 럭셔리하게 드셔!

진혁과 혜인 잠시 눈 마주친다. 알겠다고 눈빛 주는 진혁.

은진	우리 오늘 더치페이해서 레스토랑 어때요? 이탈리안.
박 대리	좋다. 더치페이해서 라조육 하나 하자. 중식 어때?
은진	안 맞아, 안 맞아….
진혁	전 오늘 부모님이랑 식사하기로 해서요. 먼저 가보겠습니다.
은진	혜인 씨, 우리 파스타 어때?
혜인	좋죠!

자리를 정리하는 진혁.

51. 동화호텔 엘리베이터 안 (낮)

들뜬 진혁모와 덤덤한 진혁부.

진혁모   호텔은 엘리베이터도 분위기 있네…. 그치, 여보?
진혁부   티 나. 처음 온 거. 조용히 갑시다.

엘리베이터가 선다. 문이 열리고 수현이 보인다. 동승하게 된 수현
과 진혁 부모. 진혁부는 수현을 단번에 알아본다. 티 내지 않는다.
그러나 살핀다.

진혁모   13층 맞아요? 식당 이름이 뭐라고 했지? 영어지?
진혁부   그냥 이태리 레스토랑 어디냐고 하면 다 알겠지.

수현, 친절하게 안내한다.

수현   삐아체레스토 가세요?
진혁부   … 네.
수현   13층에서 내리시면 됩니다. 오른쪽에 있어요.
진혁모   아가씨도 이 호텔 직원인가 봐요?
수현   네.
진혁모   우리 아들도 여기 다니거든요.
수현   (웃는다) 아, 네….

친절하게 웃는 수현. 진혁모 무심코 이야기 나누다가 어…, 이제야
느낌 온다. 설마… 하며 수현을 조심스럽게 힐끗 보게 되는 진혁모.
엘리베이터가 선다.

52. 13층 엘리베이터 공간 (낮)

진혁 부모 먼저 내리고 수현도 내린다. 수현이 반대쪽으로 이동한
다. 한참 걸어간다. 진혁 부모 누가 먼저랄 것도 없이 수현의 뒷모습
을 바라보게 된다.

(진혁) 엄마!

진혁 부모 정신 차리고 돌아보면 진혁이 싱긋 웃고 서 있다. 수현도
진혁 목소리 같아서 얼핏 돌아본다. 진혁이다. 같이 내린 사람들이
진혁이 부모님인 걸 인지하고 당황하는 수현. 진혁은 수현을 보지
못한다. 수현, 이동한다.

(진혁) 엄마 생신 축하드려요! 아침에 서운했지?

진혁의 목소리 들으며 이동하는 수현. 코너를 돌자 걸음이 좀 느려
진다.

(진혁모) 쪼오…끔 서운했지. 다들 정말 이렇게 놀릴 거야?
(진명) 오 마이 패밀리! 나 기다리는 거야?
(진혁부) 일생 조용한 등장이 없어…. 들어가 빨리, 배고파.
(진혁) 가자가자!

수현, 가족들 목소리에 반갑기도 하고 아쉽기도 한 미소.

53. 이탈리안 레스토랑 룸 (낮)

진혁모, 선물 상자를 열어본다. 예쁜 목걸이다. 너무나 좋아하는 진
혁모.

진혁모	어우, 야…! 호텔에서 밥도 먹고 그러는데 뭐 하러 또 돈을 썼어!
진명	뭐 하러 또 돈을 썼어! 좋으면서 꼭 그래.
진혁부	유일한 생일 선물 같으니까 고맙다 하고 받아.
진혁모	진명이는 그렇다 치고, 당신도 없어?

진혁부, 못 들은 척 음식만 먹는다. 목에 대보며 좋아하는 진혁모.

진혁모	어때, 진혁아? 이쁘니?
진혁	(엄치 척)
진명	난 월급 타면 선물 사줄게. 뭐 필요해. 스킨? 로션?
진혁모	넌 사고나 치지 마.

이때, 노크 소리 들리고 매니저가 들어와 인사. 좋은 와인 한 병을 들고 있다.

매니저	잠시 실례하겠습니다. 저희 대표님께서 보내셨습니다. 식사 메뉴랑 잘 어울리는 와인으로 준비했습니다.

모두, 얼떨떨….

진혁	감사합니다.
매니저	그리고 (진혁 부모 보며) 두 분 호텔 시설 자유롭게 이용하실 수 있게 도와드리라고 하셨습니다.
진명	잘 됐네, 엄마! 오늘 여기서 주무신다며? 스카이라운지 그런 것도 있죠?
매니저	(친절하게 미소) 네. 야경이 아주 좋습니다. 제가 스카이라운지 바에 예약 도와드리고 안내해드리겠습니다.

진혁, 선뜻 뭐라고 말하지 못하고 아버지를 본다.

진혁모	그렇게까지…. 우리가 돌아다니면 호텔 분위기만 흐리지. 그쵸, 여보?
진혁부	잘 마실게요. 감사하다고 좀 전해주세요.
매니저	네, 전해드리겠습니다. 와인… 테스트 해보시겠습니까?

모두, 무슨 말인지 낯설다. 매니저 눈치 빠르게.

매니저	제가 준비해드리겠습니다.

와인을 따는 매니저, 그 모습을 어색하게 지켜보는 진혁의 가족들.

진명	엄마 와인 처음 마셔보지?
진혁모	(민망해서) 포도주나 와인이나.
매니저	네, 맞는 말씀이십니다. (사람 좋게 웃는다)

진혁, 수현에게 고마운 마음이 든다. 그러나 한편 어머니가 뭔가 불편해하는 걸 본다.

54. 동화호텔 대표실 (낮)

수현, 일하고 있는데 노크 소리 들리고 매니저가 들어온다.

매니저	말씀주신 대로 안내해드렸습니다, 대표님.
수현	감사해요.
매니저	다른 시설들은… 사양하셨습니다. 와인만으로도 감사하다고 하셨고요.
수현	… 그래요. 수고하셨어요.
매니저	저… 오늘 여기서 숙박하시는 것 같은데 객실 업그레이드 할까요?

수현, 잠시 생각.

수현	아니요. 그것도 불편하실 수 있을 것 같아요. 머무시는 객실 컨디션만 잘 살펴주세요.
매니저	네. 그럼….

인사하고 나가는 매니저. 수현, 점심시간에 마주친 진혁 부모를 생각한다. 소탈한 모습을 떠올리며 잠시 웃는다.

55. 동화호텔 홍보실 (낮)

진혁, 일하고 있다. 진혁, 혜인이와 눈이 마주친다. 혜인 입모양으로 '식사 잘 했어?' 진혁이 대답하려고 하자.

은진	식사 잘 했겠지, 당연히.

혜인, 헐…. 진혁도 풉….

은진	김진혁 씨.
진혁	네?
은진	아까 배웅하던 그 남자는, 형? 멀리서 잠깐 봤어요.
진혁	아, 네…. 동생인데요.
은진	노안이구나. (다시 일하려다가) 솔로?
진혁	아마도.

은진, 솔로란 말에 흡족해한다.

박 대리	진혁 씨, 동생 보호 잘 해라. 큰일 난다, 아주.
은진	일하지 그래요.
박 대리	당신도 좀 하지 그래요.

진혁과 혜인은 두 사람의 으르렁에 잠시 웃는다.

우석, 누군가를 기다린다. 김 비서, 노크 후 들어온다.

김 비서 최 이사 쪽에서 연락이 왔습니다. 지분 정리되었다고 합니다. 정
말… 진행하실 건가요, 대표님?

우석 해보려고요, 동화호텔 대표. 태경 자금은 안 됩니다. 내 개인 자금으
로 주식 매입하세요.

김 비서 네, 대표님.

우석 최 이사 동선 계속 지켜보세요.

김 비서 네. 그럼….

김 비서, 나간다. 우석, 가만히 생각한다.

FB/
진혁이 수현의 집에서 나오던 새벽. (11화 #26)
차 의원과 함께한 자리에서 다정하게 웃는 진혁. (11화 #42)

우석, 펜을 책상에 톡… 톡… 톡. 얼굴이 경직되었다.

57. 동화호텔 룸 (밤)

진혁부는 텔레비전을 보고 있다. 그러나 눈은 다른 생각. 진혁모, 욕
실에 비치된 것들을 들고 나오며.

진혁모 이거 가져가도 되는 거겠지? 어차피 쓰라고 놔둔 거잖아.

진혁부, 다른 생각에 말을 듣지 못한다.

진혁모 여보.

진혁부	어?
진혁모	뭔 생각을 그렇게 해요.
진혁부	(목 돌리며) 노는 게 더 피곤해…. 아유….

진혁모, 진혁부 곁에 앉는다.

진혁모	여보. 난 좀 마음이 그래….
진혁부	뭐가?
진혁모	우리 진혁이랑 그 대표… 님이랑. 남다른 사이인 것 같아서….
진혁부	아들 인생이야. 냅둬.
진혁모	안 어울리잖아요….
진혁부	진혁이 잘생겼고, 대표는 예쁘고. 뭐가 안 어울려.
진혁모	이 으리으리한 호텔 사장이잖아.
진혁부	나도 장수 과일 사장이야. 쉬고 있어. 바람 좀 쐬고 올게.
진혁모	길도 모르면서 어딜 가려고?
진혁부	금방 들어와. 뭐 좀 사다줘?
진혁모	배불러요. 빨리 들어와요.

진혁부, 외투를 입으며 방을 나선다. 진혁모는 심심한지 리모컨을
찾아 켠다.

58. 동화호텔 레스토랑 앞 (밤)

진혁부가 서성인다. 뭔가 도움을 청하고 싶은 듯. 매니저, 진혁부 알
아보고 나온다.

매니저	안녕하세요. 도움이 필요하시면 말씀주세요.
진혁부	(매우… 신중하고 조심스럽다) 저….

입술이 마르는 진혁부.

59. 홍제동 일각 (밤)

진혁이 퇴근하며 걸어가고 있다. 수현과 통화 중이다.

진혁　　오늘 너무 고마워요. 나 완전 기분 좋았어.

60. 동화호텔 대표실 (밤)

수현도 편안한 얼굴로 통화 중이다.

수현　　와인이 입맛에 맞으셨는지 모르겠어요. 전통주 보내드릴걸 그랬나?

　　　　　(이하 교차)

진혁　　아버지 엄청 좋아하셨는데? 맛 좋다고 혼자 거의 다 드셨어요.
수현　　다행이에요. 진혁 씨 가족 분위기 참 좋더라. 우리 집에는 없는 그런 게 있어.
진혁　　아, 정말 갑분짠이야. 짠하게 왜 그렇게 생각해요….
수현　　사실인데 뭐. 어머니 인상도 참 좋으세요.
진혁　　아버진 어때요?
수현　　잠깐 얼핏 봬서…. 근데 좀… 무뚝뚝하실 것 같아.
진혁　　딱 맞췄어. 남들이 보기에도 그런가?
수현　　집에 들어가는 길?
진혁　　네. 아무도 없는 집에 들어가는 거 진짜 오랜만이다. 대표님은 맨날 빈집에 들어가죠. 음… 외롭겠는데?
수현　　별로.
진혁　　내가 가 있을까요?

행복한 진혁의 얼굴과 수현의 얼굴.

/대표실. 노크 소리 들린다.

수현　나중에 통화해요. 누가 온 것 같아.

수현, 기분 좋게 통화를 마친다. 이어, 문이 열리고… 매니저가 들어와 목례. 수현은 의아한 얼굴.

수현　매니저님, 무슨 일로….

하는데, 매니저 뒤로 진혁의 아버지가 들어선다. 너무나 놀라는 수현. 진혁부, 알 수 없는 차분한 표정으로 수현을 바라본다.

61. 홍제동 일각 (낮)

진혁, 기분 좋게 걸어간다. 아 추워…. 종종 걸어가는데.

(우석)　김진혁 씨.

진혁, 돌아본다. 우석이다. 왜 여기 있지…. 좀 경직된 눈으로 우석과 마주 선다.

우석　아…, 내가 이 동네를 다 와보네요. 인연이 하나도 없는 곳인데.

우석, 진혁을 보며 여유롭게 웃는다. 우석을 가만히 보던 진혁.

진혁　저 만나러 오신 건가요?
우석　어디 다녀오나 봐요? 잠깐 보자고 전화하려고 했는데 딱 만났네.
진혁　왜 저를.
우석　왜…. (진혁을 보는데, 웃음으로 시작한다) 내가, 첫눈에 반한, 그래서 여전히 사랑하고 있는… (매우 결연한 두 눈) 내 여자 때문에.

진혁, 우석의 도발적인 말에 얼굴이 굳는다. 우석, 더 두고 볼 수 없
어 작정한 듯 결연한 얼굴이다.

엔딩.

나도 진혁 씨 덕분에
두려움이 뭔지 희미해졌어

1. 홍제동 일각 (밤)

날 선 진혁과 우석.

진혁   저 만나러 오신 건가요?

우석   어디 다녀오나 봐요? 잠깐 보자고 전화하려고 했는데 딱 만났네.

진혁   왜 저를.

우석   왜…. (진혁을 보는데, 웃음으로 시작한다) 내가, 첫눈에 반한, 그래서 여전히 사랑하고 있는… (매우 결연한 두 눈) 내 여자 때문에.

진혁, 우석의 말이 걸린다. 그러나 여유로 응대한다.

진혁   그 사람, 누구나 사랑에 빠질 만한 사람이죠.

우석   그 사람…. (표현이 마음에 들지 않는다)

진혁   그런데요. 내 여자…라는 표현은 일방적인 것 같습니다. 못 들은 걸로 하죠.

우석   일방적인 표현인지, 팩트로 증명될 표현인지는 두고 보자고요? (싱긋)

진혁   하고 싶은 말이 뭔가요.

우석   김진혁 씨가 감당 못합니다. 갓 서른 된 평범한 남자는 거기에 어울리는 사람을 만나는 게 옳아요.

진혁, 잠시 우석을 본다.

진혁   한 사람이 한 사람을 사랑하는 건, 옳고 그른 문제가 아니죠. 정 대표님. 세상에 사랑할 만하니, 사랑하자…. 그런 건 없습니다. 어울리는 사람인가 돌아보기도 전에 시작돼버리거든요. 그 사람을 지키기 위해서 감당해야 하는 것이 있다면, 그게 뭐든, 도망치진 않

	을 겁니다.
우석	그런 거, 치기 아닐까요?
진혁	용기죠.

우석, 진혁의 단단함에 더 말을 세울 수 없다.

우석	그래요. 그 용기… 파이팅이고요. 덕분에 나도 파이팅이 막 생기네. 당신의 그 용기 때문에 어떤 일들이 벌어지는지… 같이 두고 봅시다.
진혁	제가 더 들어야 할 얘기가 있나요?
우석	아니요. 남은 얘긴 차차하죠. 자주 볼 텐데.
진혁	그럼, 전.

진혁, 돌아서 간다. 우석, 진혁의 당당한 뒷모습을 본다. 개운하지 않다.

2. 동화호텔 대표실 (밤)

수현과 진혁부, 소파에 마주 앉아 있다.

진혁부	불쑥 찾아와서 미안합니다.
수현	아니에요. 제가 찾아봬야 하는데 불편해하실까 봐 와인만 보내드렸어요.
진혁부	덕분에 잘 마셨어요. 고맙습니다.
수현	별말씀을요….

잠시 정적이 흐른다. 수현, 어느 자리보다 어렵다.

진혁부	내가 말주변이 없어요. 에둘러 말하고 그런 걸 못합니다.
수현	편하게 말씀하세요….
진혁부	진혁이가 처음… 기사에 나왔을 때요, 별일 아니라고 생각해서 더

묻지도 않았어요. 지켜보다 보니까… 가벼운 마음은 아닌 것 같고, 이걸 대체 어째야 하나… 고민이 많습니다.

수현, 그 마음을 이해한다.

수현   제가 좀… 유난하죠?

진혁부   (웃는다) 특별한 게 문제인지, 평범한 게 문제인지, 섣부르게 말할 수는 없어요.

수현   … 진혁 씨가 마음이 깊어요. 아버님 그렇게 표현해주시는 거 뵈니까, 진혁 씨가 왜 그렇게 마음이 깊은 사람인지 알 것 같아요.

진혁부   아들이 낫죠, 나보다.

수현, 옅게 조심스럽게 미소 짓는다.

진혁부   진혁이한테 물어봤어요. 내가 응원할 일이냐, 걱정해야 할 일이냐. 녀석이야 뭐 응원해달라고 하죠. (웃고) 근데… 부모 마음은 걱정이 앞서는 거고.

수현   …. (예상한 일이다)

진혁부   대표님.

수현   네.

진혁부   진혁이나 대표님이나… 고생일 거라는 거 대표님도 아시죠?

수현   …. (아니라고 말하지 못한다)

진혁부   서로 마음고생만 하다 말 일이면… 내가 섣부르게 할 말은 아니지만… (어렵게 말한다) 두 사람 마음이 더 발전되는 게 맞는 걸까 싶어서요.

수현   …. (어떻게 진심을 전할까…)

진혁부   곤란하게 하려고 온 건 아닌데… 미안합니다.

수현   아니요. 당연한 마음이시죠. 부모님이시니까.

진혁부   두 사람만 좋으면 되는 게 사람 마음인데…. 서로 처지도 참… 많이 차이가 나고. 마음만 가지고 가기에는 두 사람 다 길이 험해 보이고…. 진혁이 말처럼… 응원해도… 될까요?

수현, 입술이 마르는 것 같다. 답을 찾다가 진혁부를 진심 어린 눈으로 바라본다.

수현 특별하다고 해주신 게… 제 모자람인 거 잘 알고 있어요.

진혁부, 수현의 태도에서 마음이 남다름을 느낀다.

수현 힘드시겠지만… 지켜봐주셨으면 좋겠어요.
진혁부 (생각…. 그리고 툭 던지는) 링에 올라가는 선수들이 힘들지, 지켜보는 사람이야, 뭐….

수현, 진혁부의 말이 큰 위로가 된다. 진혁부, 수현을 안타깝게 바라본다.

3. 진혁 집 진혁 방 (밤)

진혁, 출근 복장 그대로 침대에 앉아 생각 중이다.

FB/
우석 내가, 첫눈에 반한, 그래서 여전히 사랑하고 있는… 내 여자 때문에.
우석 일방적인 표현인지, 팩트로 증명될 표현인지는 두고 보자고요? (12화 #1)

마음이 복잡한 진혁. 일어나 옷을 갈아입으려 하는데, 수현에게 전화가 온다. 오늘따라 반가운 진혁.

진혁 (대뜸) 얼굴 보여줘요.

4. 닭발집 (밤)

늦은 식사로 손님들이 별로 없다. 수현, 닭발 형태를 보고 난감해하고 있다. 손에는 비닐장갑을 끼고… 일단 조심스럽게 먹어보는 수현. 진혁, 수현의 리액션을 기대하며 바라보고 있다. 수현, 음…. 생각보다 맛있다. 웃는다.

진혁   신세계죠?
수현   매콤하고… 쫀득한 게 괜찮네요.
진혁   그렇다니까.

수현, 어느 정도 뜯어 먹은 닭발을 버리자 진혁, 발끈한다.

진혁   그게 뭐야.
수현   (본다. 왜?)
진혁   아니, 최선을 다해야지. 이거 봐, 아직 살이 이렇게 많은데? 잘 봐요.

진혁, 닭발을 입에 넣더니 오물오물… 쪽… 빼내면 닭발 뼈만 앙상하게…. 수현, 진짜 신기한 걸 본 느낌이다. 대박….

진혁   (자신의 다 발라먹은 뼈를 보여주며) 이 정도가 최선을 다한 거죠.

수현, 다시 새로운 닭발을 들고 도전한다. 오물오물… 나름 열심히 했다. 썩 깔끔하진 않지만 훨씬 최선을 다했다.

진혁   (닭발 또 하나 먹고) 감동했어.
수현   ?
진혁   영상통화하자는 말이었는데 진짜 얼굴 보여줘서.
수현   화면발 잘 안 받아서.
진혁   오늘따라 되게 보고 싶더라고요.

수현	통했나 봐. 나도 오늘따라 유난히 보고 싶더라고요.
진혁	이런 사이면… 안전한 사이인 거죠?
수현	? (뜬금없이 갸웃)
진혁	그러니까… 누군가 적수가 나타나도 흔들릴 그런 사이는 아닌 거잖아요.
수현	(빤히 보다가) 소개팅 들어왔나?
진혁	(헉… 맙소사)
수현	소개팅 백만 번 해도 적수는 안 나타날 것 같은데.
진혁	땡!
수현	(뭐야…) 무슨 뜻이야…. 적수는 있다는 건가?
진혁	소개팅을 백만 번 할 일은 없다는 거죠.

수현, 진혁의 놀림에 '재밌니…' 닭발을 먹는다. 진혁, 닭발 양념에 밥과 김가루를 넣어 비비며.

진혁	자, 후반전 준비하자. 닭발은 또 주먹밥이 예술이거든요.
수현	닭발 하나 먹는데 무슨 코스 요리 먹는 것 같아.

진혁, 수현의 입에 주먹밥 하나 넣어준다. 수현의 눈이 번쩍. 맛있다. 진혁, 매우 흐뭇하다.

진혁	아유, 뿌듯해라. 자알 먹네!
수현	진짜 맛있네. (웃는다)

진혁, 맛있게 먹는 수현을 보다가 슬쩍 묻는다.

진혁	대표님. 대표님은 내가 왜 좋아요?
수현	오늘 좀 이상하다. 무슨 일 있어요?
진혁	말 돌리지 말고.
수현	참…. (기막혀 웃고)

진혁 나 진지한데. 그럼 다시…. 갓 서른의 평범한 남자 김진혁이 왜 좋아요?

수현 (가만히 들여다보고는) 김진혁이니까 좋죠. 세상에 딱 한 사람, 김진혁이니까.

진혁, 엄청난 위로가 된다.

진혁 아… 밤 꼴딱 샐 뻔했는데 잠 잘 오겠다!

수현 무슨 일 있어. 이상해.

진혁 갑자기 엄청 졸리네. 아, 우리 집에서 자고 갈래요? 부모님 여행 가시면 남자친구 집에 놀러오고 그러잖아요. 우리도 그런 거 해보자!

수현 내가 괜히 왔지.

진혁 아무래도 좀 불편하지…. 그럼 대표님 집으로 가요.

수현 들어가요. 지금도 시간 늦었어.

진혁 가서 내가 재워줄게요. 대표님 잠들면 조용히 간다니까요?

수현 혼자 잘 자, 나….

진혁 수면제 먹고? (나야 나) 인간 수면제.

수현 아니, 이 시간에 가서 언제 오려고….

왜 그러니, 김진혁…, 이런 표정인데.

5. 수현 집 침실 (밤)

진혁이 수현을 데려다 침대에 잘 눕게 한다. 수현, 영 그렇다.

수현 이제 가요. 더 못 자겠어.

진혁 옆으로 좀만 가요.

수현을 옆으로 마구 미는 진혁, 자리가 나자 수현 곁에 자세 잡고 눕는다. 수현, 벌떡 일어나려는데 진혁, 데려다 다시 눕히며 팔베개를 해준다.

진혁 매트리스 좋은데?

진혁, 몸에 반동을 주며 장난쳐본다. 수현, 다시 벌떡 일어나며.

수현 나 더 못 자겠어. 신경 쓰여.
진혁 (일어나 앉아서) 아니, 내가 이렇게 착하게 있는데 왜 신경 쓰여요? 너무 억울하네.
수현 그냥 차 한 잔 마시고 가. 일어나요.

수현, 침대 밖으로 나가려 하는데 진혁이 또 잡아서 눕힌다. 수현의 얼굴 위에 진혁의 얼굴이. 수현, 어떡하지….

진혁 우리 집에도 차 많은데 여기까지 와서 차 마시고 가라고?
수현 오늘 엄청 피곤했는데, 진혁 씨 이러고 있으니까 점점 잠이 깨거든! 무거워. 비켜봐, 좀….

수현, 진혁의 얼굴을 잡아서 밀어낸다. 진혁, 벌러덩 밀려나 눕게 된다.

진혁 날도 추운데… 여기까지 와서… 잠도 못 재워주고…, 인간 수면제 타이틀 무너지고….

수현, 너무 세게 밀었나…? 슬쩍 일어나 앉는데.

진혁 근데… 진짜 되게 편하다. 내 자리 같은데?
수현 (하…) 그럴 리가. 장 비서 와도 한 침대 안 쓰거든요. 이 베드에 2인 이상 취침한 적이 없어.
진혁 이제야 주인을 만난 거지. 아 좋다…. 내가 먼저 자겠다.
수현 잠들지 말고 빨리 가, 그냥.

진혁, 수현을 데려다 팔베개 해서 꼼짝 못 하게 만든다.

진혁　　설레지 말고 자요, 그냥.

수현　　설레… 어이없어서 정말.

진혁　　이렇게 쫌만 있어요…. 지금 기분 엄청 좋단 말이야.

수현도 이제 차분하게 팔베개 베고 포기한다.

진혁　　매일매일… 이렇게 잠들었으면 좋겠다.

수현　　…. (수현도 포근하다)

진혁　　우리도 그런 날… 오겠죠?

수현, 그럴 수 있을까…. 마음이 가라앉는다.

진혁　　뭐야, 왜 대답 안 해?

수현　　… 상상하니까…, 좋아서.

진혁, 수현의 대답이 좋다. 수현을 토닥… 토닥… 재워준다.

(점프)

수현, 깊이 잠들었다. 잠에서 깬 진혁, 팔이 엄청 저리다. 진혁, 팔을 어떻게 좀 해보려고 꼼지락꼼지락…. 수현이 잠에서 깰 듯 말 듯. 다시 얼음이 되어 팔베개 유지하는 진혁. 인간적으로 팔 엄청 저리다. 살짝 팔을 빼고 수현이 편하게 자도록 베개를 정리해준다. 잠든 수현의 얼굴을 바로 앞에서 바라보는 진혁. 수현이가 예쁘고 좋다. 머리를 살짝 쓰다듬어준다. 잘 자는 수현이 깨지 않게 조심조심 일어나 조용히 방문을 열고, 닫는다. 진혁이 나가면 수현, 가만히 눈을 뜬다.

| 수현 | 인간 수면제 맞아? (다시 위치를 편하게 잡고 눈을 감으며) 인간 각성제야. |

수현, 그러면서도 안정되고 편안하고 행복한 얼굴로 잠을 청한다.

6. 동화호텔 회의실 (낮)

이사들, 회의를 마치고 일어난다. 모두 석연찮은 얼굴이다. 정 이사 보인다. 감정을 드러내지 않는 얼굴. 최 이사와 정 이사 눈이 마주치며 잠시 날 선 대화.

최 이사	회사 일에 애정이 식으셨나 걱정했는데, 오늘은 총회에 나오셨네요.
정 이사	중요한 안건이니 나와야죠.
최 이사	정 이사님께서 이런 결정을 하실 줄은 예상 못했습니다.
정 이사	호텔은 살려야 하니까요.

정 이사의 알 수 없는 스탠스. 짧게 인사하고 정 이사 이동하고 최 이사, 종잡을 수 없다는 표정.

7. 동화호텔 대표실 (낮)

수현의 얼굴이 굳어 있다. 장 비서, 조용히 찻잔을 내려놓는다.

장 비서	식사를 좀… 하셔야 하지 않을까요…?
수현	괜찮아요.
장 비서	정말 괜찮아?
수현	(장 비서를 본다) 아니. 별로야.
장 비서	난 정말… 아니…, 내가 회사 운영 이런 거 잘 모르지만. 이렇게 일방적으로 주주 총회를 열어서 결정해버리는 건 아니지 않나? 지금까지 이 호텔 이렇게 만든 게 누군데 이제 와서 공동 대표야, 쯧…!

수현, 많이 흔들리지만 내색하지 않으려 애쓴다.

8. 동화호텔 홍보실 (낮)

김 부장, 자리에 앉아 수심이 깊다. 화가 엄청났다. 이 과장은 어떻게 되어가는 건지 종잡을 수 없어 초조하다. 진혁도 표정이 좋지 않다. 혜인, 진혁을 살핀다.

혜인　그럼 누가 오는 거예요, 공동 대표는?
은진　내가 팠는데, (소근이지만 다 들린다) 정우석 대표가 온다는 설이 있어.
박 대리　말도 안 돼. 그럼 태경전자 대표 자리는.
은진　겸임이지.

진혁, 은진의 말에 우석이 생각난다.

FB/
우석　당신의 그 용기 때문에 어떤 일들이 벌어지는지⋯ 같이 두고 봅시다.
우석　남은 얘긴 차차하죠. 자주 볼 텐데. (12화 #1)

설마⋯ 하는 진혁. 김 부장도 걱정이다. 이 과장은 표정이 굳어 있다.

9. 카페 (밤)

김 부장, 남 실장과 커피를 마시고 있다. 남 실장, 두통약을 준다.

김 부장　고마워. 아, 머리 터져 정말⋯. 대표님은 좀 어때?
남 실장　그냥 뭐 말도 없고. 원래 힘든 일 터지면 더 말수 없어지잖아.
김 부장　나도 이렇게 두통이 오는데 대표님은 저렇게 버티다 병원에 실려가는 거 아닌가 몰라⋯.
남 실장　갑자기 뭔 이런 경우가 다 있어. 이제까지 무탈하게 잘 왔는데.

김 부장	무탈한 게 탈인 거지. 너무 잘 하니까 동화 낼름 삼킬 방법이 없었
	나? 태경 김 회장 아주 지긋지긋하다.
남 실장	근데… 김 회장 기획이 아니라는 말도 있어. 태경 쪽 주주들은 최
	이사가 만나고 다닌 것 같은데… 대표님 쪽 주주들은 누가 만나서
	설득했는지, 참….
김 부장	하긴, 김 회장이 대표님 우호 주주들 주식 뺏으려고 그렇게 안달복
	달해도 안 넘어간 사람들인데, 왜 이번엔 대표님을 버렸을까?
남 실장	의리 없는 인간들…!
김 부장	정우석 대표가 온다는 말도 있던데, 정말일까?
남 실장	그 노마가 왜 와?! 어딜 디밀어, 디밀길.

두 사람, 정말이면 어쩌나 마음속으로는 걱정인 표정이다.

10. 수현 집 침실 (밤)

수현, 서성인다. 잠들지 못한다. 핸드폰을 열어 '정우석 대표' 찾아
통화 버튼 누르려다가… 참는다. 하…, 깊은숨이 절로 나온다.

11. 동화호텔 로비 (아침)

사원들 출근한다. 진혁도 출근하며 로비를 활기차게 걷는다. 진혁을
발견한 혜인이 달려와 진혁을 툭 친다. 서로 웃으며 출근하는 길. 이
때 보안팀 사람들 분주하고, 이사들 줄줄이 나오고…. 최 이사도 똥
씹은 얼굴로 도열한다. 사원들 모두 주춤. 귀빈이 오는 건가…? 살
펴보는 사원들과 진혁.

| 혜인 | 분위기가… 새 대표 등장 같은데…? |

진혁, 혜인의 말이 일리가 있는 것 같다. 도열한 이사들 쪽을 본다.

12. 동화호텔 대표실 (아침)

수현, 잠잠히 책상에 앉아 정면을 응시하고 있다. 담담하고 냉정하다.

13. 동화호텔 로비 (아침)

보안팀과 이사들이 도열한 사이로 드디어 등장하는 누군가. 모두
고개 숙여 인사. 보면, 우석이 등장한다. 사원들 모두 헉…, 입을 가
리며 놀라기도 하고…. 혜인도 맙소사…. 진혁은 예상한 듯 잠잠히
우석의 등장을 지켜본다.
진혁, 앞으로의 일들이 걱정이다. 진혁과 우석 눈이 마주친다. 우석,
여유로운 웃음을 보여주며 지나가는데, 모두가 의전하는 모습이 우
석의 위상을 보여준다. 멀어지는 우석을 지켜보는 진혁. 흠…, 복잡
해진다.

14. 동화호텔 회의실 (아침)

이사들 모여 있다. 정 이사도 보인다. 최 이사는 이 상황을 지켜보고
있다. 우석, 이사들에게 인사하는 자리다.

우석   동화호텔 대표로 맞아주셔서 감사합니다. 호텔 경영은 문외한이라
걱정하시는 마음 잘 알고 있습니다. 공동 대표인 차수현 대표와 상
의하며 동화호텔 경영에 힘쓰겠습니다.

우석 라인의 이사들은 반색하며 고개를 끄덕인다. 정 이사는 표정
이 없다. 반대하는 이사들의 얼굴이 좋지 않다.

반대이사1   과반수가 찬성한 사안이지만 반대한 입장도 있습니다. 이렇게까지
진행하시는 이유가 뭡니까, 대표님.
우석   음…. 동화호텔의 안전한 경영을 위해서라고 말씀드리겠습니다.

반대이사2	오히려 동화호텔의 안전한 경영을 위협하는 거라는 생각, 안 드시나요?

우석, 반대이사를 차분하게 바라본다.

반대이사2	4성급 호텔로 하향된 호텔을, 지금의 호텔로 만들어낸 건 차수현 대표의 성과입니다.
우석	인정합니다.
반대이사2	굳이 잘 경영되고 있는 이 호텔에 발을 들이시는 건 무리한 거죠.
우호이사1	아니… 이미 결정돼서 첫인사 나누는 자리에 이런 말들이 왜 필요한가요?
반대이사1	과반수 이하의 의견을 전하는 겁니다!

격해지는 분위기.

우석	얼마 전 호텔이 휘청했었죠? 쿠바 호텔 건으로. 그 사고, 해결한 사람이 누굽니까? 차수현 대표인가요?

모두 조용….

우석	어느 신입사원의 활약이라 들었습니다. 정말로 잘 경영되고 있다고 생각하십니까?

반박할 수 없는 반대이사들.

우석	두 대표의 경영 노하우가, 시너지를 발휘할 거라 생각합니다.

단호한 우석. 최 이사는 우석을 믿어도 되나…, 바라보고.

15. 동화호텔 대표실 (아침)

수현과 우석 마주 앉아 있다. 장 비서, 커피를 내주는데 얼굴은 불편하다. 장 비서 나간다. 수현, 커피를 마신다. 우석도 마신다.

우석   이사회 인사하는 자리에 올 줄 알았는데. 아직은 좀 불편하지?

수현   (우석을 차갑게 본다) 태경전자는 어쩌려고 여길 오겠다고 한 거야.

우석   탄탄한 태경전자 걱정은 접으시고. 내가 차 대표님이 생각하는 것보다 멀티거든. 호텔 경영 하나 더 한다고 렉 걸리진 않아.

수현   의도가 뭐야.

우석   굳이 의도라고 한다면… 차수현 밀착 보호? 그런 걸로 하지, 뭐.

수현   내가, 왜 당신한테 보호를 받아야 되는데?

우석   불어오는 바람에 날아갈 것 같아서. (싱긋) 이렇게 자주 차 마시면서 동화호텔의 건강한 미래를 이야기해보자고!

수현   태경… 아니, 어머니 등에 업고 이런 무혈입성… 부끄러운 일이야.

우석   무혈입성은 아니지. 내가 이 판을 짜느라고 얼마나 심혈을 기울였는데. 그리고 어머니 등에 업었다는 건 빼줘라. 아마 기함하고 계실 거다.

수현, 무슨 뜻일까. 미간에 불편함이 고인다.

수현   뭘 하고 싶은 거야.

우석   차 대표 돕고 싶은 거지.

수현   이게 도움이라고 생각해?

우석   도움이 되는지, 어떨지. 시간을 좀 줘.

수현, 화가 나서 더 이야기하고 싶지 않다.

수현   앞으로 용건이 있으면 비서실 통해서 미팅 시간 잡아.

우석   회사니까… 그렇게 해봅시다! 첫날인데, 점심 같이 먹을까?

수현, 차갑다.

수현	용건 끝났으면 나가주시죠, 정우석 대표님.
우석	궁금한 거 있으면 연락할게.
수현	관련 부서에 연락하시죠.
우석	그럼… 관련 부서로 이동해볼까?

능청을 피우며 일어나는 우석. 수현은 매우 매우 불편하고 화도 나지만…, 참는다.

16. 동화호텔 홍보실 (낮)

모두 일하고 있다. 이때 우석이 홍보실에 들어선다. 모두 놀라서 자리에서 일어난다.

우석	내가 너무 갑자기 왔죠?
김 부장	안녕하세요.
우석	호텔의 심장은 홍보팀인 것 같아서요. 인사할 겸 들렀습니다.

모두 어쩔 줄 몰라 한다. 진혁, 담담하게 우석을 응시하고 있다. 우석, 진혁 앞으로 온다.

우석	쿠바 호텔 난제를 해결한 능력 있는 사원이라는 소식 들었어요. 앞으로도 잘 부탁합니다.
진혁	별말씀을요. 기회가 좋았을 뿐입니다.
우석	능력 있는 겸손한 사원. 좋은 수식어가 자꾸 붙네.
진혁	과찬이십니다. 감사합니다.

우석과 진혁의 일상적인 대화에 긴장이 가득하다. 우석, 일단 미소 머금고 받는다. 다른 사원들을 둘러보며.

우석	호텔 쪽은 아는 게 많지 않지만, 최선을 다하겠습니다. 잘 부탁드려요, 여러분!

우석, 나이스한 미소 날려준다. 모두 목례로 답한다. 우석, 자리를 나선다. 우석이 나가고 조용한 사무실. 혜인, 진혁을 본다. 모든 직원, 진혁이 신경 쓰인다.

박 대리	신경 쓰지 마. 경영까지 우리가 어떻게 알아. 윗선에서 뭐 알아서 했겠지.
은진	좀… 애매하다. 견제 들어온 거 맞지?
박 대리	태경 부회장이고 태경전자 대표인데 홍보실 말단 사원이랑 뭔 견제를 해?
김 부장	혜인 씨. 여행 앱 보고서 정리됐죠?
혜인	네, 부장님.
김 부장	보자. 수정할 거 있나 체크하게.
혜인	네.

다들 일하는 모드. 그러나 어수선. 진혁은 담담한 듯한데, 수현이 걱정이다. 커플링을 바라본다.

17. 꽃집 (낮)

진혁이 화분을 고르고 있다.

점원	어떤 거 찾으세요?
진혁	어… 마음이 좀 편해지는 거요. 너무 크지 않았으면 하고요.
점원	이건 어떠세요? 율마라고 하는데… 터치하면 향이 나요.

동글동글하고 작은 나무가 마음에 드는 진혁.

18. 동화호텔 비서실 (낮)

장 비서, 업무 보고 있다. 보안요원이 화분을 들고 들어온다.

보안요원 안녕하세요. 꽃집에서 배달이 와서요.
장 비서 저한테요?
보안요원 네? 대표님께….
장 비서 아, 네…. 주세요.

민망한 장 비서. 화분을 받는다. 보안요원 나간다.

장 비서 뭐가 이렇게 미니미니해?

카드를 이리저리 봐도 누가 보냈는지 안 보인다.

19. 동화호텔 대표실 (낮)

수현 책상에 율마 화분. 수현, 카드를 열어본다.

(진혁) 피톤치드가 풍부한 화초래요. 기분 좋아질 거예요. 동글동글 내 머리다 생각하고 쓰다듬어주세요. 좋은 향이 날 겁니다.

수현, 웃고 있다. 동글한 율마를 쓰다듬고 얼굴을 가까이해서 향을 맡는다. 좋은 향이 난다. 핸드폰으로 율마 사진을 찍는 수현.

20. 동화호텔 홍보실 (낮)

진혁, 일하다가 수현이 보내온 문자를 본다. 율마 사진.

수현 문자 정말 향이 좋아요. 마음이 안정되는 것 같고. 감동했어요.

진혁, 수현이 좋아하니 기분이 확 좋아진다. 문자를 보낸다.

진혁 문자 김진혁 미니어처라고 생각하고 예뻐해줘요.

흐뭇한 진혁.

김 부장 혜인 씨. 대표님 보고드릴 시안 수정 다 끝났지?
혜인 여기요.
김 부장 확인 안 해도 되지?
혜인 네!
김 부장 보고하러 다녀옵니다!

김 부장 나가면.

은진 부장님 없으니까 우리 솔직히 얘기 좀 해.

진혁, 무슨 얘기할지 뻔해서 슬쩍 일어나는데.

은진 진혁 씨.
진혁 (다시 앉으며) 네.
은진 정우석 대표 너무 치사하지 않아요? 이러고 밀고 들어오면 뭐 진혁 씨가 쫄려서 항복! 그럴 것도 아니고.

진혁, 직구로 들어오는 말에 난감하다.

혜인 정우석 대표 들어온 거랑 진혁 씨랑 무슨 상관이에요. 태경이 이 호텔 넘보는 거 하루 이틀도 아니잖아요.
박 대리 쫄지 마, 진혁 씨. 우리가 밀어줄게!
은진 뭘로 밀어줘. 이길 수 있는 건 김진혁 씨 외모밖에 더 있어?
이 과장 정신들 좀 차리자…. 이게 지금 농담이나 할 상황이야? 동화호텔 주인 자리가 바뀔 수 있는 거라고.

진혁, 이 과장의 말이 마음에 걸린다.

진혁   그럴 일 아닌 것 같습니다.
이 과장   정말 그렇게 생각해?
진혁   모든 사원이 다 알고 있습니다. 회사 연혁만 봐도 누가 CEO인지 분명하거든요.

진혁의 눈빛에 이 과장 주춤. 진혁이 한 방 먹였다. 혜인, 진혁의 차분한 반격을 바라본다. 제법이라는 듯 짧게 혼자 미소.

21. 동화호텔 대표실 (낮)

김 부장, 수현에게 보고 중이다. 수현의 핸드폰으로 앱을 열어 설명 중이다.

김 부장   이게 이번에 저희 호텔이랑 제휴 맺은 여행 앱이에요. 이번 쿠킹 클래스 행사를 여기와 독점 진행하면서 첫 협업 시작하려고 준비 중입니다.

수현, 앱을 연다. 동화호텔 쿠킹 클래스 행사 안내 배너가 뜬다. 배너 누르고 예약을 해본다. 카드 번호를 입력해 직접 예약을 진행해 보는 수현.

김 부장   진짜 결제하신 거예요?
수현   끝까지 해봐야 좋은지, 아쉬운지 알죠. 예약 과정이 심플해서 좋네요. 근데 행사 배너에 쿠킹 과정 사진을 몇 장 추가하는 게 어때요? 직접 보여주면 반응이 더 좋을 것 같아서요.
김 부장   안 그래도 오늘 파티셰 팀이랑 촬영 일정 잡혀 있습니다.

김 부장, 에라 모르겠다. 물어본다.

김 부장　대표님 괜찮… (에라) 안 괜찮죠?

수현　괜찮습니다.

김 부장　설마요.

수현　(화분 매만지며) 터치해보세요. 안 괜찮던 마음이 괜찮아져요.

김 부장, 뭐야… 슬쩍 터치해본다.

김 부장　잘 모르겠는데.

수현, 김 부장 투덜거림에 웃는다. 이때, 장 비서 노크 후 들어온다.

장 비서　남 실장님 오셨는데 좀 기다리시라 할까요?

김 부장　아니에요, 저 보고 끝났어요. 가보겠습니다, 대표님.

수현　네. 수고하세요.

남 실장 들어온다. 김 부장 보더니 손을 번쩍! 김 부장은 목례. 남 실장, 쩝…. 김 부장 나가고 소파에 앉는 남 실장.

남 실장　사람이 친근하게 인사를 하면 친근하게 받아야지. 쌩….

수현　매력이죠. 좀… 알아보셨어요?

남 실장　(페이퍼 내놓으며) 김대리 통화 목록이야. 쭉 봤는데, 이 사람 사고 치기 전에 집중적으로 통화한 번호가 있어. 사고 치고 잠적하고도 세 번이나 통화했고.

수현, 표시된 번호를 본다.

남 실장　벌써 번호 갈아타서 지금은 다른 사람 번호야. 이 번호가 누군지 찾아야 답이 나올 것 같아. 태경 사람이면 찾기 어려워질 수도 있고….

수현	우선 회사 기록에서 찾아봐야죠. 고마워요, 아저씨.
남 실장	뭘 이 정도로. (수현 안색을 살핀다) 뭐 좀 먹었어?
수현	대충.
남 실장	잘 먹고 그래. 세상 무너지는 일도 아니잖아.
수현	네.
남 실장	(화분 보며) 나 닮은 나무도 있냐. 동글동글 귀엽네.
수현	네…?

수현, 남 실장 농담에 항복이다.

22. 찬이네 골뱅이 안 (밤)

진혁과 혜인이 맥주를 마시고 있다. 진혁은 걱정이 가득한 얼굴이다.

혜인	니 탓인 것 같아?
진혁	(물끄러미 보다가) 응.
혜인	아까도 말했잖아. 태경이 동화호텔 수시로 넘봐. 니 탓 아니야. 타이밍이 공교로운 거야.
진혁	정우석 대표가 찾아왔었어.
혜인	(놀란다) 너를?!
진혁	앞으로… 어떻게 되어갈지… 같이 두고 보자고 하더라. 그땐 그 말이 무슨 뜻인지 몰랐는데… 이런 거였어.
혜인	정말 이해가 안 돼. 이혼할 땐 언제고 이제 와서 이렇게까지 하는 이유가 뭘까?
진혁	그 사람만의… (사랑이라고 하고 싶지 않다) 마음이겠지.
혜인	마음 쓰지 마. 너랑 결이 다른 사람이야.
진혁	대표님이 힘들까 봐 걱정이지, 나야 뭐.
혜인	… 넌 늘… 대표님이 걱정이다.
진혁	그랬어? (쓴 미소)

진명이와 대찬이가 합석한다. 진명, 의자에 둔 혜인의 가방을 옮기다가 놓쳐서 가방의 물건들이 쏟아진다. 얼핏 보이는 진혁이 골라 준 다이어리.

진명　　미안, 미안!

혜인　　(얼른 다이어리 안 보이게 가방에 넣으며) 조심 좀 해!!!

혜인이 버럭 화를 내자 진명 민망하고, 모두 움찔.

대찬　　어…. 우리 혜인이가 화를 다 내네. 오늘 기분이 별로인가?

혜인　　미안.

진명　　깨질 것도 없는 것 같은데 욱하냐…. 우리가 그런 사이냐, 조혜인!

혜인이 난감해하자.

진혁　　오늘 회사에서 일이 많았어.

대찬　　월급 받는 일이 쉽나. 스트레스지.

진명　　그래서 나도 스트레스야. 형한테 월급 받잖아.

대찬　　넌 딴 데 가잖아? 반나절 만에 짤려.

진명　　나 진짜 딴 데 가본다?

대찬　　어서 가세요.

씩씩거리는 진명. 혜인이 맥주를 준다.

진명　　벌 주고 약 주냐?

대찬　　약주 맞네!

진명이와 대찬이 덕분에 웃게 되는 진혁과 혜인.

진혁이 서류철을 들고 걸어간다. 맞은편에 우석이 오고 있다. 진혁, 우석에게 목례로 인사한다. 우석, 진혁 앞에 서서 여유로운 표정.

우석   식사했어요?

진혁   네.

우석   이렇게 자주 마주치니까 실감 나죠? 자주 보자던 말.

진혁   (흔들리거나 주눅 들지 않는 눈빛) 실감해야 할 만한 일은 아닙니다.

우석, 진혁이의 반듯한 태도가 언짢다.

우석   아직 감이 안 왔구나. 일반 사원이 느끼기에는 너무 멀고 큰 이슈라 그런가…? 내가 이제 할 수 있는 게 많아요. 원하지 않아도 실감하게 될 겁니다.

진혁   (하나도 흔들리지 않는다) 누구를 위한 겁니까.

우석, 진혁의 돌발 질문에 잠잠….

진혁   유일하게, 정우석 대표님을 위한 행보인 것 같아서요.

우석   맞아요. 나를 위한 일이죠.

진혁   그날, 여전히… 여전히 사랑하는 사람이라고 하셨어요.

우석   기억하네요?

진혁   이런 게 사랑하는 사람을 위한 건가요?

우석   안간힘이죠.

진혁   ….

우석   두고만 볼 수 없어서 어떻게든 지켜야겠다 하는 안간힘. 당신의 용기랑… 나의 안간힘이랑… 어느 쪽이든 정리되겠죠.

진혁   이런 건 옳지 않은 일입니다. 상처받고 있어요. 이 호텔은 차수현 대표님의 인생이에요.

우석	… 차수현 대표가, 내 인생입니다. 대답이 됐죠?
진혁	정우석 대표님의 지나온 시간들, 지나온 마음들… 제가 알 수는 없죠. 함부로 판단하지는 않겠습니다. 그렇지만, 누군가를 아프게 하는 건 환영받을 수 없는 마음인 것 같습니다.
우석	그래서요.
진혁	저는 대표님처럼 부와 명예, 권력도 없습니다. 아주 평범한 갓 서른이 된 남자죠. 저는 제 방법대로 그 사람 지킵니다.
우석	김진혁 씨. 같은 건데 다른 겁니다. 왜 같은지… 어떻게 다른지, 시간이 지나면 알게 되길 바랍니다.
진혁	설득되는 마음이길 기대하겠습니다.

목례하고 갈 길을 가는 진혁. 우석, 왠지 진 것 같아 표정이 아주 안좋다.

24. 동화호텔 대표실 (밤)

수현, 결재 서류를 보고 있다. 대표 서명란에 차수현, 그리고 정우석. 우석의 서명란에 그의 서명이 있다. 수현, 서명하지 못하고 서류만 멍하게 본다. 펜을 들었다. 그러나 하지 못한다. 불편하고 화도나고…. 일어나 창가로 가 밖을 본다. 하…. 너무나 괴롭다.

25. 서브웨이 (밤)

진혁이 샌드위치 주문을 하고 있다.

진혁	스테이크 샌드위치에 치즈 추가해주시고요. 샐러드도 같이 주세요.
알바생	샌드위치에 안 넣는 야채 있으세요?
진혁	다 넣어주세요. 아, 포장해갈게요.
알바생	네. 계산해드릴게요.

진혁, 카드를 낸다.

26. 동화호텔 대표실 (밤)

수현은 샐러드를 먹고 있고 진혁이는 샌드위치를 먹고 있다.

진혁   내가 저녁 먹었냐고 안 물어봤으면 또 굶었을 거잖아요. 남친 됐다
뭐해요. 이럴 때 뭐 좀 사오라고 불러야지.

수현   말 안 해도 이렇게 오는 데 뭐.

수현은 아무렇지 않게 이야기하고 있지만, 표정이 그리 좋지 않다.
진혁, 수현의 괴로움을 느낀다. 화분을 보는 진혁.

진혁   애 많이 쓰다듬어주고 있는 거예요?

수현   …? 아…, 네. 정말 향 좋아. 맡아볼래요?

진혁   근데 왜 마음이 계속 울적하지…. 효과가 없나? 환불할까?

수현   울적하지 않아. 샌드위치도 잘 먹고 하잖아.

진혁   … 미안하다고 하면, 화나겠죠?

수현, 진혁이 미안해하는 얼굴을 본다.

수현   누가. 왜 미안해?

진혁   내가. 대표님한테.

수현   왜?

진혁   내가 대표님 곁에 머물러서 이런 일이 벌어진 것 같아서….

수현   … 내가 태경에 머물렀던 거, 여전히 태경이랑 전쟁 중인 거. 그게
다 진혁 씨가 만든 일인가?

진혁   전쟁 중이니까 안타깝죠. 내 마음이 대표님 곤란하게 만든 것 같아서.

수현, 안타까워하는 진혁의 모습에 속상하다. 진혁의 커플링을 보는

183

수현. 자신의 커플링을 매만진다.

수현　이 화초보다… 이 반지가, 진혁 씨 그 마음이 나한테는 힐링이야.

진혁　…. (수현의 고백이 고맙다)

수현　만약… 진혁 씨가 없었다면 무서워서 안절부절못했을걸? 덕분에 사랑이 뭔지 선명해졌다고 했었죠? 난 진혁 씨 덕분에 두려움이 뭔지 희미해졌어.

진혁, 수현의 아름다운 고백에 눈물이 좀 고인다. 반지를 낀 수현의 손을 잡는다. 두 손으로 수현의 한 손을 꼭 잡는다.

진혁　내가 많이… 아껴요.

수현　… 사랑해요.

진혁과 수현 서로 애틋하게 마음을 확인한다.

27. 차 의원 당대표실 (낮)

남 실장이 찾아왔다. 차 의원, 걱정이 든 얼굴이다.

차 의원　바쁜 사람 오라고 했어.

남 실장　오늘 차 대표 일정 없어요.

차 의원　정우석이 들어와서 수현이는 엉망이지?

남 실장　기특하게 잘 견디더라고요. 생각보다 식사도 잘하고.

차 의원　수현이가 좀 달라진 것 같아. 뭐랄까… 깡이 생겼다고 할까?

남 실장　형님은 딸 잘 모르네!

차 의원　(당황…. 아니란 말인가)

남 실장　수현이는요, 원래 깡다구 넘버 원이었어요. 다시 슬슬 발동되는 거지.

차 의원, 남 실장 말에 허허…, 참….

남 실장	태경에서 이렇게까지 본색을 드러내는 게 걱정이에요. 형님. 수현이 다시 잡아먹을라고 저러는 거 아니겠죠?
차 의원	다시 잡아먹히게 두나. 아버지가 있는데.
남 실장	형님도 대선 앞두고 막 볼 수도 없잖아요….
차 의원	대선, 중요하지….
남 실장	에이…. (답도 없다)
차 의원	그렇다고 자식보다 중요하겠니.

남 실장, 의외의 대답에 눈이 번쩍. 뭔 말이지…? 차 의원, 그저 웃는
다. 뭔가 결심을 한 터라 아무것도 욕심이 없는 얼굴이다.

28. 진혁 집 주방 (낮)

진혁모, 반찬을 싼 보따리를 식탁에 올려둔다. 평상복 차림의 진혁.

진혁	이것만 가져가면 돼요?
진혁모	우선 며칠 드실 거 챙겼어. 다 드시면 또 가져다 드리지 뭐. 어쩌다가 다리는 삐끗하셔서.
진혁	지붕에 올라가셨대요. 빗물이 좀 샜나 봐.
진혁모	사람 불러서 하시지…. 김치는 하루 밖에 뒀다가 냉장고 넣으시라고 해.
진혁	네.
진혁모	주말인데 심부름 시켜서 미안, 아들.
진혁	선생님 집에 가는 거 좋아하는데, 뭐. 아, 엄마 같이 갈래?
진혁모	야, 나 이거 만든다고 어제부터 장보고 아침 일찍 만들고… 대문 밖 나갈 힘도 없어.
진혁	어떡하냐… 뭐 좀 사다주고 갈까?
진혁모	얼른 갔다 와. 눈 좀 붙이면 금방 쌩쌩해져. 아, 아빠 차 오늘 수리 들어갔어. 가는 날이 장날이다, 그치? 대찬이 차 좀 빌려서 가야겠다….

진혁　　그럼 되지. 쉬고 계세요, 다녀올게.

진혁, 반찬 보따리 들고나간다.

29. 찬이네 골뱅이 안 (낮)

진혁이 반찬 보따리 들고 있다.

대찬　　아, 어쩌냐. 형이 오늘 하필이면 차를 써야 돼서.

진명　　(답답한) 형. 진짜 용달 가지고 데이트 갈 거야?

진혁　　형 데이트해?!

대찬　　뭐가 데이트야…. 그냥 뭐 밥이나 진솔하게 먹자, 그런 거지.

진혁　　누구랑?

대찬　　(앗…) 아, 있어. 그냥….

진명　　장미진.

진혁　　…? …! 장 비서님!!!

대찬　　저 입, 저거….

진혁　　대박… 와….

대찬　　니가 더 대박이세요. 내가 장미진 만나 밥 먹는 게 놀랄 일이냐, 니가 동화호텔 대표님이랑 연애하는 게 놀랄 일이냐?

진혁　　가야겠다.

진명　　아, 형이 버스 타고 가! 우리 형 저거 들고 어떻게 가냐. 엄청 먼데!

대찬　　그럼 니가 가고, 진혁이가 가게 봐. 어때?

진명　　(진혁이 떠밀며) 후딱… 다녀와라, 진혁!!!

진혁, 아유…. 진명이 보고 웃는다.

30. 버스 정류장 (낮)

진혁, 버스 기다린다. 수현이가 생각나는 진혁.

31. 동화호텔 대표실 (낮)

낮은 조도 속에 창밖을 바라보고 있는 수현. 전화가 온다. 핸드폰 보면 진혁이다. 잠시 웃는 수현.

수현   진혁 씨.

(이하 교차)

진혁   어디예요? 집?
수현   사무실.
진혁   주말에 왜?
수현   누가 안 놀아주니까 일하지.
진혁   아니, 그럼 말을 하지…. 놀아줄 플랜 백만 개인데….
수현   허풍 정말…. 진혁 씨는 어디? 밖인 것 같은데?
진혁   버스 기다려요. 이 선생님 댁에 가는 중이에요. 다리를 좀 다치셨대요.
수현   다치셨다고요?
진혁   발을 좀 삐끗하셨대요.
수현   어머…, 어떡해…. 어쩌다가…. 뵈면, 안부 좀 전해줘요.
진혁   그럴게요. 아, 내가 밤에 놀아주러 갈까요?
수현   오늘 좀 일이 많아서.
진혁   백만 가지 플랜 언제 다 보여주나. 뭐, 대표님 할머니될 때까지 다 보여주면 되지.
수현   음…. 좋아요. 오래 살아야겠어.
진혁   어, 버스 왔다. 내가 또 전화할게요!

진혁, 전화 끊고 짐을 들고 일어난다.

32. 이 선생 집 안 (낮)

진혁이 반찬 보따리 들고 들어오는데, 이미 웃음소리가 들린다. 진혁, 뭐지…? 안으로 들어가면 수현이 환하게 웃으며 이 선생과 이야기 중이다. 테이블에는 포장해 온 사골 국이 있고 이미 거의 먹었다.

이 선생   왔어!

진혁   어…, 대표님. 여기…?

수현   안부는 직접 전하는 게 좋을 것 같아서.

진혁, 수현이 있는 것이 매우 반갑다. 반찬통을 테이블에 올려둔다.

이 선생   진혁이는 대표님 보고 반갑고 나는 어머니 반찬들 보니 반갑다. (풀어보며) 뭘 이렇게 많이. 아이구….

수현과 진혁은 연신 눈을 마주치며 웃는다. 수현, 이 선생이 여는 반찬통을 본다. 맛깔스러운 반찬들. 수현, 저절로… 눈길이 간다. 맛있을 것 같다.

이 선생   (손으로 하나 집어먹어보고) 음! 다리 다칠 만하다. (수현에게) 맛 좀 보실래요?

수현, 듣던 중 반가운 소리인데.

이 선생   아, 맞다. 설렁탕도 남겼지? 위가 되게 작나 봐요. 좋겠다. 나도 다이어트해야 되는데. (진혁에게) 나 무거워서 떨어졌나 봐.

이 선생, 반찬통 뚜껑들 다시 야무지게 닫는다. 수현, 좀 아쉽다. 진혁은 이 선생 말에 웃고만 있다. 수현, 진혁과 눈이 마주친다. 자기도 모르게 꿀꺽….

| 이 선생 | 언제 대표님 좀 초대해, 진혁아. 어머니 솜씨 반할걸? |
| 진혁 | 좋죠. 어때요? 날 잡을까? |

수현, 농담에서 자신에게 집중되자 주춤….

진혁	나중에 기회되면 같이 가요.
이 선생	뭘 고민해…. 그런 건 그냥 훅! 들어가야 돼요. 어떻까 저떨까 고민하면 선을 못 넘어.
수현	(그럴 수 있을까…. 어색한 미소만)
이 선생	진혁아, 날 잡아! 그 덕에 나도 가서 엄마 요리로 힐링 좀 하자.

진혁, 수현이가 난감해하는 것 같아서 대답 대신 미소만.

33. 레스토랑 안 (낮)

대찬과 장 비서가 식사 중이다. 장 비서, 한껏 멋을 부렸다. 우아한 식사. 대찬은 주위 의식하지 않고 맛있게 먹고 있다.

대찬	음… 맛집이네. 이런 데는 어떻게 알아요?
장 비서	요즘 SNS에 정보가 넘치니까요. 가게는 오늘 휴업했어요?
대찬	진명이가 제법 해요, 이제. (오물오물 장 비서를 바라보다가) 안 나올 줄 알았어요.
장 비서	소개팅한다고 나왔을 때 화내고 간 것도 좀 걸리고.
대찬	열폭하긴 했지. 흐흐…. (좀 진지하게) 시간이 좀 지나니까 그쪽 입장도 이해가 되긴 해요.
장 비서	나도 잘한 건 없어요.
대찬	그래서 말인데요. 한번… 찬찬히 만나봅시다?

장 비서, 이게 뭐라고 좀 심쿵한다.

189

장 비서	그러든가, 뭐. 너무 기대 같은 건 하지 말아요. 그쪽도 나도.
대찬	오늘 기대하고 나온 복장인데?
장 비서	아니거든요. 평소 딱 이렇거든요. 요즘 회사 분위기 안 좋아서 좀 캄 다운한 복장인데!

대찬, 장 비서가 귀여워서 웃는다.

34. 레스토랑 앞 (낮)

발렛 차를 기다리는 대찬과 장 비서가 나란히 서 있는데. 헉…. 용달을 몰고 오는 발렛기사. 설마…! 대찬, 용달 키를 받는다. 발렛비 주고 돌아보면, 장 비서 없다.

35. 레스토랑 화장실 (낮)

장 비서, 식겁하고 전전긍긍.

장 비서	미쳤나 봐…. 택시 타고 오지, 뭐 하러…. 아씨….

핸드폰이 울린다. 대찬이다.

장 비서	(할 수 없이 받는다) 네…. 아 저…, 갑자기 배가 너무 아파서요…. 아니요, 아니요!!! 좀 오래 걸릴 것 같으니까… 먼저 가세요. 진짜 괜찮아요. 나중에 전화할게요!!!

얼른 끊어버리는 장 비서. 이 씨….

36. 레스토랑 앞 (낮)

장 비서, 살짝 나와서 주위를 본다. 대찬이 보이지 않는다. 다행이

다. 종종종 택시 잡으러 가는데, 빵! 앗…, 돌아보면 대찬의 용달이
서 있다. 쌰….

37. 대찬 트럭 안 (낮)

멘탈이 탈탈 털린 얼굴로 조수석에 앉아 창밖을 바라보는 장 비서.
대찬은 운전하며 한 손으로 약봉지를 내준다.

대찬   어떻게 아픈지 몰라서 그냥 체한 것 같다고 했거든요? 이거 먹어요.
장 비서   이제 괜찮은 것 같기도 하고….
대찬   소화제니까 먹어요. 아이고…, 첫 데이트라고 떨었어요?
장 비서   (하… 씨…) 첫 데…, 아니거든요!
대찬   얼른 먹으라니까? 두 알 먹으면 된대요.
장 비서   집에 가서 먹을게요.
대찬   에헤…, 참…. 성의를 봐서 먹어요. 집 앞에 내려줄게요. 집에 도착
하면 싹 낫는다!

장 비서, 울며 겨자 먹기로 억지로 소화제를 먹는다. 대찬은 흐뭇하다.

38. 수현 자동차 안 (밤)

진혁이 운전 중이다.

수현   (웃는다) 어머니께서 음식 솜씨가 좋으신가 봐요. 아까 보니까 비주
얼이 엄청나던데?
진혁   진명이랑 저랑 어렸을 때는 잘 몰랐는데 밖에서 먹는 날이 많아지
면서 절실하게 느꼈죠. 우리 어머니는 장금이구나….
수현   집에 들어가면 엄마가 밥 차려주는 거, 되게 부러웠어요. 우리 엄마
는 요리 안 하시거든요.
진혁   그럼 우리 집으로 놀러 와요. 뚝딱뚝딱 하시는데 엄청 맛있어요.

수현	진짜 맛있을 것 같아서 화나.
진혁	아니… 왜 화를…?
수현	아니…, (잠시 진심 집중) 아까 이 선생님 반찬통 다 달아버리신 거, 진짜 너무 서운했어. 위가 작은지 큰지 뭐 선생님이 내시경 해봤나? 대답은 들어봐야지. 맛이나 보세요 하면 얼마나 훈훈해. 설렁탕은 설렁탕이고 가정식은 가정식이잖아요. 맛 한번 보는 게 배가 얼마나 부르다고.

아쉬워서 또 창밖을 바라보는 수현. 진혁은 그런 수현이 귀여워서 웃는다.

진혁	이럴 때 보면 진짜 귀여워. 학생 같아요, 학생. 한… 중학생?
수현	난 왜 이렇게 가정식에 약한지 몰라.

수현도 웃게 된다. 진혁, 같이 웃는다.

39. 동화호텔 우석 집무실 (낮)

김 회장이 와 있다. 우석, 소파에 마주 앉아 있다.

김 회장	여기서 너를 보니까… 낯설구나. 왜 이렇게 무리하게 진행했을까?
우석	(여유를 보이며) 제가 깔끔하게 정리하려고요. 변호사들끼리 서류 주고받다가 언제 이 전쟁이 끝나겠어요.

김 회장, 우석의 의도를 쉽게 믿을 수 없다.

| 김 회장 | 내가 생각하는 방향으로 정리할 거라 믿어도 되지? 차수현한테 우호적인 이사들을 어떻게 설득했는지 모르겠지만, 내가 생각하는 방향과 다르게… 넘치는 행동을 할 거라면… 아들이라도 그저 봐주진 않아. |

우석	지켜봐주세요. (애매한 대답이다)

김 회장, 불안하지만 아직 뭐라고 할 수 없다. 불편한 심기는 어쩔 수 없다.

김 회장	확실하게 해둘 건 해두고 가자.
우석	?
김 회장	차수현, 다시 집으로 들이는 일은 없는 거다.

우석, 대답하기 애매하다.

김 회장	왜 대답을 못 해.
우석	사람 일 어떻게 될지, 확언하기 그렇잖아요.
김 회장	아니, 엉망이 된 사생활을 내 집에 들여? 태경도 우스워져. 이렇게 된 이상 호텔만 잘 정리하면 되겠구나.
우석	호텔은 저한테 맡겨주세요.
김 회장	그래. 지켜보자.

김 회장에게 전화가 온다. 받는다.

김 회장	네. 음…, 아니요. 한두 해도 아닌데 내가 확인할 게 뭐 있나. 바로 보내줘요. 동화호텔 차수현 대표 집무실로 보내면 될 거예요. 네. 네. 그럼.

우석, 무슨 말인가 또….

우석	뭘 보내신다는 거예요?
김 회장	아버지 기일에 입고 올 의상.
우석	네? 어머니….
김 회장	매년 있는 일인데 왜 놀라.

우석	집에는 못 들인다 하시면서, 기일에 불러다 세우시는 건 아니잖아요.
김 회장	올해는 꼭 불러 세워야겠다.
우석	그만하세요, 제발….
김 회장	묘하게 말이다. 이번 아버지 기일이 아주 상징적인 날이 될 것 같구나. 차수현이… 참석하느냐, 하지 않느냐…. 굉장히 중요한 이슈가 될 거야.
우석	무슨 말씀이세요?
김 회장	이번 기일에 오지 않는다…, 차수현 정말 돌아서겠다는 거고, 결국 등을 보인다면 차종현, 차수현. 내가 가만히 보고만 있을까? 그 부녀, 둘 다 아주 괴로운 일들이 벌어질 텐데. 머리 좋은 차수현이… 안 올 수 있을까? 재미있겠어.

김 회장, 비릿하게 웃는다. 우석, 듣고 보니 예민한 문제다. 걱정이 스며든다.

40. 장수 과일 (낮)

진혁부, 손님에게 과일 담은 봉지를 내준다.

진혁부	맛있게 드세요!

손님, 웃고 간다. 빈 바구니에 다시 과일을 쌓는데 전화가 온다. 이 선생이다.

진혁부	아이고! 다리는 좀 어떠세요?

41. 이 선생 집 안 (낮)

녹차 선물 상자를 내놓고 통화 중이다.

이 선생   꾀병이에요. 내일 간이 깁스 풀어도 된대요. 꾀병 덕에 반찬 배달 받았어요.

(이하 교차)

진혁부   그만하니 다행이네….

이 선생   잘 먹었다고 인사 좀 하려고 진혁 엄마한테 전화했는데 안 받으시네요.

진혁부   아, 사우나 갔어요. 그 사람 사우나 유일한 취미고 낙이잖아요.

이 선생   그러셨구나. 찬 통도 돌려드리고 좋은 차도 좀 전해드릴까 싶은데…. 오랜만에 저녁 얻어먹으러 가도 될까요?

진혁부   선생님이 꼼짝을 안 하시는 거지, 우리야 언제든 환영이죠. 진혁 엄마한테 뭐 좀 만들라고 해야겠네.

이 선생   벌써 침이 고이냐. (웃는다) 저기…, 진혁이네 회사 대표님도 같이 모이면 부담 되려나요? 아니, 내가 진혁이 엄마 음식 솜씨 좋다고 자랑을 해놔서.

진혁부   (당황) 보셨어요…?

이 선생   가끔 와요. 반찬 보내주신 날도 왔는데.

진혁부   (그렇구나…)

이 선생   다 아신다면서요. 진혁이한테 들었어요. 그래도 그건 좀 서로 그렇겠죠? 대표님도 부담이고?

진혁부, 고심이 된다….

42. 진혁 집 주방 (밤)

진혁 가족 모두 붕어빵 먹고 있다.

진명   내가 우리 식구들 생각이 나서, 젤 바쁜 시간인데 붕어빵 배달한 거 봐. 냄새가 골뱅이 가게까지 휘몰아쳐 오더라고. 그때! 내 가족이 딱

	생각났지. 휴먼이지?
진혁	다섯 개가 뭐냐. 하나씩 먹고 하나 남으면 가족애가 흔들리잖아.
진명	엄마 칼 좀. 한 마리는 네 등분하자.
진혁모	세 등분만 해. 넌 가서 또 사 먹고.
진명	이미 가족애는 없구만.

진혁부, 하나 남은 붕어빵 통째로 집어먹기 시작. 모두 헐….

진혁부	낮에 이 선생님이 전화했더라. 당신 김치찜 좀 해주지. 이 선생님 그 거 좋아하잖아.
진혁모	(반색) 그게 뭐 어려워. 안 그래도 보고 싶었는데 잘됐네.
진혁부	내일 간이 깁스인가 뭔가 푼다니까. 다 나았지 뭐.
진혁	다행이다. 빨리 나으셨네.
진혁모	그럼 내일 할까? 깁스 풀러 나온 김에 오시라고.
진혁부	그러든가. (진혁을 한 번 보고는) 저기 뭐냐, 대표님도 오시라 하면 어때?

진혁, 편하게 있다가 화들짝 놀라 아버지를 본다.

진혁부	와인도 잘 마셨고. 인사는 해야지.
진혁모	(당황) 뭐하러…. 얼마나 어색하겠어, 그 사람은.
진혁부	(진혁을 보며) 내일 시간 되나 물어봐.
진혁	(엄마 눈치 좀 보면서도 싱글) 네.

진혁모는 좋지는 않다.

| 진혁모 | 당신은 참…, 그 사람이 우리 집을 뭐하러 오겠어요. 호텔에 좋은 식당이 그렇게 많은데. |
| 진혁부 | 우리 집이 뭐 어때서. 사람 사는 게 다 똑같지. 주고받고 정으로 사 는 거야. |

진혁모, 거세게 반대하면 이상할 것 같다. 일단 잠잠한데.

진명 엄마, 그냥 신경 쓰지 마. 초대한다고 진짜 올지 안 올지 어떻게 알아? 원래 남친 부모님….

하는데, 진혁이 먹던 붕어빵을 진명이 입에 넣어버린다.

진혁 형밖에 없지?
진명 (잘도 먹으면서) 아, 먹던 걸…!!!

진혁부는 예사로이 붕어빵 마저 먹고, 진혁모는 이게 아닌데 싶다.

43. 동화호텔 홍보실 (낮)

탕비실에서 문자를 보내는 진혁.

진혁 문자 내일 저녁에 시간 돼요? 이 선생님 저녁 드시러 오시는데 대표님도 시간 되면 같이 식사하면 어떻냐고.

설레는 진혁.

44. 동화호텔 대표실 (낮)

수현, 문자 보는 표정이 역대급 긴장. 단단한 수현이 떨기는 처음이다.

FB/
진혁부 진혁이한테 물어봤어요. 내가 응원할 일이냐, 걱정해야 할 일이냐. 녀석이야 뭐 응원해달라고 하죠.
진혁부 응원해도… 될까요…? (12화 #2)

수현, 마음을 먹는다. 문자 보낸다.

수현 문자 좋아요. 드디어 가정식 맛보는 거죠?
진혁 문자 떨린다. 대표님이 우리 집에 들어오면 어떨까? 일단 주소 보내줄게요. 가까운 데 주차하고 전화해요. 데리러 나갈게.

수현, 좀 떨린다. 거울을 본다. 얼굴이 상기되어 있다.

수현 되게 떨리네….

갑자기 마음이 분주해지는 수현. 인터폰으로 장 비서 호출.

수현 좀 볼까요?

이어 장 비서 들어온다. 장 비서 얼굴이 좀 난색이지만.

수현 예의를 갖추면서도 무겁지 않아야 해. 너무 밝으면 겨울이라 좀 그렇고, 화려하면 실례인 것 같은데…. 어떤 의상이 좋을까요?
장 비서 의… 상이요? 어디 가실 건지….
수현 중요한 일정이 있어서요.
장 비서 언제 필요하세요?
수현 내일 저녁.

장 비서, 매우 난감해한다. 수현, 장 비서가 왜 이러지…?

수현 왜?
장 비서 저기… 대표님. 내일… 한남동… 정 회장님 기일…입니다.
수현 …!!!
장 비서 의상 보내왔어요…. 차에 두긴 했는데….

수현, 갑자기 다운된다. 고민이 깊어진다.

장 비서   대표님.

수현   (본다)

장 비서   이번까지는… 가시는 게 어떨까요.

수현   ….

장 비서   정우석 대표가 치고 들어왔어요. 이럴 때 조심해야….

수현   일단 알겠어요. 일 보세요.

장 비서, 무거운 얼굴로 나간다. 수현, 하…. 정말 거지 같다….

45. 동화호텔 주차장 (낮)

남 실장, 차를 닦고 있다. 진혁이 폐지 박스 들고 가다가 남 실장을 본다. 반가워서 얼른 다가온다.

진혁   남 실장님!

남 실장   아이고, 오랜만이네! 대표님이랑 논다고 나는 잊어먹었나, 서운했어!

진혁   그럴 리가요!

남 실장   어디 가?

진혁   아, 이거 재활용 분리수거하러 가요.

남 실장   사무실 막내는 막내다, 그치?

진혁과 남 실장 기분 좋게 인사하는데, 우석의 자동차가 선다. 우석이 내린다. 진혁, 얼굴이 좀 굳어진다. 목례. 남 실장도 못마땅하게 목례.

우석   남 실장님, 오랜만에 뵙습니다. 제가 인사드리고 싶었는데 여기서 뵙네요.

남 실장   저까지 뭐 인사를.

우석	차 대표가 많이 의지하는 분인데 인사드려야죠.

진혁, 돌아서 분리수거하러 가려는데.

우석	아, 내일도 뵙겠네요. 남 실장님, 내일 아버지 기일인 거 연락받으셨죠?

진혁, 예민해진다. 우석을 본다.

FB/

혜인	며칠 전에도 기사 떴잖아. 이혼한 시댁 집안 행사 참석한 거. 그런 거 보면 진짜 사는 게 별로일 거야? 쪽팔리잖아. 그건 이혼한 것도 아니고 안 한 것도 아니고…. 하여튼 재벌들은 좀 이상해. (2화 #5)

우석	차 대표 잘 데려와주세요. 늘 그러셨지만, 내일도 잘 부탁드립니다. 그럼.

진혁을 힘주어 한 번 보고 가는 우석. 남은 남 실장과 진혁. 진혁, 생각이 많아진다.

남 실장	운전하기 제일 싫은 날이 또 왔어. 아유….
진혁	남 실장님. 오늘 제가 대표님 퇴근길 모셔도 될까요?
남 실장	완전 되지, 왜 안 돼!

46. 동화호텔 지하주차장 (밤)

수현이 차로 온다. 남 실장이 나올 타이밍인데 안 나온다. 수현, 갸웃 하면서 차문을 열면, 진혁이 운전석에서 싱긋. 같이 웃는 수현.

47. 수현 자동차 안 (밤)

진혁과 수현 이동 중이다. 진혁, 수현의 얼굴에 수심이 있는 걸 눈치 챈다.

진혁 슬픈 소식이 있어요.
수현 ?
진혁 내일 이 선생님 갑자기 급한 일 생기셨대요. 가정식은 날아갔어.
수현 아쉽네. (어차피 못 갈 것 같아 희미한 대답)
진혁 다시 날 잡으면 되지, 뭐.

수현, 쓸쓸하게 웃는다. 진혁, 아무 말도 하지 못한다. 수현, 정말… 속상하다. 진혁의 마음이 더 안타깝다. 그 집에 가야 하는 수현 때문에.

48. 수현 집 거실 (밤)

창가에 서서 깊은 고민에 잠긴 수현. 정말 괴롭다.

49. 진혁 집 진혁 방 (밤)

책상에 앉아 멍하게 벽을 바라보는 진혁. 아…. 마른 얼굴을 쓸어내린다.

50. 동화호텔 대표실 (낮)

수현, 율마를 쓰다듬는다. 아무리 쓰다듬어도 좀처럼 기분이 좋아지지 않는다. 노크소리 들리고 장 비서 들어온다. 결재 서류를 건네고 기다린다. 수현, 서류를 보는데 눈에 안 들어오는지 한참을 본다. 장 비서 핸드폰 진동이 울린다. 거절 누른다.

장 비서	죄송합니다.
수현	편하게 받지.
장 비서	안 받아도 돼. 내가 무슨 알바생이야? 쯧….
수현	? (본다)
장 비서	아니, 그 골뱅이네. 진혁 씨 집에 손님 온다고 진혁 씨 동생 출근 못 하는데 나보고 와서 알바 뛰라는 거야. 미쳤나 봐요, 대표님.
수현	…! 오늘… 손님 오신대?
장 비서	그렇다던데? 왜?
수현	… 아니야. (글자가 하나도 눈에 안 들어온다) 나 이거 더 보고 사인할 게요.
장 비서	네. 사인하시면 부르세요.

장 비서 나간다. 수현, 가슴이 툭….

FB/

진혁	슬픈 소식이 있어요.
진혁	내일 이 선생님 갑자기 급한 일 생기셨대요. 가정식은 날아갔어. (12화 #47)

수현, 잡고 있던 펜이 툭 떨어진다. 수현모에게 전화가 온다. 안 받는다. 다시 온다.

수현	네.
(수현모)	샵이니?
수현	아니.
(수현모)	왜 아직 그러고 있어!
수현	(하…)
(수현모)	(애걸한다) 수현아. 제발… 어? 오늘만 제발 가자. 아빠 생각해서… 제발 오늘만 꾹 참고 가줘. 대선까지만, 응? 수현아….

수현, 미칠 것 같다.

51. 동화호텔 우석 집무실 (낮)

우석도 초조하다. 김 비서 들어온다.

김 비서　대표님. 김 회장님께서 일찍 오시라고 전하셨습니다.
우석　… 그럽시다. 차 대표는요.
김 비서　오늘 일찍 퇴근하신 것 같습니다.

긴장 가득하게 일어나는 우석.

52. 수현 집 거실 (낮)

입고 가야 할 검은 정장이 소파에 놓여 있다. 손에는 커플링. 수현,
시계만 본다. 가야 하나, 말아야 하나…. 갑자기 청소를 시작하는 수
현. 청소기를 한 손으로 열심히 밀고 있다. 소파 구석 구석까지 청소
기를 민다. 후…. 힘들다. 소파에 털썩 앉는 수현. 이마를 무릎에 묻
고 깊은 좌절을 느낀다.

53. 김 회장 집 앞 (밤)

취재진들. 모두 수현을 기다린다.

기자1　차수현 대표… 올까?
기자2　와도 대박이고 안 와도 뉴스다.

54. 진혁 집 거실 (밤)

진명이 상을 차리고 진혁도 돕고 있다. 진혁부는 기회가 닿지 않아

좀 서운한 얼굴.

진명   근데 형. 대표님 회사 일 때문에 못 오는 거 맞아?

진혁   (뜨끔) 어.

진명   대찬이 형이 장 비서 누나 보고 나 대신 알바 좀 오라고 했거든? 근데 대표님 오늘 뭐 엑스 시월드 집안 행사 가야 된다고 같이 이동해야 된다던데?

진혁   그런 건 아니야. 회사에 중요한 미팅이 잡혔어.

진혁부, 흠…. 그래서 못 오는구나. 마음이 불편해진다. 진혁모, 차라리 잘된 것 같다 싶다가… 웃고 있는 진혁이, 실은 풀이 죽어 보이는 게 속상하다.

진혁모   이 선생님은 다 오셨나? 전화해봐.

진혁, 상을 차리면서 웃고 있지만 눈은 복잡하다. 진혁부도 말은 안 하지만 진혁을 슬쩍 보며….

55. 수현 집 수현 방 (밤)

담담한 얼굴로 거울을 보며 팩트를 바르는 수현. 속을 알 수 없다. 전화한다.

수현   남 실장님, 저 내려가요.

침대 위 검은 정장을 보는 수현.

56. 김 회장 집 앞 (밤)

기자들, 추위에도 들어오는 자동차 놓치지 않는다. 이때 수현의 자동차가 들어온다.

기자1   저거, 차수현 대표 차 맞지?!

플래시 엄청 터지며 난리다.

57. 김 회장 집 거실 (밤)

정계 사람들, 일가친척, 검은 양복과 흰 한복. 김 회장, 고상하게 차려 입고 있다. 우석, 좀 초조한지 시계를 본다. 사람들이 너무 기다린다. 진행하는 집사, 김 회장에게 다가온다.

집사   차수현 대표 차 도착했습니다.

김 회장, 흠. 당연한 거라는 듯… 니가 오지 않고는 못 버티지…, 그런 얼굴. 우석, 오늘은… 다행이라는 마음이 얼굴에 드러난다. 뭔가 큰 희망을 얻은 듯한 우석.

58. 진혁 집 거실 (밤)

다 차려진 상. 모두 둘러앉았다. 진혁, 결국 오지 못하는구나….

진명   엄마, 대찬이 형 것 좀 남겼지?
진혁모   어, 많이 했지. 싸줄 테니까 가져다 줘.
진명   점심부터 굶고 있다니까, 빨랑 먹고 가야 돼. 선생님 왜케 안 오셔….

초인종 소리 들린다.

진명   이 선생님이다!

진혁 내가 나갈게.

진혁, 나간다. 수현은 오지 않는 분위기다.

59. 진혁 집 앞 (밤)

진혁이 문을 열고 나온다.

진혁 선생님, 차가 좀 밀리….

진혁, 어! 이내 사랑스러워 기절할 것 같은 환한 미소가 가득…. 진혁 앞에 어색하게 서 있는 수현.

수현 일정이 취소돼서.

진혁, 수현을 바라본다.

진혁 큰일 났네.
수현 … 왜….
진혁 출구가 없다.
수현 …?
진혁 당신한테서 헤어나올… 방법이 없어.

수현을 끌어다 꼭 안는 진혁. 그녀가 이곳, 진혁에게 왔다. 수현, 두려움을 날려버린 지금 이 순간만큼은 평안한 얼굴.
엔딩.

— 13 화 ←

누구나 한 번은
흔들리니까

1. 진혁 집 거실 (밤)

현관에 진혁과 수현이 서 있다. 진혁모, 수현의 등장에 많이 놀라 입이 쩍 벌어진다. 진혁부, 이곳으로 온 수현이 내심 믿음직스럽다. 진명, 수현이 등장하자 업 돼서 싱글벙글.

진혁　　대표님 왔어요.

수현, 선물 상자를 들고 있는데 떨리기도 하고 어쩔 줄 모른다.

진혁부　안으로 모시지 왜 다들 서 있어. 들어오세요.

수현, 들어와 선다.

수현　　초대해주셔서 감사합니다…. 제가 와도 되는 자린지….
진혁부　같이 밥이나 먹자는 자린데…, 어려워하지 마세요.
수현　　(선물을 내주며) 이거… 뭐가 좋을지 몰라서….
진혁모　(받으며) 아유, 그냥 오시지. 많이 차린 것도 없는데….
진혁부　이쪽으로 오세요!

진혁, 수현이 앉을 수 있게 안내한다.

2. 김 회장 집 앞 (밤)

수현의 자동차를 향해 플래시가 엄청 터진다. 문이 열리고 내리는 사람, 장 비서다. 기자들 모두 '어…?' 하며 일단 사진을 마구 찍는데. 장 비서, 김 회장 집 앞으로 가 담당 직원에게 조용히 사정을 전한다.

장 비서 차수현 대표님께선 일정이 있어서 불참하십니다. 뵙고 전해드려야 할 것 같아서 왔습니다.

장 비서, 목례하고 다시 자동차로 가 탄다. 출발하는 남 실장과 장 비서. 남은 담당 직원, 난색이다. 몇몇 기자들 노트북 열고 기사 쓴다.

기자1 빅이슈인데?
기자2 (막 쓰다가) 이렇게 되면… 전쟁인가? 누구 하나는 만신창이 되겠어.
기자1 누구겠어요…. 차수현 아니면 차종현이지.

수현의 불참 기사를 써나가는 기자들.

3. 김 회장 집 거실 (밤)

모두 가고 김 회장과 우석만 남았다. 김 회장, 굳은 얼굴.

우석 좀 쉬세요. (방으로 가려는데)
김 회장 너희 아버지 뵐 면목이 없구나.

김 회장, 차갑게 일어나 자신의 공간으로 간다. 우석, 김 회장의 노여움이 걱정이 되는 눈빛.

4. 진혁 집 거실 (밤)

이 선생도 합류해 즐겁게 식사하는 사람들. 진혁이 김치찜을 집어 수현의 밥에 올려준다. 모두 의식하지 않는데 진혁모는 좀 의식된다.

이 선생 그래, 이 맛이지…! 진혁 엄마 김치찜은 알아줘야 한다니까? 맛있죠, 대표님?

수현　네. 정말 맛있어요, 어머니.

어머니란 말에 진혁은 혼자 너무 좋다. 진혁모는 어쩔 줄 몰라 하며 어색해한다.

진혁모　다행이네…. 많이 드세요.

수현　말씀 편하게 주세요.

진명　말씀 편하게 하려면 우리 야자타임 한번 가나? 확 친해지게?

진혁　먹어, 그냥….

진혁, 수현에게 물을 준다. 물 잔을 받는 수현의 손가락에 낀 반지와 진혁의 반지를 보는 진혁모. 얼른 시선 돌리는데, 뭔가 확인한 셈인 것 같아 마음이 요동친다.

이 선생　여기서 대표님 보니까 훨씬 좋네. 우리 집은 칙칙해서.

수현　선생님 댁도 좋아요. 차도 좋고 향도 좋고….

진혁모　선생님 댁에…도 가보셨구나….

수현　네…, 차 마시러 몇 번 갔었어요.

생각보다 수현이 진혁의 일상에 많이 들어와 있는 것 같아 신경 쓰이는 진혁모.

이 선생　큰일 났네. 오늘 밥 두 그릇 먹게 생겼어요. 이거 매실장아찌도 직접 담그신 거?

진혁모　네. 봄에 좀 담갔는데 올해는 맛이 잘 들었더라고요.

수현　(놀라는) 이런 것도 직접 다 담그세요? 정말 멋지세요….

진혁모　아유…! (손사래를 치며 민망해한다)

진혁　저희 엄마 과일청도 되게 잘 만드세요.

진명　상태 안 좋은 과일 처리하시는 거지.

진혁	대찬이 형 가게 안 바쁘니? 다 먹었지, 너.
진명	더 먹을 건데.

수현, 이 분위기 너무 좋다. 매실장아찌 한 입. 음⋯. 정말 맛있어서 어느새 미소. 진혁모, 맛있어하니 다행이다. 물을 따라 수현 자리에 준다. 수현, 두 손으로 받는다. 진혁, 이런 모습을 두 눈에 모두 담는다.

5. 홍제동 일각 (밤)

수현과 진혁이 걷는다.

수현	매일 이럴 거 아냐.
진혁	?
수현	진혁 씨 집은 매일 이렇게 재미있고 편하고. 맞죠?
진혁	에이⋯. 부모님 가끔 싸우시면 살벌하죠.
수현	안 그럴 거 같던데?

수현, 걸음을 멈추고 진혁을 본다.

수현	진혁 씨.
진혁	(본다)
수현	나⋯ 곤란할까 봐 식사 취소됐다고 한 거죠?
진혁	(그냥 웃는다)
수현	나 같음 태경 행사에 가지 말라고 했을 것 같아. 이렇게 배려해주지 않았을 것 같아. 사실 진혁 씨 입장에선⋯ 마음 불편하잖아.
진혁	나는요. 음⋯. 대표님이 어디에 가 있든, 누굴 만나야 하든⋯ 마음 불편하지 않아요. 대표님이 살아온 시간들⋯ 다 의미가 있고 이유가 있는 거니까. 어디에서 뭘 하든, 마음은 나한테 와 있잖아요. 맞죠?

수현, 진혁의 깊은 배려가 고맙다. 다시 걷는다.

수현　나… 좀 어색해 보였죠? 부모님께서 나 불편하게 생각하신 거 아니 겠지?

말도 안 된다는 듯 웃는 진혁.

진혁　어색하다는 게 어떤 건지 모르나 보다. 엄청 잘 어울리던데? 나도 놀랐네.
수현　진짜?
진혁　(수현 흉내 들어간다) 어머, 이런 것도 직접 담그세요?
수현　그만해요.
진혁　정말 맛있어요, 어머니!

수현, 진혁의 등을 툭툭 때린다.

수현　아, 그만해!
진혁　너무 멋지세요!
수현　하지 마, 하지 마…!

진혁은 수현에게 등을 툭툭 맞으면서도 흉내 내는 걸 멈추지 않는 다. 수현은 그만하라고 난리. 즐거운 연인이다.

6. 찬이네 골뱅이 안 (밤)

대찬은 진혁모가 챙겨 준 김치찜을 먹고 있다. 진명이 '그렇게 맛있 니…' 하는 표정으로 옆에서 보고 있다.

진명　안 짜니, 형? 밥을 먹든 물을 먹든 하지?
대찬　그런 걸로 배가 차면 안 돼. 얼마 만의 홈 메이드니.

진혁이 들어온다. 이들 곁에 앉는 진혁.

진명 대표님은 배웅 잘 했냐?

진혁 잘 했지.

대찬 야, 그럼 이제 본격적으로 집에 인사도 드렸고. 뭔가 척척 진도 나가는 거냐?

진명 김진혁 오늘 입 찢어지더라? 그렇게 좋아요, 진혁이?

진혁 그렇게 좋더라, 어쩔래?

대찬 나는…! 즉석밥 돌려야겠다. 아 매워….

진명 아, 깜짝이야….

대찬, 주방으로 간다.

진명 형, 나는 그렇다. 우리 형수님 말이야.

진혁 야.

진명 그래, 그럼… 대표님.

진혁, 진명의 장난에 웃는다.

진명 우리 집이랑 대표님이랑 어울릴까 좀 걱정은 했거든.

진혁 그랬어?

진명 근데 막상 우리 가족이랑 풀샷으로 보니까, 괜찮더라?

진혁 아빠랑 엄마도 그렇게 생각하면 좋겠다.

진명 진혁아… 쫌!

진혁 자꾸 호칭 뜬다?

진명 쏘리. 버릇이 돼서. 형, 그냥 형은 형 연애만 생각해!

진혁 좀 걱정이 돼.

진명 뭐가.

진혁 아빠가 회사로 한 번 오셨더라.

진명 진짜?!

진혁	내색 전혀 안 하셔서 뭐라고 말씀드리나 나도 고민 중이었는데⋯ 아빠가 걱정이 돼서 오셨더라고.
진명	하긴⋯. 아빠랑 엄마랑 주위에서 많이 물어보고 그런 거 같더라. 아빠는 뭐래?
진혁	괜찮겠냐 뭐 그러시지. 믿어달라고 했어.
진명	엄마는?
진혁	엄마가⋯ 잘 모르겠다.
진명	오늘 보니까⋯ 엄마가 좀 당황하긴 했지?
진혁	그런 거 있잖아. 폭풍전야 같은 느낌? 그래서 뭐라고 물어보기도 살짝 겁나. (웃는다)
진명	내가 한번 살짝 물어볼까?
진혁	됐어. 내 일인데 내가 상의해야지⋯. 넌 언제?
진명	나 뭐?
진혁	친구들이 귀찮게 하지 않아?
진명	형. 그렇게 이것저것 생각 많이 하면 머리 아파서 못 살아. 형이 정한 거잖아. 근데 왜 주위 사람들 걱정만 해. 그래서, 언제 결혼할 거야?
진혁	내가 너랑 무슨 얘길 하냐⋯. (절레절레)
진명	장난해? 이 사랑의 끝은 혼인 신고지!
대찬	(즉석밥 가지고 나오며) 혼인 신고 먼저 한다고?!
진혁	둘이. 되게 잘 어울려. 골뱅이 파이팅!

진혁, 일어난다.

대찬	형 밥 먹는 거 보고 가!!! 얼마 만의 집밥이니, 이게!

아유⋯. 못살겠다고 나가는 진혁.

7. 수현 집 거실 (밤)

금방 들어온 수현, 소파에 앉는다. 긴 하루였다. 수현, 오늘 일들이

꿈만 같다.

FB/
인자한 진혁부의 얼굴, 개구진 진명이 얼굴, 어색하지만 사람 좋아 보이는 진혁모의 얼굴. (13화 #1)

수현, 미소가 절로 나온다. 조용한 거실을 본다. 텅 빈 자신의 집 식탁을 본다. 더 조용하고 적막함을 느끼는 수현.

8. 차 의원 집 주방 (아침)

1인분의 식사가 차려져 있고 차 의원, 편안하게 식사를 한다. 정말 조촐한… 식사의 기능만 있는 식탁이다. 수현모가 핸드폰 들고 와 분기탱천.

수현모 내가 그렇게 부탁했는데, 결국…. 기사 좀 봐요! 차수현 안 나타났다고 태경과 차종현 의원 긴 인연의 끝이니 뭐니…. 난리가 났잖아!
차 의원 앉아요. 아침 먹읍시다. 지나간 일 뭐하러 분을 내.
수현모 당신이나 먹어요!!!

수현모, 화가 나서 간다. 상관없이 식사를 하는 차 의원. 보면… 잠깐 웃는다.

9. 동화호텔 대표실 (낮)

수현, 기사들 본다. 표정에 별 동요 없다. 다 예상한 일이다. 인터폰으로 법무팀에게 전화를 건다.

수현 안녕하세요, 팀장님. (인사 듣는 듯) 다름이 아니라, 기사들 보셨죠? 네…, 맞아요. 아무래도 태경에서 더 뜸 들이진 않을 것 같아요. 본격적으로 시작할 것 같은데… 동화 법무팀도 미리 준비를 하는 게 좋겠어요. 네… 네…. 눈에 보이잖아요, 어떻게 시작해올지. 우리는 그 다음 단계를 준비해야죠. 네… 네… 그래요. 수고하세요.

수현, 흔들리지도 않고, 겁 같은 거… 이제 없다.

10. 김 회장 집 김 회장 서재 (낮)

김 회장, 최 이사와 이야기 중이다.

김 회장　많이 서운하셨죠?

최 이사　아닙니다. 회장님 입장 충분히 이해하고 있습니다.

김 회장　감사합니다. 뵙자고 한 건, 차수현 곧 재신임 이사회 열리죠?

최 이사　네, 그렇습니다.

김 회장　분위기 몰아보세요. 이번 기회에 차수현 내려앉히고 정우석 대표, 단독 대표로 세우세요.

최 이사　아…, 그러기에는 저희 쪽 이사들 세력이 완벽하게 이길 거란 보장이….

김 회장　이미 다 정리했어요. 이사회만 열면 됩니다.

최 이사, 올 게 왔구나…. 안도하는 모습.

최 이사　네, 그렇게 진행하겠습니다.

최 이사, 인사하고 나간다. 김 회장, 전화를 건다.

김 회장　법무팀 동화호텔 회수 건, 준비 철저하게 됐겠죠? 시작하세요, 당장. 차종현? 이제 신경 쓸 인물 아닙니다. 동화호텔 반드시 회수하세요.

차갑게 전화 끊는 김 회장. 단단히 작정했다.

11. 동화호텔 대표실 (낮)

장 비서가 카메라를 보여준다.

장 비서   같은 기종은 좀 있었는데, 같은 해에 생산된 거 찾느라 시간이 좀
　　　　　걸렸습니다.
수현　　고생했네요. 고마워요.

수현, 카메라 보면서 흐뭇하다.

장 비서   저… 차 의원님 괜찮으실까요? 태경에서 둘 다 못살게 굴 것 같아서
　　　　　요. 동화호텔 회수 소송… 더 밀고 들어오겠…죠?
수현　　(동요하지 않는다) 그게 낙인 사람들이니. 신경 쓰지 말아요.

장 비서, 나간다. 수현, 예전처럼 두려워 전전긍긍하지 않는다. 차분
하다.

12. 동화호텔 홍보실 (낮)

모두 회의 중이다.

김 부장   웨딩 할인 행사 광고 오프라인도 나가는 건가?
혜인　　동화호텔 2분기호 잡지랑 명품 잡지 두 군데만 나가기로 했어요.
김 부장   사진 좀 잘 뽑자. 동화호텔에서 결혼하고 싶어 안달이 나게 만들어
　　　　　야 돼.
혜인　　네, 부장님.
김 부장   웨딩플래너는 몇 개 업체로 좁혔지?
진혁　　말씀주신 기준으로 해서 정리했더니 세 군데로 모아졌어요.
김 부장   그중에 호텔 웨딩 경험 많은 쪽으로 픽스하자.
진혁　　네.

은진	(음료 마시며) 봄이 오면… 웨딩의 물결이 넘칠 거고… 내 지갑도 탈탈 털리겠구나….
혜인	친구들 결혼식 다 가는 편이세요?
은진	혹시 몰라서. 나 결혼할 때 친구들 별로 안 오면 인간성 나빠 보이잖아. 품앗이하는 마음으로 다녀.

김 부장, 은진을 '아유, 이 사람아…' 하듯 본다.

김 부장	지난번 모델 에이전시 담당자가 누구였지?

진혁은 잘 모르고, 나머지 사원들 이 과장을 본다. 이 과장은 서류만 보며 다른 생각.

김 부장	이 과장님?
이 과장	아, 네.
김 부장	모델 에이전시 담당자… 아니다, 그 업체 박 대리님한테 넘겨줘요. 요즘 컨디션 안 좋아 보이는데 혹시나 펑크 나면 안 되니까.
이 과장	아닙니다, 제가 진행하겠습니다.
김 부장	괜찮겠어요?
이 과장	네.
김 부장	그럼 컨셉은 사진 작가랑 웨딩플래너랑 상의해서 진행합시다.

회의를 끝낸다. 각자 자기 해야 할 일을 확인하는데, 이 과장은 불안해 보인다.

13. 문화당 당대표실 (낮)

수현과 차 의원. 차 의원, 여유로운 표정이다. 수현은 미안해하지만 예전보다 여려 보이지 않는 모습.

수현	아빠, 나 사고 쳤어요. 아빠한테 미안해서 어떡해….
차 의원	잘했어. 요즘 난 너 보면 신이 나.
수현	아빤 이렇게 말해줄 줄 알았어. 속은 타들어가실 거면서.
차 의원	전혀.
수현	선거가 얼마 안 남았잖아요.
차 의원	수현아. 모든 걸 시원하게 설명해주긴 일러서 말을 아끼는 거야.
수현	?
차 의원	앞으로… 아빠가 어떤 행보를 걷게 되더라도 놀라지 말고. 또 행여… 내 탓인가… 그런 모자란 생각하지 마.

수현, 아빠의 표현이 불안하다.

수현	무슨 뜻이에요?
차 의원	늦었지만 이젠 제대로 살자는 거지. 너도 니 인생 살고, 나도 내 인생… 잘 살자는 거야.

수현, 차 의원의 말이 좀 불안하다. 차 의원, 다 좋아질 거라는 미소.

14. 수현 집 거실 (밤)

수현, 회사 업무 메일을 보고 있다. 목 스트레칭을 한다. 문득 손가락의 커플링을 본다.

FB/
/진혁이 주머니 안에서 수현의 손에 뭔가 쥐여주는 듯. 수현, 걸음을 멈추고 손을 빼본다.
/반짝이는 커플링 두 개가 수현의 손바닥 위에. (11화 #46)

수현, 기분이 좋다. '아! 카메라…' 카메라를 꺼내와 핸드폰으로 사진을 찍는 수현.

15. 동화호텔 홍보실 (밤)

진혁, 웨딩플래너 업체에게 보낼 홍보 사진 촬영 시안을 만든다. 여러 업체 사진들을 따와서 컨셉 정리 중. 문자가 온다. 수현이다. 열어보면 카메라 사진. '왜 보냈지? 어디 고장 났나…' 수현에게 전화를 거는 진혁.

(이하 교차)

진혁	카메라 어디 고장 났어요?
수현	애는 전주에서 온 카메란데?
진혁	전주?
수현	진혁 씨가 선물한 카메라랑 같은 해에 생산된 거 찾느라 애 좀 썼어요. 기종도 똑같은 건 알죠? 나 좀 뿌듯하다.

진혁, 이 사람 정말…. 미소가 절로.

진혁	전문가가 직접 확인해봐야 알지. 그대로 있어요. 내가 가서 직접 볼 거니까!
수현	내일 회사에서 보여줄게.
진혁	이런 게 제일 나빠. 아빠가 선물 사와서 보여주고, 어? 보기만 해. 내일부터 놀아. 그럼 그 애는 밤새 잠이 오나!
수현	진혁 씨 선물 줄 거란 말은 안 했는데.

진혁, 앗…. 그러고 보니…. 수현의 웃는 소리가 넘어온다.

진혁	(삐졌다) 똑같은 카메라 두 개나 뭐 할 건데요. 왜 자꾸 놀리지.
수현	놀리면 바로 반응 오니까 재미있어서. 알았어요, 카메라 빨리 보고 싶구나?
진혁	카메라가 더 보고 싶겠어요, 대표님이 더 보고 싶겠어요?

수현	어디예요?
진혁	회사.
수현	아직? 야근했구나. 대표님이… 응원하러 가야겠네.

16. 곱창집 (밤)

오늘은 곱창이다. 수현은 눈만 깜박인다. 또 처음이다.

진혁	야…, 잘 익었다!

수현의 접시에 곱창 하나를 놔준다.

진혁	소스 찍어서 먹어봐요.
수현	진혁 씨 만나면서 좋은 게 백만 가진데, 그 중 하나가 신비한 체험이야.
진혁	신비?
수현	닭발, 돼지껍데기, 곱창. 난 신비해요.
진혁	신비한데 먹고 나면 뭐랄까…, 친근해지죠?
수현	(곱창 오물오물… 삼키고) 알아줘야 되는 거 있어.
진혁	?
수현	나 음식 선입견 엄청 많은데 진혁 씨가 먹자고 하면 싫다, 못 먹는다 안 하고 잘 먹는 거.
진혁	인정! 세상 예뻐, 아주.

수현, 좀 뿌듯. 근데 이게 좀 맛있다. 먹고…, 또 먹고…. 진혁은 수현 앞으로 계속 옮겨준다. 어느새 거의 비어가는 불판.

진혁	(빈 불판 바라보며) 이젠 보여줍시다.
수현	곱창은 후반전 없어요? (말똥말똥)
진혁	… 진짜 달릴 수 있다고?

수현	나 오늘 이게 첫 끼인데.
진혁	여기요! 밥 볶을게요!
수현	(화색) 그래, 후반전은 주먹밥 아니면 볶음밥이지.
진혁	볶기 전에 한 번만 봅시다. 너무 한다, 정말.
수현	(꺼내며) 기름 튀면 안 되는데….

진혁, 카메라 실체 보자마자 두 눈에 꿀이 떨어진다. 마중 나가 있는
손. 진혁, 카메라를 신기하게 본다. 정말 똑같다.

진혁	신기하다. 같은 기종이니까 똑같은 게 당연한데… 되게 이상해. 정서를 담는 기계라 그런가?
수현	(내가 구했다고. 애썼다고) 내 정성이 담겨서 남다르겠지….
진혁	고생 좀 했겠네…. 어디서 구했어요?
수현	애 좀 썼어요. 디테일한 건 나중에….
진혁	나중에 장 비서님한테 물어봐야지.
수현	(이런…) 밥 안 볶아요?

진혁, 못 들었다. 카메라에 빠져 있다.

수현	카메라보다 내가 더 보고 싶다고 했잖아.
진혁	(얼른 카메라 내려놓고 수현을 보며) 볶음밥에 김가루 뿌리는 스타일?

수현, 참나…. 웃는다.

17. 동화호텔 대표실 (낮)

수현, 얼굴이 차갑게 굳어 있다. 장 비서, 착잡함과 분노.

수현	누구… 번호라고요? 이진호 과장?
장 비서	네. 남 실장님이 주신 번호 찾아봤더니, 홍보팀 이진호 과장 번호였

습니다.

수현, 올라오는 분노를 차분하게 참는다.

장 비서	당장 호출할까요?
수현	두세요.
장 비서	대표님… 지금 물증을 잡았는데….
수현	서두를 일 아니에요. 고마워요.

나가보라는 듯한 분위기에 인사하고 나가는 장 비서. 수현, 생각이
많아진다. 어떻게 할까…. 생각… 생각…. 진혁에게 문자를 보낸다.

수현 문자 점심 식사 했어요?

곧 진혁에게 답장 온다.

진혁 문자 간단하게. 대표님은요?
수현 문자 나도. 디저트로 차 한 잔 할까요?

18. 동화호텔 일각 (낮)

진혁이 수현에게 막대 사탕을 준다.

진혁	홍차맛. 이거 하나 먹으면 차 한 잔 한 거지 뭐. 잘 사왔죠?
수현	박 대리님이 준 건 아니고?
진혁	박 대리님은 어린이 입맛이라 얼그레이맛은 싫어해요.

껍질을 까서 수현에게 아! 하라고. 수현, 이젠 자연스럽게 아, 하며
받는다. 진혁도 사탕 까서 입에 넣고 오물.

수현	심각한 상담하러 왔는데… 사탕 입에 물고 나니까 별로 심각하지도 않다.
진혁	그래도 말해봐요. 오후 내내 궁금해서 일 못 한다고.
수현	부장님한테 일러야지. 자꾸 딴생각하면서 업무 집중 안 한다고.
진혁	대표님이 오라고 해놓고…. (사탕만 공격적으로 먹는다)
수현	알았어요. 자…, 누군가 나한테 큰 잘못을 했어. 그 일로 내가… 많이 괴로웠다고 쳐요. 근데 그 사람이 누군지 알게 됐어. 어떻게 하는 게 좋을까…?

진혁, 생각을 한다. 부드러운 미소로 수현을 본다.

진혁	난… 사과하면 한 번은 용서해줘요. 누구나 한 번은 흔들리니까.

수현, 진혁의 가치관을 보게 된다. 수긍하지만 말은 토라진 듯 한다.

수현	마음 넓은 김진혁 씨한테 물어봤으니 답은 뻔하지.
진혁	사과하면 받아주는 게 마음 편해요. 용서해주면 그 다음부터 내가 아니라 상대방 마음이 지옥일걸요.
수현	사람 마음이 다 그런가? 오전 내내 속 끓인 난 뭐냐….
진혁	왜 속 끓였을까. 내가… 사과할 일이 있는 건 아니죠? 분위기 이상한데. 이게 그 어렵다는 '니가 뭘 잘못했는지 알아맞혀봐…' 그런 거죠, 지금?
수현	뭐 찔리는 거 있구나?
진혁	없는데 이러니까 쫄리지.
수현	뭔가 있으니까 쫄리지.
진혁	솔직히….
수현	…?
진혁	오늘 오전 근무 내내 회사 일보다 대표님 생각 더 많이 한 건 찔립니다. 그게 잘못이라면 사과하고…. 뭐, 부장님한테 이르시든가.
수현	(빤히 본다) 우수사원이네.

진혁, 귀여운 사람…. 웃는다. 수현도 마음이 한결 편해졌다.

19. 동화호텔 로비 (낮)

점심시간, 직원들 여럿 이동 중. 이들과 동떨어진 이미지의 대찬. 나름 잘 차려입고 기다린다. 장 비서가 주의를 의식하며 다가온다. 눈치 엄청 보는 장 비서. 대찬은 해맑게 손을 번쩍! 아나…. 반갑기도 하고 시선이 부담되기도 하는 듯…. (아무도 안 본다)

장 비서 그렇게 손 번쩍 안 들어도 딱 튀어요.
대찬 와…, 회사 좋네요.
장 비서 무슨 일?
대찬 지나가다가 보이길래. 밥이나 먹읍시다.
장 비서 먹었는데요.
대찬 뭐 그렇게 빨리 먹어…. 그럼 커피 한 잔 합시다!

아 정말…. 싫은 척하지만 싫지 않은 장 비서.

20. 커피베이 (낮)

대찬과 미진, 음료 두고 마주보고 있다.

대찬 밥 안 먹었죠, 솔직히?
장 비서 원래 점심 잘 안 먹거든요!
대찬 나이 들어서 식사 놓치면 속 버려.
장 비서 여보세요. 참나…, 내 나이가 아직 그런 나이 아니거든요. 피부나이 체크하면 20대 초반 나와. 뭔 소리야, 정말….
대찬 피부 나이만 생각하지 말고 위 스킨도 생각해야지. 자꾸 굶으면 위 스킨 안 좋아져요. 그럼 확 늙는다니까?
장 비서 본인은 거울 안 봐요? 나보다 열 살은 많아 보이는데 왜 내 스킨에

훈수 두지?

대찬, 이제 장 비서의 쪼는 말투가 적응이 됐는지 웃고 만다.

장 비서 근처에 뭐… 일 있었어요?

대찬 일이 어디 있어, 골뱅이 장사하는 놈이. 장미진 업장은 어떤 덴가 구
경 왔어요. 미진 씨도 내 업장 잘 오잖아.

장 비서 업장이 뭡니까? 호텔이에요, 호텔!

대찬 같은 서비스업이지, 뭐.

장 비서 헐.

대찬 (툭 던지는) 생각나서 와봤어요. 통 안 오니까. (장 비서 앞에 음료 밀
어주며) 마셔요.

장 비서 (어쩌자고 조금 흔들…)

대찬 멘트 괜찮았는데? 그치? 좀 심쿵했죠?

장 비서 심쿵이란 단어는, 네? 방탄소년단을 보면서 겪게 되는 심장어택이
고. 네?

잠시 흔들렸던 거 주워 모으며 음료를 마시려고 드는데 음료 위에
올려진 하트 모양 딸기에 시선이 간다.

장 비서 하트 이런 거, 이거, 뭐예요, 이거.

그런 장 비서가 희한하게 귀여운 대찬.

대찬 (또 툭 던지는) 퇴근하고 종종 들러요. 얼굴 보게.

장 비서 (솔직히… 심장어택. 빤히 보더니) 오늘 멘트 터졌나 보네.

새초롬하지만 기분 좋은 장 비서.

21. 수현 자동차 안 (낮)

수현의 차가우면서도 차분한 얼굴. 남 실장, 걱정이 된다.

남 실장 어떻게 정리할 건지… 마음은 정하셨어요, 대표님?
수현 지켜봐야죠. 어떻게 생각하는지.
남 실장 내가 같이 들어갈까요? 궁지에 몰리면 막 위험해지는 스타일들이 있거든요.

수현, 괜찮다고 웃는다.

22. 카페 (밤)

수현, 누군가를 기다린다. 얼굴이 하얗게 질린 이 과장이 온다.

(점프)
이 과장은 '난 죽었다'는 얼굴로 앉아 있고 수현은 담담하게 바라본다.

이 과장 원하시는 게 뭔가요, 대표님.
수현 나는 이 과장님에게 큰 관심이 없습니다. 이 사건의 배후에게 깊은 관심이 있을 뿐입니다.
이 과장 … 제가 어떻게 하길 원하시나요….
수현 당연히, 사건의 전말을 밝히는 거죠.
이 과장 …. (괴롭다)
수현 사건의 전말을 증언하지 못한다 해도… 법무팀에 의뢰하진 않을 겁니다. 퇴사 시키지도 않을 거고. 하지만, 나서서 사건의 전말을 밝혀주길 기대하고 있어요. 이사회에 나와서 모두 밝혀주세요. 그리고… 쿠바로 가세요.
이 과장 !!!
수현 쿠바 호텔 책임자로 발령 내겠습니다.

이 과장, 너무나 놀란다.

이 과장   왜… 왜 저를….

수현   가서, 그 호텔이 얼마나 가치 있는 동화의 미래인지 알아가길 바랍니다.

이 과장   (면목이 없다) 왜… 절 신고하지 않으십니까. 퇴사시키는 게 당연한 건데… 왜….

수현   사람은… 한 번은 흔들릴 수 있으니까요.

이 과장, 고개를 들 수가 없다. 수현의 말들은 부드럽지만 표정은 냉엄하다.

23. 장수 과일 (낮)

진혁이 장갑을 끼고 아버지 가게 일을 돕고 있다.

진혁부   주말엔 좀 쉬어라. 뭐 여기까지 나와.

진혁   운동하는 거야.

진혁부   (슬쩍) 별말… 안 해? 대표님 말이야. 식사 후기 그런 거 없어?

진혁   (아…. 웃는다) 엄청 좋아해요. 우리 집 분위기 맨날 그렇게 재미있고 화기애애하냐고 부러워해.

진혁부   좀 앉자. 아유, 힘들어.

진혁과 진혁부 나란히 앉는다.

진혁부   너도 알겠지만… 그 사람 큰 용기 낸 거야.

진혁   …. (알고 있다는 눈)

진혁부   나는 사실 걱정을 좀 했거든.

진혁   걱정?

진혁부   너랑 이러쿵저러쿵 사진들은 올라오지…, 회사에서 뭔 일이 있었나 모르지만 속초로 발령 났지. 너 속초 보내졌을 땐 사실 아빠도 화가 났거든. 남의 귀한 아들 입사하자마자 속초로 귀양살이를 보내냐 말이지.

진혁 대표님이 그런 거 아니야….

진혁부 누가 그랬든. 원인은 두 사람 관계가 원인이잖아.

진혁 ….

진혁부 근데 집에 찾아온 거 보고 마음이 좀 놓인다.

진혁 (다행이다…)

진혁부 그 뭐야, 거기. 태경인가 거기 말이야. 기일에 안 나타났다고 기사가 엄청 났더라고. 그거 다 예상했을 텐데 여기로 온 거잖아?

진혁 그래서 너무 고맙고, 안타깝고 그래….

진혁부 니가 응원해달라고 했을 때도 답답…했는데, 깔끔하게 응원하기로 했다!

진혁, 무지 행복하다. 아버지의 인정을 받은 게 좋다.

진혁 고마워요, 아빠. 나 엄청 걱정했어…. 나는 그 사람이 너무 좋은데, 그 사람 없는 시간들은 이제 상상도 안 되는데…. 아빠랑 엄마랑 싫다고 하실까 봐 걱정 많이 했거든. 진짜 고마워, 아빠!

진혁부 고맙긴 뭘…. 그럼 과일 니가 정리 다 해.

진혁 내가 싹…! 다 할게!

카메라 빠지면, 이 모든 대화를 다 듣고 있었던 진혁모. 수심에 찬 얼굴로 돌아선다.

24. 진혁 집 거실 (밤)

혼자 소파에 앉아 있는 진혁모. 얼굴이 굳어 있다.

FB/

진혁부 너랑 이러쿵저러쿵 사진들은 올라오지…, 회사에서 뭔 일이 있었나 모르지만 속초로 발령 났지. 너 속초 보내졌을 땐 사실 아빠도 화가 났거든. 남의 귀한 아들 입사하자마자 속초로 귀양살이를 보내냐 말이지.

진혁 나는 그 사람이 너무 좋은데, 그 사람 없는 시간들은 이제 상상도 안 되는데…. 아빠랑 엄마랑 싫다고 하실까 봐 걱정 많이 했거든. (13 화 #23)

진혁모 그래서 속초로 간 거였어…. 후…. 또 무슨 일 나는 거 아니야? 넌 왜 그런 사람을…. 아휴….

진혁모, 한숨만 나온다. 진혁이 들어온다. 진혁모, 거실 소파에 있다가 돌아본다.

진혁 다녀왔습니다!
진혁모 왔어?

진혁, 방으로 가려가다 주춤…. 다시 엄마 곁에 와 앉는다.

진혁모 왜? 뭐 좀 줄까? 출출해?
진혁 아니.

진혁모, 진혁이 뭔가 심각한, 듣고 싶지 않은 이야기를 할 것 같다.

진혁모 피곤하겠다, 얼른 씻고 자.
진혁 나 할 말 있어.

진혁모, 아직 듣고 싶지 않다. 갈팡질팡 잘 모르겠다.

진혁모	급한 일이야? 엄마 좀 피곤해서.
진혁	엄마… 나 믿지?
진혁모	새삼스럽게 뭘 물어…. (목을 괜히 돌리며) 아유…, 오늘 되게 피곤하다.

진혁, 엄마가 말을 피하는 걸 느낀다.

진혁	안마해줄까?
진혁모	니가 더 힘들지. (일어나며) 씻고 자. 엄마도 자야겠다.

진혁모, 방으로 간다. 진혁, 엄마가 조심스레 피하는 게 마음에 남는다. 걱정이다….

25. 동화호텔 소연회장 안(낮)

신부 복장을 한 여자 모델이 부케 들고 서 있다. 신랑 모델도 준비 완료. 배경으로 삼을 꽃과 주례 단상 정도가 세팅되어 있다. 박 대리, 당혹스러운 얼굴. 진혁, 김 부장, 혜인… 모두 난색이다.

박 대리	사진 작가님이 갑자기 복통 때문에 구급차 타고 병원에 실려가서요…. 점심 뭐 먹고 그러지? 어떡할까요, 부장님…?
김 부장	아니, 이렇게 세팅까지 다 해놓고 실려갔다고요?
박 대리	제 말이요! 제가 얼마나 황당했겠습니까. 아, 내가 찍을 수도 없고….
혜인	그럼… 병원에서 얼마나 있다가 오는 거예요?
박 대리	그건 나도 모르지….
김 부장	모델들 기다린다. 일단 촬영은 연기해야지, 뭐.
혜인	오늘 촬영해야 잡지 기사 실을 수 있어요, 부장님. 사진 작가님 다음 주는 제주도 촬영 가신대요.

모델들 '빨리 찍지' 하며 기다린다. 진혁, 죄송하다며 물병 건네주는 모습.

혜인	김진혁 씨가 찍는 건 어때요?
박 대리	아무나 찍을 거면 내가 찍겠네.
혜인	김진혁 씨 사진 꽤 잘 찍어요, 부장님. 초등학교 때부터 찍었대요.
김 부장	그래? 그래도 컨셉을 이해해야 하니까….
혜인	오늘 촬영 컨셉 정리한 사람이 김진혁 씨니까 그림 나올 것 같은데… 무리일까요?

김 부장, 어쩌지… 진혁을 본다. 진혁은 모델들과 시간을 보내주고 있다.

26. 동화호텔 소연회장 앞 (낮)

수현과 장 비서 지나가는데, 조금 열린 문으로 카메라 플래시가 퍽퍽 터져나온다. 장 비서, 슬쩍 본다.

장 비서	연예인 왔나? (하다가) 어!

수현은 관심 없이 가려는데, 장 비서가 수현의 팔짱을 끼고 데려와 상황을 보여준다. 수현, 뭔데…. 무심코 보면 진혁이 셔츠 차림으로, 소매를 무심하게 걷어 올리고 모델들 사진을 찍고 있다. 그 모습이 꽤 인상적이다. 전문가 같다.

장 비서	사진 찍는 사람 김진혁 씨 맞죠?
수현	(미소)
장 비서	왜 진혁 씨가 찍고 있지?

수현, 진혁이를 보고 모델들을 본다. 아름다운 선남선녀의 모습이다.

장 비서	신부는 드레스 입으면 웬만하면 다 예쁜 것 같아. 압도적인 신부도 있지만. 대표님 웨딩샷은 정말 예술…. (아차…) 죄송합니다.

수현 사실인데 뭐. 웨딩샷….

장 비서 강조하고 싶었던 건 예술로 아름다웠다… 그 말인데….

진혁이와 저런 날이 올 수 있을까… 하는 생각을 하는 수현. 왠지 슬픈 예감만 든다. 돌아서 가려는데, 진혁이 위치 바꾸다가 수현과 눈이 마주친다. 아련하게 보고 있는 수현의 모습을 발견한 진혁. 수현, 진혁과 눈이 마주치자 이내 짧은 미소 보내고 돌아서 간다. 진혁, 수현의 슬퍼 보이는 눈빛이 마음에 걸린다.

27. 동화호텔 소연회장 안 (낮)

촬영을 마쳤다. 모두 정리 중이다.

김 부장 혜인 씨 말이 맞네. 진혁 씨 사진 톤이 좋네요.

박 대리 장비가 좋아서 그런 거 아닐까요?

김 부장 인정할 건 해주고 그래. 부질없어 보여.

박 대리 진혁 씨 멋지다!!! 박수 짝짝!!!

진혁, '별말씀을' 하며 어색하게 웃고. 부케를 챙기는 웨딩플래너에게 다가간다.

진혁 저… 이 부케요….

조심스러워하는 진혁의 얼굴.

28. 수현 집 거실 (밤)

노트북으로 쿠바 객실 3D 조감도를 보고 있는 수현. 수정하고 싶은 부분을 메모하는 등 일에 열중한 모습이다. 초인종 소리 들린다.

(점프)

소파에 앉아 있는 두 사람. 진혁이 촬영 소품 부케를 쑥 내민다. 수현, 부케를 본다.

수현　이거… 아까 촬영하던 소품 아니에요?

진혁　맞아요. 아, 내가 시진 찍는 거 봤죠? 사진 작가님 응급실 실려가서서 얼결에 카메라 잡았잖아요. 식은땀 엄청 흘렸어요.

수현　잘 하던데요?

진혁　내가 또….

수현　(또 나왔구나…) 홍제동 포토그래퍼. 그런 거라고?

진혁　그렇지, 그렇지! 부케 예쁘죠? 내가 달라고 부탁해서 가지고 왔어요.

수현　나 주려고?

진혁　응.

수현　왜?

진혁　자, (부케 주며) 들어봐요.

수현　내가 왜…. (하면서 주춤)

진혁　한 번 보게! 오늘 신부 찍으면서 계속, 차수현 씨가 더 예쁠 것 같다, 대표님 데려다 찍으면 회사 짤리겠지, 그래도 이 샷 욕심나는데, 이런 생각 엄…청 많이 했어요. 사람 성의도 있는데….

수현, 아이고…. 절레절레하면서 들어본다. 진혁, 흐흐….

진혁　거봐…. 이 여자가 훨씬 예쁘네.

수현　시선은 다 주관적이니까.

진혁, 부케를 들고 있는 수현이 너무 예쁘다.

진혁　(수현의 어깨를 잡고) 딱 이렇게.

수현　?

진혁　이렇게… 와줘요.

수현	(진지한 진혁의 미소에 마음이 흔들)
진혁	이젠 상상도 안 돼. 당신 없는 시간들은… 내 시간이 아니야. 나랑 오래오래… 같이 살아요.

수현, 진혁의 프러포즈 아닌 프러포즈 같은 고백에 뭐라 답을 못하고 입술만 깨문다.

진혁	어. 왜 대답 안 해? 싫다고?

수현, 긍정도 부정도 아닌 애매한 미소만 보여줄 뿐이다. 진혁, 수현이 대답을 하지 못해도 괜찮다. 그렇게 될 거라 믿고 있다.

29. 동화호텔 복도 (낮)

우석이 이동 중이다. 최 이사가 오다가 우석을 보고 인사하며 합류해 걷는다.

최 이사	오늘 드디어 디데이입니다. 차수현 대표 재신임 투표 결과, 어떻게 예상하십니까?
우석	미리 알면 부정부패 아닌가요?
최 이사	(다 알면서 이런다고…. 웃는다) 예상치라는 게 있으니까요. (주위 의식하며 조용히) 정 대표님께 미리 축하 인사 드리자는 이사들도 있습니다.
우석	(기분 좋은 말 아니다) 그 이사님들 명단 좀 보고 싶네요.
최 이사	어차피 축하 인사 받으실 때 다 모이지 않을까요?

이때, 진혁이가 앞에서 오다가 이들과 마주친다. 진혁, 이들에게 조용히 목례. 우석, 목례로 답하고 아무것도 아니라는 듯 무시하며 지나간다. 진혁, 개의치 않고 다시 자기 갈 길 간다.

이사들 모두 모여 있다. 정 이사도 있다. 수현은 보이지 않는다. 우석, 마음이 불편하다.

최 이사 바쁘신 중에 모두 자리해주셔서 감사합니다. 오늘 차수현 대표님 재신임 투표 진행을 위해 잠시 안내 말씀드리겠⋯.

(수현) 그 전에.

수현이 들어온다. 장 비서 몇 걸음 뒤에서 따라와 선다. 모두 수현을 본다.

수현 정리해야 할 중요한 사안이 있습니다. (최 이사를 의미심장하게 보고는) 오래 걸릴 사안 아닙니다.

우석, 뭐지⋯. 들어봐야겠다고 최 이사에게 사인. 최 이사, 어차피 끝났다고 생각하며 여유롭게 수현에게 말하라고 눈인사. 수현, 장 비서에게.

수현 안내해주세요.

모두, '누구지⋯ 뭐지⋯' 한다. 장 비서가 문을 열면⋯, 이 과장이 들어온다. 최 이사는 경악을 금치 못한다. 수현, 이 과장 본다. 다 말하라고.

이 과장 먼저⋯ 죄송하다는 말씀드립니다. 제가⋯ 잠시 눈이 어두워 큰 잘못을 했습니다.

웅성이는 이사들. 최 이사, 죽여버릴 것 같은 눈으로 이 과장을 본다. 이 과장, 차분하게 최 이사를 본다.

이 과장 쿠바 호텔 메일 사건은… 제가 김진태 대리를 설득했습니다. 쿠바 호텔 건설이 취소될 수 있는 메일을 보내고 퇴사하라고 전했습니다.

정 이사 왜 그런 일을 한 겁니까.

최 이사, 더 나가면 정말 죽여버리겠다는 눈빛. 이 과장, 최 이사를 본다.

이 과장 최진철 이사님 지시였습니다.

반대이사들, '헉…. 맙소사…. 망했다. 지나쳤다'는 외면과 쓸쓸한 반응들…. 우호이사들과 정 이사는 벌레 보듯 최 이사를 본다. 수현, 이 과장에게 나가봐도 좋다는 눈빛. 최 이사, 분노로 부들부들….

수현 해서, 저는 최진철 이사님의 사과를 요구합니다. 정말로 잘못을 뉘우치고, 진심 어린 사과를 하신다면… 이 일은 여기서 끝내겠습니다.

최 이사를 보는 수현.

최 이사 (독이 오를 만큼 올랐다) 나 혼자만의 독단이라 생각하십니까, 차수현 대표님.

수현 기회를 드리고 있습니다.

최 이사 이 과장에게 지시한 게 나라면, 나에게 지시한 사람은 누굴까요?

우석, 쓸쓸하게 최 이사를 본다.

수현 누군가의 꼭두각시로 길을 잃어가지 말라고 경고했는데, 기회가 아깝습니다. 진심 어린 사과 그 한 마디가… 어렵습니까.

최 이사 난 고용인일 뿐입니다.

수현   누구의 고용인인가요. 적어도 여기 동화호텔의 이사는 아닌 걸 확
인합니다. (다른 이사들에게) 이진호 과장은 쿠바 호텔 책임자로 발
령합니다. 큰 잘못을 했지만, 큰 용기로 이 자리에 서준 것을 응원하
는 뜻입니다. 최진철 이사님의 거취는, 여기 정우석 대표님과 여러
이사님들의 뜻을 따르겠습니다.

수현, 일어난다.

수현   나머지 사안도 결과 전해주시기 바랍니다.

수현이 나간다. 우석, 수현이 제법이라 여기며 혼자 웃는다.

우석   제가 부임하기 전의 일들이니⋯ 이사님들이 정리하시죠. (일어나며)
재신임 안건은 다음에 다시 진행하는 게 좋을 것 같네요.

우석, 나간다. 최 이사, 우석의 버림에 충격을 받는다. 정 이사를 비
롯해 모든 이사가 등을 돌리는 분위기다.

31. 동화호텔 일각 (낮)

혜인과 진혁이 쉬고 있다. 음료수 마시고 있다.

혜인   쉬쉬해도 소문은 다 난 것 같아. 이 과장님 이제 어떡하냐.
진혁   아침에 얼굴 보니까⋯ 많이 말랐더라. 본인도 힘들었지, 뭐.
혜인   그래도 그렇지. 이 과장님이 그럴 줄 몰랐어. 하긴 좀 이상했어. 갑
자기 말수 적어지고⋯. 대표님도 대단해. 나 같음 당장 짤라버릴 텐
데, 쿠바 팀장으로 보내냐?

진혁, 수현의 마음가짐에 미소가 번진다.

혜인	최 이사는 어떻게 될까?
진혁	들어가자.

이동하는데, 앞에서 최 이사가 온다. 혜인은 빤히 보고, 진혁은 끝까지 목례한다.

최 이사	(가다가 멈춰 서서) 적어도 김진혁 씨보단 오래 있을 거라 생각했는데. 세상일이란 게 참… 재미있네? 나 하나 물러난다고 이 전쟁이 끝날 거라 안심하지 말아요.

차갑게 가는 최 이사. 진혁은 그저 안타깝게 그 모습을 바라본다.

혜인	끝까지… 별로다.

진혁과 혜인, 돌아서 간다.

32. 동화호텔 대표실 (낮)

수현의 곧은 모습. 현명하고 담담한 얼굴로 창밖을 바라보고 서 있다. 자리로 와 인터폰.

수현	잠깐 볼까요.

곧 장 비서 들어온다.

수현	오늘 저녁에 시간 좀 내줘요.
장 비서	아니…. 내가 오늘 밤 일정이 없을 거라고 확신하고 묻는 거 맞죠?
수현	일정 있어요?
장 비서	없어. 왜.
수현	밥 먹자.

장 비서	어디서.
수현	우리 집에서.
장 비서	메뉴 뭘로 준비해 갈까요, 대표님?
수현	그냥 오세요. 내가 뭐 좀 만들어볼까 해요.
장 비서	뭐?!
수현	남 실장님도 오시라고 해줘요. 이번 일로 고생하셨는데 인사는 해야죠.
장 비서	(머리 긁적…) 밖에서 먹죠?
수현	여덟 시쯤? 오세요.

수현, 싱긋.

33. 진혁 집 주방 (낮)

진혁모, 이웃 아줌마와 마주 앉아 있다. 부침개를 해왔다.

이웃여자	요즘 통 안 보여서 걱정돼서 와봤지. 진혁 엄마 호박 부침개 좋아하잖아.
진혁모	아유, 맛있겠네. 안 그래도 출출했는데…. 고마워요, 잘 먹을게.

젓가락을 내주는 진혁모. 이웃여자, 눈치를 살살 본다.

진혁모	음… 잘 구웠다. 난 이렇게 바삭하게 안 되더라?
이웃여자	자기가 음식은 더 잘하면서 그런다. (눈치 보다가) 저기… 진혁 엄마.

진혁모, 왜? 하는 눈.

34. 진혁 집 진혁 방 (낮)

수현의 구두를 보는 신혁모. 생각이 많아진다. 당장 버리고 싶을 지경이다.

35. 진혁 집 거실 (낮)

진혁모, 동화호텔 상담직원과 통화 중이다.

진혁모 그럼… 대표실은 어디로 전화해야 연결이 돼요?
(상담원) 죄송합니다, 고객님. 대표실은 저희 해당 서비스가 아니라서 안내해
드릴 수가 없습니다. 다른 문의 사항 있으신가요?

진혁모, 힘 빠져 전화 끊는다.

36. 회상-진혁 집 주방 (낮)

얼굴이 하얗게 질리는 진혁모.

이웃여자 우리 아들 그 호텔에 취직 좀 시켜주라…. 내가 이렇게 부탁할게, 응?
진혁모 아니…. 아니, 그런 부탁을 왜 나한테 해요….
이웃여자 사실… 진혁이 2년 넘게 놀다가 갑자기 그 좋은 회사에 들어갔잖아.
진혁모 대학원 다닌 거잖아. 무슨 소리해, 지금? (점점 끓어오른다)
이웃여자 그렇지. 다 알지. 근데 솔직히… 호텔 대표랑 그런 사이니까 들어가
기 수월했을 거 아냐.

진혁모, 억장이 무너진다. 눈물이 터지려고 하는 걸 꾹 참는다.

37. 현재-진혁 집 거실 (낮)

진혁모 (한탄스럽고… 화도 좀 나고) 전화 연결도 안 되는… 높은 사람이
왜… 왜 우리 진혁이를….

속이 터져나가는 진혁모. 가슴을 꾹꾹 누른다.

38. 수현 집 주방 (밤)

한식 상차림이 제법 잘 차려지고 있다. 진혁이 숟가락을 놓고 있다.

진혁 대표님 요리 엄청 잘하네요? 의외인데?

수현 (웃어넘기고) 두고, 소파에 가서 좀 쉬어요. 도와주느라 힘들었죠?

진혁 나야 재료 집어준 거 밖에 없는데? 대표님이 힘들겠어요.

수현 아직은. (웃는다)

진혁 우리… 이렇게 같이 요리하고 상도 차리고 그러니까 분위기 남다르다.

수현 (그래?)

진혁 대표님은 요리도 잘하고… 너무 완벽한데? 이런 건 언제 또 배웠어요?

수현, 태경 며느리였을 때 배웠다는 말을 하지 못하고 그냥 웃고 만다.

수현 도착할 때가 됐는데…. 찌개 식잖아.

진혁 전화해 볼….

마침 초인종 소리. 둘 다 '거봐' 하며 웃는다.

39. 진혁 집 진혁 방 (밤)

고민이 깊은 진혁모.

FB/

진명 대찬이 형이 장 비서 누나 보고 나 대신 알바 좀 오라고 했거든? (12 화 #54)

일어나 나간다.

40. 진혁 집 주방 (밤)

병에 정성껏 예쁘게 귤청을 담은 진혁모. 가지고 나간다.

진혁부   어디가?

진혁모   옆집에. 귤청이 맛이 좋아.

그런가보다 하는 진혁부.

41. 수현 집 거실 (밤)

수현과 진혁, 장 비서, 남 실장이 음식과 함께 와인을 마시고 있다.

수현   아저씨, 고마워요. 덕분에 잘 정리했어요.

남 실장   내가 뭘 했다고 참…. 잘했지, 나?

수현   네. 정말 감사해요.

장 비서   아저씨 기자였던 거 인정.

남 실장   수십 번을 말했는데 이제 인정이냐?

장 비서   의심이 많은 스타일이라.

진혁, 두 사람의 대화가 재미있어서 웃는다.

남 실장   진혁 씨가 같이 한 거야?

진혁   전 그냥 재료 손질 좀 했습니다.

수현   그게 더 손이 많이 가죠.

남 실장   그렇지. 원래 주방에서 짬밥 안 되면 설거지, 채소 다듬기 그런 거
            한 3년씩 하고 그러거든!

장 비서   서로 아껴주는 분위기다. 우리 대표님이 고생하셨죠, 진혁 씨가 더
            잔일이 많았어요. (이런…) 그러니까 내가 사다 먹자고 했잖아!

수현   소원인데 이것도 못 들어주나.

장 비서	이게 소원이라고? 된장찌개 먹는 게? 파티 필 1도 안 나는 백반 분 위기.
진혁	한정식 분위기… 같은데.
장 비서	그래요. 둘이 잘 먹고 잘 살아요.
남 실장	부러우면 트집 잡지 말고 니도 누굴 만나!
장 비서	드시죠.

모두 맛있게 먹기 시작. '오! 맛있는데?' 장 비서도 생긋. 남 실장도 '크…!' 맛있다고. 진혁이 눈 제일 크게 동글 '음! 진짜 대박'. 수현, 아끼는 사람들이 자신이 차린 밥을 먹고 이렇게 반응해주니 기쁘다.

장 비서	맛은 짱이다. 근데 소원이 너무 소박하지 않아요, 아저씨?
수현	난 소박하지 않은데. 이거 나한테는 어려운 거라고.
장 비서	요리가요, 우리가요.
수현	… (진심) 아끼는 사람들이랑 이 식탁에서 내가 준비한 식사를 하는 거. 난 어려웠어. 그러니까 소원해도 되잖아.

남 실장, 달라지는 수현을 본다.

남 실장	나 쫌 서운했잖아, 진혁 씨.
진혁	왜요?
남 실장	아니, 내가 대표님 이사 들어올 때 들어와 보고 처음이거든. 이사를 엊그제 왔냐? 그것도 아니거든. 몇… 년을 살아놓고. 이제야 밥 한 번 무러 올래? 서운해, 안 서운해.
진혁	저는… 어… 크게는… 안 서운할 거 같습니다….

남 실장, 뭐냐 이 자식…. 너무 하네.

장 비서	거기다 물어보면 백패지. 나한테 물어봤어야지, 아저씨는.
수현	서운하시지! 진작 모실걸. 오늘 맛있게 드시고 봐주세요, 아저씨.

남 실장	영 못 하고 살 줄 알았는데. 좋다.
장 비서	대표님 너무 많이 변해. 이상해.
남 실장	변하는 거겠니… 되돌아가는 거겠지.
장 비서	대표님, 나 이제 아저씨랑 같이 부르지 마. 잔소리 대박이다, 정말.

모두, 툴툴거리고 농담도 하고. 행복한 식사를 하고 있다.

42. 찬이네 골뱅이 앞 (밤)

대찬이와 진혁모가 서 있다. 진혁모, 귤청이 담긴 쇼핑백을 들고 있다.

대찬	들어오시지….
진혁모	금방 가야 돼. 저기… 대찬아. 이것 좀 그 비서라는 분한테 전해줄래?
대찬	장 비서요? 이게 뭔데요?
진혁모	대표님한테 좀 전해주라고 해줘.
대찬	대표님이요?
진혁모	그리고 저… 이건…, 진혁이나 진명이한테 말하지 말고. 응?

대찬이 뭔가 심상치 않음을 느낀다. 간절한 진혁모의 눈.

43. 수현 집 거실 (밤)

진혁이 와인 잔들을 주방에 옮겨둔다. 수현이 청소기로 바닥을 밀고 있다. 진혁이 와서 자기가 한다고.

| 진혁 | 줘요, 내가 할게. |
| 수현 | 아니야, 다했어요. |

수현, 나머지 밀고 청소기 옮겨두고 온다. 두 사람, 소파에 앉는다.

수현 아… 오늘 너무 많은 일들이 있었어. 기운이 다 빠져.

진혁, 무릎을 내준다. 누우라고 자기 다리를 톡톡. 수현, 웃고는 진혁의 다리를 베고 눕는다. 진혁, 수현의 머리카락을 넘겨준다. 애틋한 시간을 보내는 두 사람.

진혁 여기도 내 자리 같아, 이제. 온 집이 다 편하네.

수현 난 진혁 씨 방이 더 편해보이던데? 아늑하고….

진혁 거기도 좋죠. 좁아서 딱 붙어 있어야 되니까.

수현 지금도 떨어져 있는 건 아닌 것 같은데

진혁 내가 차수현 전방 10센티 유지하느라 되게 바쁜 거 알죠.

수현 알죠. 오늘도 먼저 와서 많이 도와주고. 든든해.

진혁, 마음에 늘 걸리는 걸 묻는다.

진혁 든든한데 왜 대답을 안 해줘요?

수현 뭐?

진혁, 부케를 본다.

진혁 내가, 오래오래 내 옆에서 살자고 했는데…. 대답 피하고.

수현, 다시 이 이야기다. 일어나 앉아 진혁을 가만히 바라본다.

수현 나 이탈리아 요리도 꽤 잘해요.

진혁 이거 봐. 또 피하잖아.

수현 중식도 할 수 있고… 일식도 좀 해.

진혁 ….

수현 … (슬퍼지는 눈) 태경에 들어가서 살 때… 그때 다 배운 거야.

진혁, 수현의 담담한 고백에 가슴이 좀 철렁…. 수현이 왜 대답을 피하는지 알 것 같다. 진혁, 수현의 손을 끌어다 다정하게 잡는다.

진혁   그게 뭐. 요리 잘 하면 좋죠.

수현   진혁 씨. 나 진혁 씨 집에 다녀오고 나서… 자꾸 꿈을 꿔요. 그 집에서 나도 같이 행복하고 싶다.

진혁   그렇게 될 거예요.

수현   자꾸 발목을 잡아. 내 기억들, 내 지난 일들. 저렇게 예쁜 부케 들고 진혁 씨 앞에 서는 꿈… 나도 해봐요. 근데… 그게 정말 꿈꿔도 될 일인지…. 내가 너무 욕심을 부리는 것 같아서 좀 그래요.

진혁, 어떻게 수현의 마음을 다독여줄까…. 생각.

진혁   쿠바에서 어떤 여자를 만났는데, 이름도 몰랐고… 어떤 사람인지도 몰랐어요. 그런데… 처음 만날 그날, 이 사람 혹시 남자친구가 있을까? 없었으면 좋겠다…. 차수현이라는 사람은 그날의 그 사람이야. 처음으로 내 마음에 인상 깊게 들어온 사람.

수현   …. (진혁의 말이 고맙다)

진혁   대표님이 지나온 시간들은 나에게 하나도 중요하지 않아요. 나는 차수현이라는 한 사람을 사랑하니까. 그 사람이랑 매일매일… 같이 있고 싶다. 매일매일 그런 기대를 해.

수현   (정말 그렇게 되면 얼마나 행복할까…) 할 수 있을까, 우리?

진혁   그렇게 해줄 거죠?

수현, 이젠 대답할 수 있다.

수현   그렇게 해줘요.

진혁, 기분이 날아갈 것 같다. 수현을 끌어다 꼭 안는다. 토닥… 토닥…. 두 사람, 행복하다.

44. 동화호텔 대표실 (낮)

책상에 진혁이 준 부케가 있다. 장 비서 들어온다. 손에는 귤청이 담긴 쇼핑백이 들려 있다.

수현 이 꽃, 프리저브드 부탁해요.

장 비서 네? 프리….

수현 그런 게 있대요. 특수 용액 처리해서 시들지 않게 해주는 거라던데.

장 비서 아. 들어본 것 같습니다. 주세요.

수현, 부케를 준다. 장 비서가 들고 있는 쇼핑백을 본다.

수현 뭐예요?

장 비서 (아 맞다…) 이거… 저기…, 김진혁 씨 어머니께서 전해드리라고 하셨어요. 제가 직접 받은 건 아니고… 그 동네 형, 골뱅이 사장이 전해줬습니다.

장 비서, 부케 들고 나가고. 수현, 꺼내본다. 먹음직스러운 귤청.

FB/

진혁 저희 엄마 과일청도 되게 잘 만드세요. (13화 #4)

수현, 미소가 번진다. 고마운 선물이라 생각한다. 쪽지를 꺼내 열어본다.

(진혁모) 불쑥 이렇게 연락해서 미안합니다. 만나고 싶은데 방법이 없어서요. 이 번호로 전화 주시면 좋겠어요. 바쁘신데 미안합니다.

수현, 뭐지…. 불안하다.

45. 찻집 (낮)

수현이 기다리고 있다. 초조하다. 목이 탄다. 거울로 얼굴도 비춰본다. 진혁모가 들어온다. 수현, 조용히 일어난다. 단단히 각오를 한 진혁모. 그러나 두려움에 애처로워 보인다.

진혁모   갑자기 연락해서… 많이 놀라셨죠…?
수현   아닙니다. 귤청이… 향긋하고 맛이 좋아요. 감사합니다.
진혁모   다행이네요….

진혁모, 떨리는 손으로 차를 한 모금. 수현, 기다리는 것도 숨이 막힌다. 진혁모, 어떻게 말하나… 아무리 고민을 해도…. 겨우 말을 꺼낸다.

진혁모   옆집 사람이… 찾아왔어요. 자기 아들… 동화호텔에 취직 좀 시켜달라고.

수현, 아…. 흔들린다. 예상한 그런 일들이구나….

진혁모   말도 안 되는 부탁이라… 돌려보내긴 했는데…. (힘들게 한 마디, 한 마디) 사람들이 그런다는 거예요, 우리 진혁이가… 정상적으로 입사한 게 아니다. 회사 대표랑… (차마 더 말 못 하고) 그래서 동화호텔에 입사하게 된 거다.

수현, 참담하다. 진혁모가 여기까지 온 이유를 이해하며 눈이 슬퍼진다.

진혁모   대표님. 대표님도 속상하시죠?
수현   ….

진혁모, 달래면서 뜻을 전하고 싶다. 어렵다.

진혁모   홍제동에서 30년을 넘게 살았어요. 근데… 요즘처럼 마음이 어려운 적이…. (차마 다 말 못 하고)

수현   무슨 말씀인지… 알고 있어요. 많이 불편하시죠…?

진혁모   대표님.

수현   네.

진혁모   (간절하다) 우리 가족은… 평범한 하루하루가 재산이거든요…. 제가 너무 이기적일지 모르지만요, 대표님. 저는… 우리 가족, 지금처럼… 조용하게 살았으면 좋겠어요. 대표님처럼 높은 분이 우리 진혁이랑….

차마 다 말을 잇지 못한다. 수현, 모두 알아듣고 이해한다.

수현   … 어머님. (신중하게 진심을 담아) 사람들은 저를 많이 가진 사람, 특별한 세상에 사는 사람… 그렇게 생각해요. 저는 그런 사람도 아니고… 그렇게 생각하지도 않아요. 진혁 씨가 특별한 사람이고, 세상을 다 가진 사람이잖아요…? 그런 진혁 씨를… 감히 제가… 참 좋아해요.

수현의 눈에 진심이 가득하다. 진혁모도 느끼게 된다. 하지만… 진혁모, 단도직입적으로 물어야 한다. 겨우 깊은숨으로 마음을 잡고.

진혁모   진혁이랑 결혼하실 건가요?

수현, 당연한 질문인데 조금 당황한다. 말을 하지 못 한다.

수현   ….

진혁모   만난다고 다 결혼하진 않죠…. 그런데요, 대표님…. (눈물이 찬다) 대표님이랑 진혁이랑은… 다르잖아요…. 제가 많이 모자라서요. (결국 눈물이) 애가 타고… 마음이 새카맣게 타들어가요…. 이러다 우리 진혁이 상처만 받고 오래오래 사람들 말 속에 살게 될까 봐…, 겁이 나서 죽겠어요…

진혁모, 눈물이 툭툭 떨어진다. 수현, 가슴이 너무 아프다. 수현의 눈에도 눈물이 찬다.

진혁모 대표님.

수현 … 네.

진혁모 미안해요. 정말… 미안해요…. 제발… 우리 진혁이랑… 헤어져주세요….

수현, 결국 들어야 하는 아픈 말을 들었다. 입술이 떨리고 손이 떨린다. 진혁모는 너무나 미안하고 마음이 아파서 고개를 들지 못하고 울고 있다.

엔딩.

— / 14화 / ←

너도 처음이잖아.
너도 첫사랑이잖아

1. 찻집 (낮)

진혁모, 눈물이 툭툭 떨어진다. 수현, 가슴이 너무 아프다. 수현의 눈에도 눈물이 찬다.

진혁모 대표님.
수현 … 네.
진혁모 미안해요. 정말… 미안해요…. 제발… 우리 진혁이랑… 헤어져주세요….

수현, 결국 들어야 하는 아픈 말을 들었다. 입술이 떨리고 손이 떨린다. 진혁모는 너무나 미안하고 마음이 아파서 고개를 들지 못하고 울고 있다.

2. 찻집 앞 (낮)

진혁모, 걸어 나온다. 눈물이 멈추지 않는다. 다리에 힘이 풀려 벽을 잡고 한참을 서 있다.

3. 찻집 (낮)

수현, 홀로 남아 있다. 방금 일어난 일들이 비현실처럼 느껴진다. 정신을 차릴 수 없는 수현. 그저 멍하게 찻잔을 바라보고 있다.

4. 거리 (낮)

진혁모가 멍한 얼굴로 걷고 있다. 기운이 하나도 없어 보인다.

FB/

수현 진혁 씨가 특별한 사람이고, 세상을 다 가진 사람이잖아요…? 그런
진혁 씨를… 감히 제가… 참 좋아해요. (13화 #45)

진혁모, 수현도 안타깝다. 깊은 한숨만 나오는 진혁모.

5. 동화호텔 대표실 (낮)

수현, 종이 인형처럼 표정이 없다. 장 비서, 노크 후 프리저브드 처
리한 (진혁이 준) 부케를 들고 들어온다.

장 비서 부탁하신 거.

수현, 아…. 잊고 있다가 꽃을 보니 마음이 더 심란하다. 받아 들고
말없이 바라보는 수현. 장 비서, 갸웃…. 그러나 말은 못 하고.

수현 이 꽃은… 시들지 않고… 얼마나 오래갈까요?
장 비서 5년은 간다는데…. 누가 준 거예요? 내가 모르는 친구 결혼했니?
수현 내가 장미진 말고 친구가 어디 있어. 고마워.

장 비서, 석연치 않지만 돌아서 나간다. 수현, 부케를 잘 보이는 곳
에 둔다. 그러고도 한참을 바라본다.

6. 동화호텔 홍보실 (낮)

김 부장에게 서류 사인 받고 자리로 돌아오던 박 대리, 슬쩍 비어
있는 이 과장 자리를 터치해본다. 은진, 왜 저러니…. 고개를 절레
절레. 박 대리, 자기 자리에 앉는다. 혜인, 진혁과 눈이 마주치자, 이
사람들 또 시작이지 하며 좀 웃고. 진혁은 이 과장 빈자리에 시선을
오래 둔다. 진혁에게 문자가 온다. 남 실장이다.

남 실장 문자 진혁 씨, 오늘 저녁에 시간 좀 돼요?

진혁, 무슨 일이지….

7. 일식집 룸 (밤)

진혁, 당황스럽지만 차분한 얼굴이다. 진혁 앞에 차 의원이 앉아 있다.

차 의원   놀랐어요?

진혁   네. 조금….

차 의원   진작 한번 만나고 싶었는데 시간이 도통…. 너무 긴장하지 말아요. 식사나 한번 하자 싶었던 거니까. 들어요.

진혁, 조심스럽게 식사를 한다. 차 의원, 어떻게 이야기를 내놓을까 하다가.

차 의원   차 대표, 아니 우리 수현이랑 어때요…?

진혁   … 어떤 의미신지….

차 의원   어려운 일 많았는데 여전히 잘 만나고 있는지… 궁금해서요. 차 대표가 워낙 말이 없으니까 여기다 물어보는 거지, 뭐. (웃는다)

진혁   … (믿음직스러운 얼굴) 대표님을 많이 아낍니다. 처음으로 사랑한다는 게 어떤 건지 알게 해준 사람이에요. 그래서 저는… 그 사랑을 책임지고 싶습니다….

차 의원, 진혁이 단단한 대답을 내놓아 안심이 된다. 차 의원, 이제 마음이 점점 편안해진다. 웃으며 진혁에게 잔을 권한다. 진혁, 정중하게 잔을 비운다.

차 의원   오래전부터 망설이던 숙제가 있었어요. 망설인 게 아니지. 못 한 거지. 내가 비겁한 것도 있고, 제일 큰 건… 수현이가 혼자가 될 거라는 불안감 때문에 아무것도 하지 못했어요.

진혁   ….

차 의원   이제 그 숙제를 좀 해보려고 하는데… 진혁 씨가 큰 힘이 돼주네.

진혁   … 무슨 말씀이신지 제가 잘….

차 의원   우리 수현이, 잘 부탁해요.

진혁   …! (뭔가 불안하다)

차 의원   수현이… 울타리가 되어줘요.

진혁   … 지켜봐주세요. 대표님이 혼자 외롭지 않게… 제가 늘 곁에 있겠습니다.

차 의원, 마음이 후련하다. 진혁이 믿음직스럽다. 진혁, 이 만남으로 기분은 좋은데…. 좀 뭔가… 걱정이 된다. 차 의원, 좋은 회를 진혁의 접시에 놓아준다. 진혁, 웃는다.

8. 수현 집 거실 (밤)

집에 들어오자마자 소파로 가 힘없이 앉는 수현. 진혁이 생각을 하게 되는 수현.

FB/

진혁   오늘은 제가 살 테니까, 저랑 라면 먹으러 가시죠! (4화 #59)

진혁   썸 타는 사이로 다시 만난 거, 어때요? (5화 #58)

진혁   덕분에 그런 게 뭔지… 선명해요. (8화 #18)

진혁   사랑해요…. (10화 #54)

결국, 무너져 울게 되는 수현. 울음이 그치지 않는다. 혼자서 하염없이 울고 있다.

9. 진혁 집 진혁 방 (밤)

진혁, 옷을 갈아입고 침대에 앉는다. 기분이 좋다. 뭔가 인정받은 것 같은.

FB/
(차 의원) 우리 수현이, 잘 부탁해요. 수현이… 울타리가 되어줘요. (14화 #7)

수현의 구두와 그녀가 준 카메라를 본다. 카메라를 집어 들고 웃는 진혁. 진혁, 핸드폰으로 가죽공예를 검색한다. 눈이 반짝인다.

10. 찬이네 골뱅이 안 (낮)

장 비서, 캐주얼한 복장. 대찬의 얼굴에 아이패치 붙여준다.

대찬   내가 이런 것까지 해야 될 얼굴은 아닌데….
장 비서   눈가 주름 안 보여요? 내가 마음이 넓어서 공유하고 그러는 거야.

대찬, 얼음이 되어 어색하게 있다.

대찬   내 얼굴 관리해주러 주말에 쉬지도 않고 오고. 설레도 되나?
장 비서   하여튼 오바야…. 물어볼 게 있어서 겸사겸사 온 거예요.
대찬   뭐요?
장 비서   그… 진혁 씨 어머니가 준 쪽지 있잖아요. 뭐라고 썼는지 진짜 안 봤어요?
대찬   보면 반칙이죠. 왜요?
장 비서   아…, 정말…. 그게 원인인 것 같은데… 말은 안 하고. 답답하네….
대찬   원인?
장 비서   요즘 차 대표님 얼굴이 아주 엉망이거든요. 태경에서 시달릴 때도 그 정도는 아니었는데. 뭘까?

대찬	(듣고 나니 걱정된다) 그래요? 어허⋯ 이거 참⋯. 어머니한테 물어볼 수도 없고. 진명이도 모를 거고⋯.

이때, 진명 들어온다. 대파 사왔다.

진명	어, 장 비서 누님!
장 비서	하이.
진명	(대찬 보더니) 뭐해?
대찬	말 시키지 마. 집중할 거야.

진명, 희한하다는 듯 보는데.

장 비서	진명 씨.
진명	네?
장 비서	요즘⋯ 어머니⋯ 잘 계시죠?
진명	잘 계시죠. 아닌가⋯? 요즘 우리 엄마 좀 이상하긴 해.

대찬과 장 비서, 눈 반짝거리며 진명을 본다.

진명	사우나도 안 가고.
대찬	어? 어머니 유일한 낙인데.
진명	내 말이. 어젠 뭐라더라? 인터넷으로 장 보는 거 어렵냐고 그러던 데? 시장도 나가기 귀찮으신가 봐.

장 비서와 대찬, 대충 느낌이 온다. 난감한 얼굴.

진명	아, 맞다. 나 동창회 있어서 하루 못 나오는데 장 비서 누나가 대신 오면 되겠다. 그치, 형?
장 비서	내가 왜? 인력 낭비 그렇게 하는 거 아니에요!
진명	(대찬에게) 뭐야. 서빙의 여신이라며.

대찬	그렇다고 생각했지…. 날아다니더라고.
장 비서	(아 짜증나…) 언젠데?

진명, '누님, 짱' 엄지 척 해준다.

11. 납골당 (낮)

김정표의 사진과 이름이 보이는 납골당. 그 앞에 서 있는 차 의원. 한참을 바라보고 있다.

차 의원	정표야. 오랜만이지.

차분하게 고해성사하듯 이야기를 내놓는 차 의원.

차 의원	시장 선거 치르면서 못 와봤다. (생각) 면목이 없어서…. 처음에는… 대의를 위해서 이 정도는 어쩔 수 없다고 우겼었어. 그 작은 각도 하나가… 지나고 보니 무지하게 궤도를 벗어나게 만들더라. 그럴수록 너 볼 면목이 더 없고. (결심한 얼굴) 당분간 또 못 와볼 것 같다. 잘 정리하고 다시 올게.

미안하고 뭔가 홀가분한 마음의 차 의원. 돌아서 가려는데, 그 뒤에 남 실장과 김 부장이 서 있다. 두 사람 다 좀 놀란 얼굴.

차 의원	왔어?
김 부장	아저씨 오실 줄 몰랐네.
남 실장	여기서 만나니까 좋습니다, 형님.

조용하게 서로 반기는 세 사람.

12. 식당 (낮)

함께 식사하는 세 사람.

남 실장 오늘 한잔해야 되는데. (선주에게) 너 운전할래? 나 한잔하자.

김 부장 (쏘 쿨) 대리 기사 불러.

차 의원 나도 차 가져가야 돼. 음료수 마셔.

남 실장 아쉽네.

김 부장 의원님 우리 몰래 자주 왔던 거 아니에요?

차 의원 (대답 대신 웃는다)

김 부장 오빠 기일마다 같이 오다가 어느 순간부터는 아저씬 못 오셨잖아.

남 실장 하나로 통일 좀 해. 네 명이서 먹는 거 같잖아. 아저씨야, 의원님이야.

차 의원 그냥 둬. 어차피 좀 있음 의원 소리 못 들어.

남 실장과 김 부장, 의아해서 서로 본다.

김 부장 무슨 뜻이야. 아…. 청와대 들어가시면 호칭 바뀌지.

차 의원 누가 들어, 이 사람아. (태연하게 식사하며) 오늘 정표한테 보고하러 온 거야.

김 부장 무슨 보고요?

차 의원, 물을 마시며 대답을 피한다. 그냥 웃고 만다. 이상한 남 실장과 김 부장.

13. 가죽공방 (밤)

진혁이 카메라 보여준다. 공방주인(여자), 카메라를 본다.

진혁 케이스를 좀 만들어보고 싶어서요.

공방주인 처음 만들어보시는 거죠?

진혁	네.
공방주인	처음 오신 분들도 다들 꽤 잘 만드세요. 가죽은 어떤 걸로 하실 거예요?

공방주인, 가죽 샘플들을 보여준다. 진혁, 신중하게 살펴본다.

14. 포장마차 (밤)

수현과 장 비서, 소주 마시고 있다.

장 비서	닭똥집도 먹고, 아주 자연스러워. (놀리는 말투) 포장마차 자주 좀 다니셨나 봐요?
수현	포장마차 매력 있어.
장 비서	매력 있지. 술 한잔하자고 해서 와인 마시러 갈 줄 알았어. 웬일?

수현, 조용히 소주를 마신다. 아무래도 이상한 장 비서.

장 비서	무슨 일이야. 솔직히 말해.
수현	…. (쉽게 말이 나오지 않는다)
장 비서	너… 진혁 씨랑 무슨 일 있지.
수현	별일 없어…. 아직은.
장 비서	아직은. 아직은 없는데 앞으로 별일이 생길 것 같다는 거지, 지금?
수현	(피식) 아니…. 그냥 좀… 고민들이 생겨서.

장 비서, 이상하다 했던 게 맞았다.

장 비서	진혁 씨 엄마 만났지, 너. 솔직히 말해.
수현	아니.
장 비서	웃기지 마. 내가 눈치 못 챈 줄 알아? 남 실장님 없이 혼자 나갔었잖아. 뭐래? 진혁 씨 엄마가…, 헤어지래?

수현	아니라니까⋯.
장 비서	근데 왜 그러는데. 뭐가 고민이야⋯?
수현	⋯ 내가⋯ 계속 이 사람⋯ 만나도 될까⋯ 싶어서.
장 비서	나 솔직히⋯ 처음에 너랑 진혁 씨 가까워지는 거 보면서 걱정 많이 했거든. 이 조합 찬성하기도 싫었고. 옆에서 지켜보니까 인정하게 되더라. 너도, 진혁 씨도 마음 단단히 먹고 가는 거구나 싶어서.
수현	⋯.
장 비서	근데 한창 좋을 땐데 왜 그런 생각을 해?
수현	내가⋯, 안 어울리는 것 같아서.
장 비서	진혁 씨랑?
수현	⋯ 가족들이랑.
장 비서	너 병이야. 남들 배려하는 거⋯ 중병이야, 너. 둘이 좋으면 그만이지 가족들까지 신경 써?
수현	⋯ 진혁 씨는⋯ 다 처음이잖아. 난 결혼도 했었고, 세상 사람들이 다 알고⋯. 우리가 더 꿈꿀 수 있는 건⋯ 한계가 있는 것 같아서.
장 비서	진혁 씨는 그런 거 신경 쓰는 사람 아니고⋯. 뭔데?
수현	내가 신경 쓰여서.
장 비서	미치겠네, 정말⋯. 너도 처음이잖아.
수현	(본다)
장 비서	(눈물이 맺혔다) 너도 첫사랑이잖아.

수현, 장 비서의 말에 큰 위로를 받는다. 참았던 마음이 무너지는 수현. 눈물을 쏟는다. 보고 있는 장 비서도 눈물을 흘린다.

수현	나 정말⋯ 헤어지기 싫어, 미진아⋯.
장 비서	그러니까⋯ 그냥 당신들 둘 생각만 해!
수현	그게 안 돼⋯. 모른 척하고 싶은데⋯. 자꾸 마음이 덜컹덜컹 내려앉아⋯.
장 비서	지금까지 너 견뎌온 시간들 생각해봐. 이거보다 더 큰일들, 다 버텼잖아. 저러다 쓰러져 죽겠다 싶을 때 한두 번 아니었어. 그런데도 이

겨냈잖아…. 그런 생각 하지 말자, 수현아.

수현 많이 걱정돼.

장 비서 누가. 진혁 씨가?

수현 … 진혁 씨는 선택한 거잖아. 상식 밖의 일들이 벌어지는 내 인생…, 같이 견뎌보겠다고 선택한 거야. 그런데… 그 사람 가족들은… 무슨 죄야. 나 때문에.

장 비서 걱정되는 건 알겠는데…, 아직 아무 일도 없는데 왜 겁먹고 그래.

수현 (쓴 미소) 이런 인생은 있잖아. 한 번 시작되면… 휘몰아치거든. 뒤돌아볼 여지를 안 줘. 그래서 모른 척할 수가 없어.

장 비서 …. (알 것 같다) 진혁 씨랑 상의를 좀 해보자.

수현 어떤 사람인지 알잖아. 걱정 말라고 하고 혼자 끙끙 앓고 가겠지. (소주 한 잔) 더 갈지… 말지 정할 수 있는 사람은 나밖에 없어. (진짜 힘든데 슬픈 농담처럼) 그래서 죽겠어, 정말….

서글프게 웃는 수현. 장 비서, 마음이 아프다. 그래도 헤어지지 않았으면 좋겠다.

장 비서 그것만 알아. 나보다 진혁 씨가 나은 사람이야. 난 지켜만 봤지만, 그 사람은 너 안고, 업고… 어떻게든 갈 사람이야. 그런 사람, 또 없어.

장 비서, 처음으로 진중하다. 단호하다. 수현, 장 비서의 말에 또 숨이 턱 막힌다. 그런 사람… 또 없다.

15. 수현 집 거실 (낮)

외출복 차림의 수현. 진혁에게 전화가 온다. 괜히 받기가 망설여지는 수현. 그래도 받는다.

수현 네. 진혁 씨.

(진혁) 오늘 쉬는 날이잖아요.

수현　네….

(진혁)　근데 아직 연락도 없고.

수현　아…, 나 오늘 지방에 좀 다녀와야 해서.

(진혁)　남 실장님이랑 같이 가요?

수현　개인 일정이라….

16. 수현 자동차 안 (낮)

진혁, 운전하고 있다. 수현, 혼나는 중이다.

진혁　그럼 더 연락을 했어야지. 남자친구 됐다 뭐해. 운전도 해주고, 일도 같이 도와주고, 그러면서 데이트도 하고!

수현　금방 다녀오니까. 먼 길도 아니고.

진혁　멀건 가깝건 뭐든 같이 할 생각을 해야죠. 너무 독립적이야.

수현　쉬라고 그런 거지!

진혁　여자친구도 못 보는데, 그게 쉬는 건가!

수현　이게 무슨 데이트야, 계속 혼나는데.

진혁　(너무 질렀나…) 미술관에는 왜 가는데요? (방긋)

수현　가끔 머리 아플 때 가는 미술관이에요.

진혁　뭐야. 혼자 가려고 했던 거잖아. 회사 일도 아닌데. 더 서운하네!

수현　또 혼난다, 나….

진혁, 농담이라고 수현 보며 웃는다.

17. 진혁 집 진혁 방 (낮)

(진혁모)　진혁아, 엄마….

문이 열린다. 진혁모, 비어 있는 방을 본다. 흠…. 주말인데 진혁이 없다. 수현이 만나러 간 건가…. 자꾸 걱정이다.

18. 미술관 안 (낮)

수현, 어느 그림 앞에 서 있다. 넓지 않은 벽에 걸려 있는 그림 하나.
마음에 드는지 한참을 보고 서 있는 수현.

(진혁)   수현 씨.

돌아보면 진혁, 환하게 웃으며 손을 내민다. 수현, 진혁의 손을 잡는다.

진혁   이 그림… 한참 보던데?
수현   색감이 좋아서.
진혁   미술관 건물이 참 예쁜데, 보면서 걸을까요?
수현   좋죠.

진혁, 수현의 손을 잡고 데리고 나간다. 한쪽에서 수현의 모습을 본
수아. 그림 앞으로 간다. 그 그림을 한참 본다.

19. 미술관 야외 (낮)

조형물들을 보면서 산책하는 수현과 진혁.

진혁   아, 나 요즘 연차 계산하고 있어.
수현   연차?
진혁   여름 휴가랑 다 해보니까 꽤 많아요. 우리 회사가 또 직원 복지가
엄청 좋아서 한 번에 몰아 써도 눈치 안 준다던데?
수현   그 회사가 좀 그렇지. (웃는다)
진혁   우리 올해 한 열흘쯤 시간 내서 산티아고 순례길 가요.

수현, 진혁의 꿈같은 제안에 대답을 할 수가 없다.

진혁	대표님은 길게 휴가 내면 회사가 곤란한가…?
수현	(역시 대답 못한다)
진혁	한 번 생각해봐요. 내가 제일 걷기 좋은 코스 알아볼게.
수현	친구끼리 가서도 싸우고 오는 사람 많다던데? 걷다 보면 힘들잖아.
진혁	우린 그럴 리 없죠. 힘들면 내가 업고 가지, 뭐.

수현, 말만 들어도 행복하다. 그래서 더 마음이 무겁다.

진혁	6월쯤이면 좋겠다. 휴가 때는 사람도 많고 덥고 그러니까. 그죠?

수현, 그저 웃어주기만 한다.

20. 수현 자동차 안 (낮)

진혁이 운전하고 있다. 이 선생에게 전화가 온다. 진혁, 이어폰으로 받는다.

진혁	네, 선생님! 네. 아, 저 교외 좀 나왔어요. 네, 맞아요. (웃는다) 대표님이랑 나왔어요. 네. 네? 대표님 혼자요? 왜요?!

진혁, 이 선생 말을 듣는다. '헐…. 뭐 그런' 하는 듯 캐주얼한 표정으로 통화.

진혁	꼭 전하겠습니다. 네. 네, 저도 곧 찾아뵐게요! 네!

진혁, 통화를 마친다.

수현	대표님 혼자…, 그게 뭐야?
진혁	대표님 혼자 한번 오래요.
수현	왜….

수현, 진혁모와 같은 선상의 이야기인가 긴장하는데.

진혁   내 힘담을 좀 해야 된다고. 아니…, 내가 미담은 있어도 힘담은 찾기
         힘들지. 그쵸?

수현   (진혁모 이야기는 아니구나…)

진혁   (수현 표정이 애매하니까) 아닌가. 암튼, 혼자 가지 말아요. 내 흑역사
         를 너무 많이 알고 계셔.

수현   꼭 가야겠다. 흑역사 듣고 싶어.

진혁   그래봤자 뭐, 어렸을 때 먹다 토하고 이불에 쉬하고 그런 거지.

수현이 웃나 돌아보는 진혁. 수현, 진혁의 말이 재미있어서 웃는다.
수현이가 웃으니 기분이 좋은 진혁.

진혁   한번 가요. 나랑 같이 가도 좋고, 혼자 가도 좋고. 고민 있을 때 가면
         진짜 잘 들어줘. 근데, 솔루션이 약해. 없다고 봐야지.

수현   그대로 전할 거야.

진혁   우리가 그런 사이인가?! 신뢰는 얻다 갖다 던졌나!

즐거운 분위기를 만들어가는 진혁. 수현, 이 시간이 아깝고 애틋해
서 진혁의 얼굴을 더 바라보고, 말들에 더 귀 기울인다.

21. 수현 집 거실 (밤)

수현, 혼자 들어와 소파에 앉는다. 하…. 기운이 하나도 없다. 문득,
쿠바 샌들을 본다. 자꾸 생각이 나서 괴로운지 침실로 들어간다.

22. 수현 집 침실 (밤)

침대에 쓰러지듯 모로 누워 있는 수현. 처연하다.

FB/

진혁   근데… 진짜 되게 편하다. 내 자리 같은데?

진혁   설레지 말고 자요, 그냥.

진혁   이렇게 쫌만 있어요…. 지금 기분 엄청 좋단 말이야.

진혁   매일매일… 이렇게 잠들었으면 좋겠다.

진혁   우리도 그런 날… 오겠죠? (12화 #5)

여기도 진혁의 흔적…. 미칠 것 같은 수현. 일어나 방 안을 서성인다. 머리가 깨질 것 같다. 서랍을 열어 약을 찾는 수현의 손이 애처롭다. 약을 찾아 꺼내는데 손이 떨려서 그만 다 떨어진다. 떨어진 수면제를 보며 하…, 털썩 주저앉는 수현. 황망하다.

23. 가죽공방 (밤)

/진혁, 공방주인의 도움을 받으며 본을 오린다.

/가죽 바느질을 연습하는 진혁. 공방주인, 생각보다 잘 한다고 칭찬한다. 진혁, 수현을 생각하면서 열심이다.

24. 수현 집 침실 (밤)

계속 바닥에 웅크리고 앉아 있는 수현.

FB/

진혁   대표님 혼자 한번 오래요.

진혁   고민 있을 때 가면 진짜 잘 들어줘. (14화 #20)

수현, 핸드폰 만지작… 만지작….

25. 이 선생 집 안 (밤)

아무렇지 않은 척하지만 뭔가 평정심을 잃은 듯한 얼굴의 수현. 이 선생이 차분한 얼굴로 차를 따라준다.

이 선생 빨라서 좋다. 진혁이 험담 좀 하게 오시라 했더니 얼른 오셨네. 진혁이가 말 잘 안 들어요? (다 농담이다)
수현 아니요. 전혀요.
이 선생 (인자하게) 어때요, 진혁이 집에 다녀오니까 더 가까워진 것 같지 않아요?
수현 네.

이 선생, 수현의 시원찮은 대답과 어두운 얼굴이 뭔가 좀 이상하다.

이 선생 근데 얼굴이 왜 그래요…. 무슨 일 있어요?
수현 … 선생님.
이 선생 (무슨 일 있구나…)
수현 (너무 슬픈 눈. 마음이 무너지는 듯) 오늘… 대나무 숲… 해주실래요?
이 선생 좋죠. 아무 걱정 말고 임금님 귀는 당나귀 귀, 얘기해봐요. 진혁이한테도 비밀로 할게.

수현, 뜸을 들이다가.

수현 웃는 날이 많아졌어요. 그 사람 만나고 난 후부터….

이 선생, 진혁의 말이 생각난다.

FB/
진혁 그 사람이 가끔 웃거든요. 그럼 그게… 되게 좋아요. (6화 #23)

이 선생, 이해한다.

수현 이렇게 행복한 적… 처음이에요.
이 선생 진혁이가… 그런 사람이죠.

수현, 차를 또 마신다.

수현 진혁 씨 어머님이 찾아오셨어요.

이 선생, 쿵…. 결국… 그런 일이었구나…. 이 선생, 떨리는 손으로
차를 마신다.

이 선생 놀랐…겠어요.
수현 아니요. 올 게 왔구나 싶었어요. (쓴 미소로 고개를 숙인다) 제일 처음
든 걱정이… (이 선생 보며) 진혁 씨 부모님이었거든요. 어느 날…
진혁 씨가 썸을 타보자는 거예요. (그날 생각에 꿈같은 미소) 그런 말
너무 기분 좋잖아요. 근데 그때, 그 와중에… 걱정이 들었어요. 썸…
타도 될까? 이 사람 부모님께서 나를 반가워하실까.

수현, 찻잔을 천천히 돌리며 감정을 누르고.

수현 왜 그런 생각이 먼저 들었을까…. 호텔 걱정도 아니고, 나를 숨 막
히게 하는 것들 걱정도 아닌… 진혁 씨 부모님이 날 좋아하실까. 그
걱정… 재미있죠…?

쓰게 웃는 수현. 이 선생, 마음이 아프다.

수현 사실은… 이 걱정이… 제일 두려웠나 봐요. 진혁 씨네 가족 평범한
행복이 나 때문에 흔들리면, 그건… 답이 없겠다…. (슬픈 미소)

이 선생, 수현의 어진 마음을 알기에 정말 아무 말도 못 해준다.

수현   그래도… 우겨볼까요, 선생님?

수현, 농담처럼 말하지만 아프다. 정말 어떻게든 진혁을 보내고 싶지 않은 간절함.

수현   죄송하다고, 이해해달라고 매달려볼까요? 그래도 되지 않을까요?

수현, 답을 안다. 그래서 조용히 고개를 숙이고 손만 바라본다.

수현   (헤어지는 게 답인 것 같은) 제가 이미… 알아요.
이 선생   ….
수현   (이 선생을 본다) 사람들 시선 속에 던져진 삶이… 얼마나 고단한지… 얼마나 불편한지… 제가 너무 잘 알아요. 그래서… 더는 안 되는 거… 알아요.

수현, 담담하지만 가슴 아픈 고백들을 내놓는다. 이 선생, 가슴이 너무 아프다.

26. 몽타주─각자의 밤

/수현 침실. 침대에 엎드려 깊은 생각을 한다. 잘 될 수 있을까…. 확신이 없다. 괴로운 수현, 두 팔에 얼굴을 묻는다.
/진혁 방. 본을 떠온 가죽을 바느질한다. 손가락을 찔린다. 아! 얼른 손가락을 입에 넣고 '아야…' 다시 바늘을 잡고 바느질을 한다.
/이 선생 집. 수현이 마셨던 찻잔이 식어 있다. 착잡한 얼굴로 찻잔만 바라보는 이 선생.
/진혁 집 주방. 어두운 조도. 진혁모가 깊은 한숨을 쉬며 잠 못 들고 있다.

27. 동화호텔 홍보실 탕비실 (낮)

진혁과 혜인이 음료수 마시고 있다.

혜인   야. 집에 대표님 왔었다며?

진혁   아… 내가 말 안 했구나…. (웃는다)

혜인   대박이다, 정말. 대표님이 태경 행사 안 간 게 너네 집 가는 것 때문이었어. 멋있다.

진혁   나도 감동했어.

혜인   분위기 어땠어?

진혁   이 선생님 알지?

혜인   아, 그 차 좋아하신다는 분?

진혁   응. 선생님도 오셨었는데, 진명이랑 같이 분위기 막 살려주셨지.

혜인   (부럽다…. 내색은 못 하고) 부모님은 좋아하셔?

진혁   아빠는 별로 표현 안 하시잖아. 그래도 좋아하시는 것 같더라.

혜인   엄마는?

진혁   엄마는 좀… 어색해하시더라고.

혜인   원래 그 관계가 그렇다더라. 영원한 미스터리 관계.

진혁   (웃는다) 우리 엄마 그런 사람 아닌 거 알잖아…. 회사 대표님이니까 어색한 거지.

혜인   그래서 이렇게 기분이 좋냐?

진혁   뭐랄까…. 훅! 현실적인 느낌? 가족들이랑 같이 있으니까… 진짜 뭔가 만들어지는… 그런 느낌?

혜인, 즐거워하는 진혁의 모습을 바라봐준다. 진혁이가 좋아하니… 좋은 거다.

28. 태경그룹 김 회장 집무실 (낮)

기겁을 하는 김 회장. 기사들을 본다.

기사 제목 문화당 차종현 대표, 한천당과 합당

기사 제목 차종현 대표, 한천당 이청욱 대표 지지선언 후 사실상 대선주자 이탈

기사 제목 한천당 이청욱 대표, 강력한 대선주자 등극

김 회장 당신이… 뒤통수를 쳐? 내가 버리기 전에… 감히 차종현 당신이 태경을 버려? 내가 니들… 가만히 안 둬…. 미친 것들….

김 회장, 분노에 어쩔 줄 몰라 한다.

29. 문화당 당대표실 (낮)

차 의원, 평안한 얼굴이다. 앞에 앉아 있는 수현모는 이성을 잃은 듯하다. 차 의원, 각오한 일이라 수현모를 차분하게 바라본다.

수현모 미쳤어요, 당신? 이게 뭐하는 거예요?!

차 의원 놀랐지? 미리 말 못 해서 미안해요.

수현모 미리 말 안 한 거겠죠!!!

차 의원 (웃으며) 당신 이럴 거 아니까….

수현모 어떻게 이럴 수가 있어…. 당신이 어떻게 나한테 이럴 수가 있어요!!! 내 꿈은 … 아무것도 아니야? 평생을 달려온 내 꿈은 내팽개쳐져도 돼?! 내가… 내가 그 온갖 수모 다 참아가면서… 어떻게 살아왔는데…. 왜… 왜!!!

차 의원, 서럽게 우는 수현모를 안타깝게 바라본다.

차 의원 수현 엄마. (자상한 말) 고생했어. 이제 다 내려놓고… 다른 꿈꾸고 삽시다.

수현모 아니. 다른 꿈은 없어. 이젠 다… 끝이야….

차 의원 그래. 이제 다 끝났어. 당신이랑 나랑… 남은 일… 정리 잘 합시다.

수현모	더 정리할 게 뭐가 있는데…. 이미 다 깨졌는데!
차 의원	(진지하다) 수현 엄마. 당신이… 마무리해줘야 돼.
수현모	무슨 말을 하는 거야…. 정신 좀 차려요!
차 의원	이건 시작이야. 이젠… 당신 도움이 필요해.

수현모, 무슨 말을 하는 건지 모르겠다.

(점프)
수현모, 입이 떡 벌어져 기절할 지경이다. 손이 떨린다.

수현모	정말… 미쳤구나…. 당신 미쳤어.
차 의원	(의연하다) 우리가 할 수 있는 마지막 옳은 일이야. 도와줘요.
수현모	못 해. 난 절대 못 해요! 꿈도 꾸지 말아요.
차 의원	해야 돼, 여보. 그게… 정치인으로, 수현이 부모로, 마지막 남은 가치 있는 일이야.
수현모	못 들은 걸로 할게요. 당신 제정신 아니야.

차갑게 일어나 나가는 수현모. 차 의원 안타깝고 답답하다.

30. 동화호텔 홍보실 (낮)

홍보실 직원들 분위기 뒤숭숭하다. 김 부장, 기사들을 보고는 생각….

FB/
차 의원 그냥 둬. 어차피 좀 있음 의원 소리 못 들어.
차 의원 오늘 정표한테 보고 하러 온 거야. (14화 #12)

이제야 그 말이 무슨 말인지 알게 되는 김 부장. 착잡하다…. 진혁, 모니터로 기사를 보고 걱정이 앞선다.

혜인	이렇게 되면… 동화랑 태경이랑 본격적으로 전쟁인 거 아니에요?
박 대리	전쟁이지. 서로 익스큐즈 할 게 사라졌잖아.
은진	차라리 잘됐지. 대표님 족쇄… (진혁 슬쩍 보며) 아버지가 끊어준 거 잖아요.
혜인	태경이 조용히 있진 않겠죠….

혜인, 진혁을 본다. 진혁, 아무 말도 안 들린다. 수현이 걱정이다.

31. 동화호텔 대표실 (낮)

차 의원이 왔다. 수현, 놀란 마음을 진정시키기 어렵다.

수현	그래서… 일전에 그렇게 말씀하신 거예요? 다 설명하진 못하지만… 정리될 거란 말씀…. 아빠… 어쩌려고요…. 지금까지 열심히 애쓰셨잖아.

사람 좋게 웃는 차 의원. 수현은 웃지 못한다.

차 의원	수현아.
수현	네.
차 의원	이제 시작이야.
수현	무슨… 말씀이세요?
차 의원	권불십년…. 정치의 힘…, 그 시간만 유효하다는 뜻은 아닐 거야. 그 시간 동안 의미 있는 일을 하라는 거겠지. 아무도 하지 못하는 일. 그런 거 하는 게… 정치인 것 같아.

수현, 차 의원의 말뜻을 이해하지 못한다.

차 의원	아빠는 요즘이 제일 후련하다. 잠도 잘 오고. 그러니까 걱정하지 마. 얼굴이 그게 뭐니….
수현	정말… 괜찮아요, 아빠?

차 의원   딸 덕분에 용기를 냈어. 아주 개운해.

차 의원의 평안한 모습. 수현은 자신의 덕분이라는 말이 무슨 의미
인지 모르겠다.

차 의원   태경에서 너 힘들게 할 거야. 조금만 견뎌. 다 잘 정리될 거다.
수현   제 걱정은 하지 마세요. 이제 별로 두렵지 않아.
차 의원   니가 점점 더 단단해지는 것 같아 보기 좋아.
수현   … (아빠의 마음을 가볍게 해주고 싶다) 아빠 이제 시간 많아지겠네.
차 의원   (웃는다)
수현   엄마 진정 좀 되면… 우리도 가족 여행 같은 거 가요.
차 의원   그러자. 좋겠다.

차 의원 핸드폰으로 남 실장에게 전화가 온다.

차 의원   이제 받아야겠다. 명식이 숨넘어간다.

수현, 아버지가 걱정된다.

32. 동화호텔 일각 (낮)

남 실장과 차 의원.

남 실장   뭡니까, 형님.
차 의원   소주나 마시러 가자.
남 실장   형님은 한가해졌나 몰라도 저는 근무 중이거든요!
차 의원   설마 너 짜르겠니? 얼른 앞장서!

차 의원 걸어간다. 남 실장, 뒤따르며.

남 실장   수현이는 뭐라는데요! 예?!

졸졸졸 따라가는 남 실장.

33. 수현 자동차 안 (밤)

수현이 운전하고 있다. 진혁은 이게 아닌데… 하는 표정.

진혁   내가 운전한다니까…. 남 실장님 완전 만취돼서 전화하셨어요. 대표
님 모셔다드리라고.

수현   괜찮아. 집에 내려줄게요. 편하게 가요.

진혁   … 대표님 놀랐죠?

수현   놀랐죠…. 아빠가 멋있어서 놀랐어요.

진혁   …?

수현   쉽지 않은 결정이셨을 텐데…. 혼자 고민 많이 하신 것 같아.

진혁, 차 의원을 만났던 생각을 한다.

FB/

차 의원   오래전부터 망설이던 숙제가 있었어요. 망설인 게 아니지. 못 한 거
지. 내가 비겁한 것도 있고, 제일 큰 건… 수현이가 혼자가 될 거라는
불안감 때문에 아무것도 하지 못했어요.

차 의원   이제 그 숙제를 좀 해보려고 하는데… 진혁 씨가 큰 힘이 돼주네.
(14화 #7)

진혁, 차 의원의 말이 이런 일 때문이었나…. 수현을 본다. 수현을
지켜야 한다.

진혁   이럴 때 대표님이 해야 하는 일이 뭔지 알아요?

수현   ?

진혁	더 행복해야 하는 거예요.
수현	…. (행복할 수 있을까)
진혁	아버지도 이렇게 대표님을 아끼고, 호텔 직원들도 모두 대표님 응원하고. 그리고… 무슨 일이 벌어져도 내가 대표님 지킬 거니까. 대표님은 행복하기만 하면 돼.
수현	그런 거면, 나 잘하고 있지.

진혁을 보며 웃어준다. 그러나 불안한 미소다.

| 진혁 | 아닌 것 같은데. 좀 애매한 미소야. |

이때, 장 비서에게 전화가 온다.

| 수현 | (블루투스) 네, 장 비서님. |

시끌시끌한 가게 소리들이 넘어오며.

(장 비서)	대표님, 제가 깜박 잊고 말씀 못 드렸는데요. 박 단장님 첼로 협연 공연, 초대권 아직 제 서랍에 있어요. 이번 주말 공연이에요. 스케줄 넣을게요.
수현	고마워요.
(대찬)	미진 씨, 골뱅이 나가요!
(장 비서)	아 진짜…. 끊어요, 대표님!

전화 끊는 장 비서. 수현, 갸웃….

| 수현 | 장 비서랑… 그 사장님이랑… 생각보다 친한가? |
| 진혁 | 가서 확인해볼까요? |

진혁, 찬이네 골뱅이 가자고 사인. 수현, 홍제동은 부담이다.

수현	장 비서가… 별로 안 좋아할 것 같아요.
진혁	이렇게 혼자 집에 가면 다운돼. 장 비서님 놀리러 가자!
수현	다음에 놀려요.
진혁	그럼 골라요. 나랑 둘이 놀든가, 골뱅이 먹으러 가든가.
수현	….
진혁	혼자 있으면 또 생각 많아질 거잖아.

진혁의 걱정하는 얼굴을 보는 수현. 알았다고 웃는다. 진혁, 다행이다.

34. 동화호텔 우석 집무실 (밤)

우석, 생각이 복잡해진다. 책상에는 신문들이 보인다. 차 의원 기사다.

우석	한 걸음 내디디면… 두 걸음… 멀어지니….

점점 더 꼬이는 상황에 고통스럽다.

35. 호프집 (밤)

진명이 고교 동창 모임 중이다. 남자, 여자 예닐곱 명이 맥주를 마시고 있다.

여친구1	진명아, 너네 형 맞지?
진명	(숨길 것도 없다) 그 인물이 가려지질 않지.
남친구1	니네 이제 잘나가겠다?
진명	(조금 거북한 말이지만) 우리 집 원래 잘나가. 나만 잘하면 걱정이 없지.
남친구2	니가 뭘 걱정이야. 형한테 말해서 호텔에 뭐 하나 차려달라 그래!
진명	(조금 더 거북하지만 참고 웃는다) 우리 형이 거기 직원이지, 사장이냐?
남친구1	사장 꼬셨으면 사장이나 다름없지, 씨…. 큭큭….
진명	꼬시긴 뭘 꼬셔. 형 쿠바에서부터 아는 사이인데.

남친구1	니네 아버지 가게 그만하셔도 되겠네. 솔직히 니네 과일 가게 엄청 오래됐잖아. 슈퍼 차려달라 그러면 안 되냐?
진명	(이제 참 거북하다) 동창회에서 왜 우리 형 얘기만 하고 지랄이야…. (웃고) 넌 여친이랑 다시 만난다며? 잘됐네!
남친구1	나도 진혁이 형만큼 생겼으면, 씨… 돈 많은 여자 하나, 어? 그럼 인생 피는 거잖아. 와… 개부럽다, 진짜.
여친구1	그만해. 진명이 불편하겠어.
남친구1	부러워서 그런 거잖아. 그런 형 있으면 좋겠다, 나도.

진명, 안주를 묵묵히 먹는데 위태롭다.

남친구1	너도 그 여자 직접 봤냐? 니네 형한테 완전 꽂힌 거지? 진혁이 형이 착하게 생겼는데 또 은근히 섹시하잖….
진명	(그대로 일어나 주먹을 날리며) 닥쳐, 이 새끼야!!!

남친구1, 나가떨어진다. 입에서 피가 난다. 모두 말리고, 주인 놀라서 오고.

진명	얻다 대고 패드립이야, 이 새끼야! 니가 친구야?!
남친구1	와 씨…. (일어난다) 부럽다고 한 말이 패드립이냐? 형 믿고 주먹 쓰네…. 그럼 더 써봐, 이 새끼야!

진명에게 주먹을 날리는 남친구1. 서로 주먹질하며 가게는 난장판이 된다.

36. 찬이네 골뱅이 안 (밤)

장 비서, 알바 중이다. 손님들 상에 맥주 날라준다. 대찬이 주방에서 골뱅이 들고 나와 다른 테이블에 서빙. 전화가 온다.

대찬   어, 진명아. 어. 뭐?! 어디야 지금!!! 알았어.

      대찬, 놀라서 앞치마 허둥지둥 벗는다. 장 비서, '뭐야….'

대찬   저기… 손님 더 받지 말고… 암튼 좀 나갔다 올게요. 미안, 미안!

      대찬, 외투 집어 들고 달려 나간다.

장 비서 뭐야…. 진명 씨 뭔 일 났나?!

      불안한 장 비서.

37. 파출소 안 (밤)

      진명이 아직도 화가 난 얼굴로 앉아 있다. 호프집 주인, 순경과 이야
      기 중. 대찬이 달려 들어온다. 진명, 대찬을 본다. 착잡하다.

38. 찬이네 골뱅이 안 (밤)

      진혁이와 수현이 들어온다. 진명이도 대찬이도 보이지 않는다. 손님
      도 없다. 장 비서가 주방에서 나온다.

장 비서 어!!!
수현   이제 여기 있는 게 어색하질 않네?
장 비서 아… 그게 중요한 게 아니라 지금….
진혁   진명이는요? 형은….
장 비서 저기…, 어….

      진혁이 뭔가 이상해서 긴장한다. 수현도 당황하는 장 비서가 이상
      하다.

39. 파출소 밖 (밤)

택시가 선다. 진혁이 내려 파출소로 달려 들어간다. 뒤이어 수현의
자동차가 선다.

(진혁)   대표님. 미안해요. 내가 나중에 연락할게요….

수현, 차에서 내려 파출소 안이 잘 보이는 곳으로 가 선다. 걱정과
불안이 가득하다.

40. 파출소 안 (밤)

진혁이 달려 들어온다. 진명이 혼자 앉아 있다. 진명, 형을 보더니
'아, 씨…' 미안하고 속상해서 고개를 돌린다. 진혁, 자초지종을 묻
지 않고 진명이 곁에 앉는다. 조용히 진명의 손을 꼭 잡아주는 진혁.
두 형제, 서로 말은 하지 않는다.

41. 파출소 앞 (밤)

수현이 보고 있다. 유리 너머로 맞아서 좀 부은 진명의 얼굴이 보이
고, 진명의 손을 잡고 별일 아닌 듯 뭔가 이야기하는 진혁이 보이고.
진명의 밝았던 얼굴은 사라졌고, 화나고 미안하고 어두운 얼굴만
보인다.

(장 비서)   대찬 씨랑 잠깐 통화했는데… 진명 씨 친구들이 진혁 씨 이야기를
좀… 안 좋게 했나 봐….

수현, 하…. 눈물이 좀 맺힌다. 괴롭다. 터벅… 터벅… 자동차로 가
탄다. 핸들에 고개를 묻는다.

FB/

진혁   더 행복해야 하는 거예요.

진혁   대표님은 행복하기만 하면 돼. (14화 #33)

눈물을 툭… 툭… 떨어뜨리는 수현.

(수현)   내가 행복하면… 당신은…, 당신은 이렇게 아프잖아….

이제 정말 더 버틸 수 없을 것 같은 수현.

42. 파출소 안 (밤)

대찬이가 들어온다. 진혁을 보고 놀란다.

대찬   진혁아. 어떻게 알고 왔어….

진혁   가게 갔다가.

대찬   그랬구나…. (진명에게) 변상해주고 정리하기로 했어.

진혁   나머진 내가 정리할게. 고마워, 형.

대찬   가자.

순경   사인 좀 해주세요.

진혁이 일어나 순경에게 간다.

43. 홍제동 놀이터 (밤)

진혁과 진명이 그네에 앉아 있다. 어떻게 된 일인지 다 들은 진혁.

진혁   아프진 않냐?

진명   난 많이 안 맞았어.

진혁   ….

진명	미안해. 제대하면 사고 안 치려고 했는데….
진혁	잘했어.
진명	뭘 잘해…. 또 주먹질했는데.
진혁	가족 욕하는 걸 듣고만 있는 게 잘못이지. 잘했어. (진명이 보고) 형이 아주 든든하다.
진명	그 새끼 진작 나한테 맞았어야 돼. 학교 다닐 때부터 깐족거렸어. 형 때문에 그런 거 아니다, 괜히 오해하지 마라.
진혁	우리 진명이 철든다.
진명	철 안 들었어. 주먹 쓴 건… 잘못했어, 형.
진혁	나중에… 친구랑 화해해. 오래 만난 친구잖아.
진명	아 몰라…. 형 정말 딴생각하지 마라.
진혁	화해할 거지? 그래야 형이 딴생각 안 하지.
진명	생각해볼게. (미안해서) 얼마… 나왔냐? 나 알바비 좀 모은 거 있어.
진혁	형이 다 정리했어.
진명	에이 씨….
진혁	이거 우리 둘만 알자. 엄마 아빠 걱정하시잖아.
진명	형 너…, 정말 화 안 내냐?
진혁	진명아. 형이… 미안해진다.
진명	아, 니가 왜! 몇 번을 말해, 너 때문에 싸운 거 아니라고!
진혁	니가 뭐야, 아까부터.
진명	아… 몰라. 턱 붓겠지? 점점 붓는데?
진혁	봐봐. 아유…, 더 못생겨지겠네….
진명	이래서 너라는 소리가 나가는 거야.

진혁, 진명이가 너무 안쓰럽지만 장난스레 넘겨본다. 가족들 생각에 마음이 무겁다.

44. 진혁 집 진혁 방 (밤)

진혁, 한숨을 돌린다. 마음이 많이 아프다.

FB/

/진명, 형을 보더니 '아, 씨…' 미안하고 속상해서 고개를 돌린다. (14화 #40)

진명   미안해. 제대하면 사고 안 치려고 했는데….

진명   형 때문에 그런 거 아니다, 괜히 오해하지 마라. (14화 #43)

진혁, 진명이가 상처받은 게 아프다. 그러다 문득 수현이 생각이 난다. 전화하는 진혁.

45. 수현의 집 침실 (밤)

옷도 갈아입지 못하고 화장대 앞에 앉아 넋이 나가 있는 수현. 진혁이에게 전화가 온다. 다급하게 받는다.

수현   진혁 씨! 진명 씬… 어때요?

(이하 교차)

진혁   그냥 친구들이랑 놀다가 삐끗했나 봐요. 별일 아니었어요. 괜히 홍제동 가자고 해서 대표님 마음만 더 놀라게 했네.

/수현, 아무 일 아니라고 말하는 진혁의 마음은 어떨까…. 슬픔을 꾹 참는다.

진혁   걱정할까 봐 전화했어요.
수현   전화받으니까… 마음이 놓여.
진혁   그러니까 푹 자요. 일은 내일 하고. 응?
수현   그럴게요.

/수현, 두렵다. 이젠 헤어져야 할 것 같아서. 막막한 슬픔과 절망이….
/진혁, 진명이 생각에 가슴이 아파서 깊어지는 눈….

46. 동화호텔 홍보실 회의실 (낮)

모두 음료 마시며 회의 중이다.

김 부장 웨딩 상품 릴리스 어디까지 됐어요, 혜인 씨?

혜인 온라인은 시작됐고요, 잡지 쪽은 발간일에 오픈될 것 같습니다.

김 부장 오케이.

은진, 노트북으로 호텔 홈페이지 열어 배너 확인. 진혁이 촬영한 웨딩 사진이 보인다.

박 대리 사진 잘 나왔네! 역시 모델들은 뭔가 달라.

혜인 구도가 좋은 거 같은데…. (살짝)

은진 우정이 깊다, 깊어. 신부가 좀 아쉽다. 너무 키가 커. 나처럼 아담해야 러블리하지.

박 대리 나보고 거울 보면 답 나온다고 하지 말고, 구은진 씨도 거울 좀 보고 살아요. 러블리 무슨 뜻인지는 알지?

은진 사랑스럽다. 은진스럽다.

박 대리 국어 공부부터 다시 해.

또 시작된 박 대리와 은진의 혈전에 진혁과 혜인 '아이고…' 웃는다.

47. 동화호텔 대표실 (낮)

수현, 업무 중인데 노크 소리 들리고 장 비서가 들어온다. 좀 난처한 얼굴.

수현 무슨 일?

장 비서 손님이 오셨습니다, 대표님.

장 비서, 자리를 열면 수아가 포장된 그림을 들고 한 걸음 들어선다.
너무 놀라는 수현. 그러나 차분하게 수아를 본다.

(점프)
소파. 마주 앉은 수현과 수아.

수아   꼭 한번… 뵙고 싶었어요. 그런데 용기가 나지 않아서.
수현   굳이 만나야 할 사이는 아니에요.
수아   맞아요. 오늘은… 이 그림 선물로 드리고 싶어서 찾아뵀어요.

수현, '그림…?' 포장된 그림을 본다.

수아   지난번에 미술관 오셨었죠? 그때 제 그림… 한참 봐주셔서.

수현, 생각이 난다.

FB/
미술관 안. 그림을 한참 바라보는 수현. (14화 #18)

수현   … 그림이 인상 깊어서요. 그쪽… 그림인지 몰랐어요.
수아   장수아예요. 제 이름.
수현   왜 저 그림을….
수아   저 이제 뉴욕으로 가요. 가기 전에… 사과드리고 싶어서요.
수현   두 사람 일, 다 지난 일이에요. 제가 굳이 사과를 받을….
수아   아무 일이 아니라서요.
수현   (무슨 말인가…. 가만히 본다)
수아   저랑… 정 대표님이랑 아무런 일도, 아무 사이도… 아니에요.
수현   저에게 중요한 정보 아닙니다. 마음 쓰지 마세요.
수아   식사만 하면 된다고 하셨어요! 아니면 가끔 공연 같이 보거나…. 그러면, 유학 보내준다고 하셨어요.

수현, 무슨 말이야, 당신…. 놀라서 본다.

수아 (수현을 바라보지 못하고) 강남에 학원 하나 차려준다는 약속도 받았어요. 물론… 다 지키셨고….

수현 무슨… (사이) 무슨 말씀하시는 거예요?

수아 (수현을 진심으로 보며) 제가… 가짜라는 말씀을 드리는 거예요. 다… 연극이었다는 말씀을. 비밀유지 조건도 있었는데… 못 지키게 됐네요.

수현 …. (눈만 깜박… 깜박…)

수아 사과드리고 싶었어요. 아무리 생각해도… 잘한 일이 아니라서.

수현 다… 꾸며낸… 일이라고요?

수아, 고개를 숙이고 자신의 손을 의미 없이 매만지다가 수현을 부드럽고 슬프게 본다.

수아 연극으로 시작했는데… 시간이 지나다 보니까… 제가 희망 같은 걸 갖게 됐어요. 혹시, 어쩌면…. 그런데 그게 다… 저만의 허상이었어요. 저는요, 정우석 대표님께 따뜻한 시선을 받아본 적이 없어요.

수현, 수아의 조용한 고백을 듣는다.

수아 부러웠어요.

수현, 수아를 본다.

수아 차수현 대표님. 늘 부러웠어요.

서글프게 웃는 수아. 놀라고 어이없고 어지러운 수현.

수아 제가 그림 공부할 수 있게 된 거…, 대표님껜 상처겠지만… 이 그림…, 사과하는 마음으로 드리고 싶어요. 그럼….

수아, 인사하고 일어나 나간다. 수현, 덩그러니 놓인 그림을 본다.
너무 놀라고, 화도 나고, 수아의 처량함도 마음에 남아 복잡하다.

48. 동화호텔 우석 집무실 (낮)

수현이 찾아왔다. 우석, 갑작스러운 방문에 좀 당황한다.

우석	놀랐네. 차 대표가 내 집무실을 다 찾아주고….
수현	다 들었어.
우석	뭘?
수현	장수아…, 그 사람이 찾아왔어.
우석	…!!!
수현	왜 그랬어.
우석	… 내가 머리 좀 썼어…. 너… 숨 좀 쉬고 살라고….

두 사람, 서로 고개를 숙이고 있다. 수현, 우석을 본다.

수현	마음고생 많았겠네.
우석	우리 집에서 당신이 겪은 마음고생에 비하면 뭐….
수현	….
우석	….
수현	그래도 우석 씨. 우석 씨 마음은 참 고마운데…, 난 아팠어.
우석	수현아…. 난 그게 최선이었어.
수현	알아. 우석 씨가 우석 씨 방법으로 나를 생각해줬구나 생각해. 하지만 있잖아. 나는… 사람들 비웃음, 손가락질 받으면서 헤어졌어.
우석	…. (알고 있다)
수현	헤어지는 방법… 여러 가지겠지만, 헤어지는 데에도 배려가 필요한 것 같아.

우석, 차분하게 생각, 그리고.

우석 내가 또… 틀린 답을 쓴 것 같다.

우석, 진심으로 애석하게 웃는다.

우석 너를… 태경으로 데려올 때도… 틀린 답인 줄 몰랐거든. 행복하게 해줄 수 있다고 생각했거든. (입술이 마른다, 안타깝다) 그렇게… 너 보내주면… (안타까운 눈) 행복하게 해주는 거라고 생각했는데. 또 틀렸다….

눈에 눈물이 조금 고이는 우석. 얼른 시선을 돌려 눈물이 나려는 걸 참는다. 수현, 우석의 진심을 이젠 이해한다.

수현 우석 씨 잘못이란 건 아니야. 우석 씨도 힘들었겠어. 아무한테도 말 못 하고… 아무도 알아주지 않고.

우석 이제 알아주네. 속은 후련하다.

수현 (원하는 답을 주지 않는다) 이제 마음 편하게 지내. 내 걱정하지 말고.

우석, 쓸쓸하다. 수현이 알아주길 바라지만, 수현이 부드럽게 선을 긋는 게 보인다.

수현 우석 씨 덕분에 나도 배우게 됐어. 헤어질 땐… 이렇게 헤어져야 하는지.

수현, 일어나 방을 나선다. 우석, 절망이 깊다.

49. 치킨 집 (밤)

진혁과 진혁모가 치킨과 맥주를 두고 마주 앉아 있다.

진혁모	집에서 먹지. 아빠도 나오라 그럴까?
진혁	아빠가 더 좋아?
진혁모	남편도, 아들들도 다 좋지. 누가 더 좋긴….
진혁	(닭가슴살 골라주며) 엄마랑 치킨 먹으면 마음이 편해.
진혁모	왜?
진혁	엄마는 퍽퍽한 살만 좋아하잖아. 닭다리 두 개 다 내가 먹어도 죄책감이 없거든. 흐흐….
진혁모	그래서 사람들이 나랑 치킨 먹는 거 좋아하나?
진혁	백 프로지.

엄마 기분을 살피는 진혁.

진혁	엄마.
진혁모	응?
진혁	그때… 대표님 우리 집에 왔었잖아. 엄마는 어땠어?

진혁모, 주춤…. 그 이야기를 하려고 하는구나…. 진혁을 본다.

진혁모	뭘 어때…. 그냥 손님 오셨으니까 잘 대접해야지 했지.
진혁	그냥 손님 아닌 거 알잖아.

진혁모, 더 말을 돌리지 못한다.

진혁모	엄만 잘… 모르겠어. 너랑 그 사람이랑…. 걱정이 앞서지.
진혁	맞아. 걱정이 많지. 너무 다르니까.
진혁모	진혁아. 너무 차이가 많이 나는 사이는… 힘들지 않을까?

진혁, 진중하게 또 따뜻하게 엄마를 바라보며 이야기한다.

진혁	내가… 누군가를 이렇게 좋아하게 될 줄은 몰랐어. 처음엔 그냥 우

연 같은 거라고 생각했는데, 시간이 지날수록… 그 사람… 그냥 지나가는 우연은 아닌 것 같아.

진혁모 (치킨만 만지작…)

진혁 엄마. 엄마도 그 사람 좋아해줬으면 좋겠어. 좋은 사람이야.

진혁모 (답답하다)

진혁 그 사람이 나를… 근사한 남자로 만들어주는 것 같아.

진혁모 진혁아…. (안 된다고 하고 싶다)

진혁 그 사람… 그런 사람이야, 엄마.

진혁모 엄마는 솔직히… 너도 아직 젊고 하니까… 이 길이다 정해놓고 가지 말았으면 좋겠어. 세상도 넓고 시간도 많잖아….

진혁 엄마. 내가 이 넓은 세상에서 사랑하는 여자가 딱 둘이야. 엄마랑 그 사람.

진혁모 …!

진혁 누굴 더 사랑 하냐고 물어볼 거지? (웃는다) 두 사람 다 똑같이 사랑해. 그냥 다를 뿐이야. 엄마를 사랑하는 거랑, 그 사람을 사랑하는 거랑.

진혁모 그래… 달라. 달라, 진혁아. 엄마는 엄마니까 변하지 않는 거고, 그 사람은….

진혁 그 사람도 변하지 않아. 그럴 수 있는 시간은… 다 지나온 거 같아.

진혁, 엄마가 이해해주길 바라는 간절한 눈. 진혁모는 말도 못 하고 답답하기만 하다.

진혁 뜨거워? 내가 찢어줄게.

진혁, 엄마가 만지작거리던 치킨 조각을 가져와 먹기 좋게 찢어서 접시에 놓아준다. 진혁모, 이렇게 자상한 진혁이 눈에 밟힌다.

50. 진혁 집 거실 (밤)

식탁에 우두커니 앉아 있는 진혁모. 걱정이 크다. 속이 많이 상한다.
하이고…. 한숨만 나온다.

51. 진혁의 집 진혁 방 (밤)

진혁, 카메라 가죽 케이스를 윤이 나게 닦는다. 잘 만들어졌다. 기분
좋게 웃는 진혁.

FB/
수현   다 해요, 다. 어차피 못 할 거 같은데. (7화 #18)

진혁, 수현에게 전화를 건다.

52. 수현의 집 거실 (밤)

수현, 창밖을 바라보고 있다. 깊은 생각에 잠겨 있는 얼굴. 핸드폰이
울린다. 진혁이다. 안타까운 미소….

수현   진혁 씨.
(진혁)   우리 내일 서점 가서 책 구경해요!

수현, 서점…. 망설이다가… 마음을 굳히고.

수현   좋아요. 나도 가보고 싶어.
(진혁)   진짜? 와…. 안 간다고 하면 어쩌나 했는데.
수현   내일 망원동 맛집도 가봐요. 우리, 줄 서는 거 해보자.

53. 진혁 집 진혁 방 (밤)

기분이 너무 좋은 진혁.

진혁 나 오늘 설레서 잠 못 잔다! 망원동 맛집 서치해야겠네!

수현의 달라진 모습에 진혁은 행복하다. 아무것도 모르는 진혁은 기분이 참 좋다.

54. 수현 집 거실 (밤)

수현, 통화를 마치고 소파에 앉는다. 진혁이 준 샌들과 카메라와 트리 방울을 본다. 수현은 슬픈 결심을 해가는 중이다.

55. 망원동 카페 앞 (낮)

수현과 진혁, 긴 줄에 함께 서 있다. 사람들, 이들을 알아보고 의식한다. 진혁, 조금 걱정이 되는데, 수현은 오히려 밝게 웃으며 진혁의 팔짱을 낀다. 진혁, 좀 놀라지만⋯ 수현의 어떤 결심을 존중하며 손을 잡아준다.

56. 망원동 카페 안 (낮)

디저트와 커피를 앞에 두고 있는 수현과 진혁. 사람들, 이들을 보며 말을 나눈다.

진혁 (소근) 장 비서님 또 난리 나겠어요. 오늘 사진 엄청 찍히겠다.
수현 이왕 찍힐 거면 예쁘게 나왔음 좋겠다.
진혁 (놀라워하며 웃는) 대표님, 점점 멋있어지는데?
수현 우리 찍힌 사진들 보니까⋯ 난 다 뭔가 의식해서 굳어 있더라고요.

오늘은 내가 더 신나게 나왔으면 좋겠어.

싱긋 웃는 수현. 진혁, 오…. 기특해하며 함께 행복하게 웃는다. 수
현, 디저트를 진혁의 입에 넣어준다. 진혁, 받아먹는다. 일반적인, 그
런 데이트를 하는 수현과 진혁.

57. 대형서점 안 (낮)

/수현과 진혁, 서점 안을 걷는다.

수현 진혁 씨가 제일 좋아하는 데다.
진혁 대표님이랑 같이 오니까 더 좋다.

오롯이 두 사람 감정으로만 충만한 서점.
/서로 읽고 싶은 책을 찾는 진혁과 수현. 눈이 마주칠 때마다 행복
하게 웃는다.
/서점 내 카페. 함께 음료수를 마시며 도란도란 이야기. 주위를 의
식하지 않고 해맑게 웃는 진혁과 수현. 몇몇 사람들 사진을 찍는데,
전혀 상관하지 않는 두 사람.
/수현, 『세계의 끝 여자친구』 찾아 꺼낸다.

수현 이 책 맞죠?
진혁 맞아요. 내가 선물해줄게, 한번 읽어봐요.
수현 재미있어요?

진혁, 한 페이지를 펼쳐 수현에게 보여준다.

진혁 여기 봐요. 정말 메타세콰이어 길까지 갔죠?

수현, 글귀를 본다.

수현   진짜. 처음부터 읽어봐야겠어.

진혁   이 대사… 우리한테 하는 말 같지 않아요?

수현, 진혁이 짚어주는 곳을 본다.

(수현)   이 시에서 나오는 여자 친구가 누구니?

뭐라고 설명하는 진혁. 수현 정말? 그런 대화…. 둘이서 애틋하게 책장을 넘겨보는 모습이 아름답다. 뭔가에 깔깔 웃기도 하고, 놀라기도 하고, 진혁의 어깨를 툭 때리기도 하는 그 모습 위로.

(진혁)   착한 사람이에요.

(수현)   어떻게 만났는데? 무척 사랑했던 모양이지?

(진혁)   맞아요. 그렇게요. 세상의 끝까지 데려가고 싶을 정도로요.

/계산대에서 『세계의 끝 여자친구』를 계산하는 진혁. 수현, 좀 떨어져 다른 책을 보는 척하지만 진혁의 모습을 본다. 마음이 무너진다. 눈물이 터질 것 같아 시선을 빠르게 이리저리….
점원이 책을 계산하는 동안 진혁, 잠시 수현을 돌아본다. 세상에서 제일 완벽한 사랑을 담은 미소로 수현을 바라보는 진혁. 수현, 애를 쓰며 미소를 보여준다. 그러나 슬픈 미소를 감출 수 없다.

(진혁)   수현 씨, 당신의 세계의 끝은 어디일까요…. 확실한 건, 그곳에… 내가 있다는 겁니다.

(수현)   진혁 씨, 나는 이제… 당신과… 헤어져요.

서로 미소로 바라보는데, 서로 다른 마음의 미소다.

엔딩.

15 화

그 사람이 다시 성에 갇히게 되면
이 사랑이 무슨 의미가 있어요

1. 대형서점 안 (낮)

수현에게 선물한 책을 대신 들고 있는 진혁. 수현과 자연스럽게 서점에서 이동하는 중이다. 사람들의 은근한 시선에도 불구하고 오로지 진혁에게만 집중하는 수현.

진혁   망원동 맛집도 가봤고, 서점 데이트도 했고…. 겨울 가기 전에 스케이트장 한번 갑시다!

수현, 진혁의 말에 그러자고 대답하지 못하고 긍정인지 아닌지 알 수 없는 미소만.

진혁   아니면 눈썰매.
수현   추워.
진혁   핫팩 붙이고 타면 하나도 안 추워.

소소한 농담을 하며 가는 수현과 진혁. 수현의 눈에는 아득함이 좀 보인다.

2. 파스타 집 (밤)

수현과 진혁, 식사를 하고 있다. 수현, 진혁에게 마음을 말해야 한다. 이제는 말해야 할 것 같다. 가까스로 힘을 내서 말을 꺼낸다. 테이블에 시선을 둔 채 진혁을 부른다.

수현   진혁 씨, 나… 할 말….

진혁을 보면, 선물 상자를 테이블 위에 두고 수현 쪽으로 슥…. 수현, 말을 이어가지 못하게 됐다. 진혁을 본다. 선물을 꺼내보기를 기다리며 미소 짓고 있다. 수현, '지금 이런 분위기면 어떡하지…' 하면서 우선은 선물을 꺼낸다. 진혁이 만든 카메라 케이스.

수현 이거….

진혁 수현 씨 카메라 케이스. 내가 만들었어요.

수현, 진혁이 만들었다는 말에 놀란다. 케이스를 차분하게 살핀다.

진혁 퇴근하고 틈틈이 만들었는데, 생각보다 잘 나왔어!

수현 이런 걸… 어떻게 만들었어요…. 정성이네….

진혁 알아줄 줄 알았어. (웃는다) 거기… 글자 새긴 거 봐요.

수현, 찾아보면 '수현이'라고 새겨져 있다. 수현, '수현이'라는 글자에 마음이 또 흔들…. 어떻게 이별을 말하나.

진혁 마음에 들어요?

수현, 진심으로 고개를 끄덕끄덕. 너무나 좋은데, 너무나 아프다. 진혁은 만족스럽고 행복하다.

진혁 아, 할 말 있다며.

수현, 차마 오늘은 말 못 할 것 같다.

수현 별말 아니었나 봐. 생각이 안 나.

진혁 케이스가 너무 마음에 들어서 까먹었죠.

그런 것 같다고 웃는 수현. 하지만 타들어가는 마음은 사라지지 않

303

는다.

3. 동화호텔 대표실 (밤)

소파 탁자 위에 카메라 케이스, 그리고 진혁모가 준 균청 병. 수현,
두 개를 한참 동안 바라보고 있다. 어렵다. 괴롭다. 일어나 창밖을
바라본다.

4. 진혁 집 진혁 방 (밤)

수현이 준 카메라를 보는 진혁. 오늘 수현과의 데이트를 생각한다.

FB/
서점에서 팔짱을 끼는 수현.
계산하는 진혁을 바라보는 수현의 얼굴. (14화 #57)

진혁, 더 가까워진 것 같아 기분이 좋다. 진명이에게 문자가 온다.
인스타 피드를 캡처한 사진들이 와 있다.

인서트/ 수현과 진혁의 망원동 식사 사진.
서점에서 머리를 맞대고 책을 보는 사진.

진명 문자 연애 좀 한다, 우리 진혁이! 잘하고 있어!

진혁, 진명의 응원에 미소가 번진다. 수현의 얼굴을 확대해본다.

진혁   진짜 오늘은 예쁘게 나왔네.

거리낌 없이 웃고 있는 수현의 얼굴이 좋다.

5. 동화호텔 홍보실 (낮)

모두 일하고 있다. 박 대리, 컴퓨터로 SNS에 올라온 진혁과 수현의 데이트 사진을 보고 있다.

박 대리	진혁 씨. 사진 올라온 거 봤지?
진혁	(웃는다)
박 대리	사진 보니까… 대표님이 진혁 씨 더 좋아하는 것 같다?
은진	요즘 대표님 완전 용감해. 진혁 씨, 사실 기 좀 살죠? 아니… 차수현 대표의 사랑을 한 몸에 받고 있다, 그런 거잖아.
진혁	감사합니다….
혜인	인정한다는 거야? (웃는다)

김 부장, 이 모습을 흐뭇하게 본다.

6. 동화호텔 일각 (낮)

수현, 장 비서와 걷고 있다. 직원 두어 명 웃으며 인사한다. 수현도 인사.

장 비서	저… 대표님?
수현	네.
장 비서	다시… 마음 고쳐먹은 겁니까?
수현	(본다)
장 비서	너무나 러블리하게 진혁 씨를 바라보는 사진이 인상적이어서요.

수현, 담담한 얼굴로 걸어간다.

수현	그동안 노출된 사진들이… 진혁 씨 마음은 다 보이는데, 내 마음은 안 보이더라고…. 그래서.

장 비서 (좋다 말았다) 헤어지려는 마당에 마음이 보이거나 말거나.

수현 (장 비서 보며) 내 욕심인 거 알아. 그래도 진혁 씨가 차수현의 소중한 사람으로 기억됐으면 좋겠어.

장 비서, 흠···. 마음이 안 좋다.

7. 검찰청 앞 (낮)

차 의원, 출두한다. 포토라인에 서는 차 의원. 기자들 소란하다.

차 의원 먼저 국민 여러분께 심려 끼쳐드려 죄송합니다. 국회의원 재선 당시, 저 차종현은 모 기업으로부터 불법 정치 자금을 받았습니다. 오늘 저는 검찰 조사에 성실히 임할 것이며, 늦었지만 이 수사를 통해 잘못된 것을 바로잡으려 합니다.

기자들 질문 쏟아지는 가운데 묵묵하고 단호하게 검찰청 안으로 들어가는 차 의원.

8. 동화호텔 대표실 (낮)

수현, 새하얗게 질려 있다. 텔레비전에 뉴스가 나온다.

기자 현재 문화당은 차종현 대표의 검찰 출두에 별다른 반응을 내놓지 않고 있습니다. 불법 정치 자금을 받았다는 차종현 대표의 커밍아웃에 정계는 숨을 죽이고 있는 상황입니다. 모 기업이라고 밝힌 기업이 과연 어떤 기업인지 조심스럽게 추측이 오가고 있습니다.

장 비서도 패닉이 된 얼굴로 대표실에 달려 들어온다. 이미 뉴스를 보고 있는 수현을 본다.

장 비서   대표님….

수현, 정신을 차릴 수가 없다.

FB/
차 의원   수현아. 모든 걸 시원하게 설명해주긴 일러서 말을 아끼는 거야.
차 의원   앞으로… 아빠가 어떤 행보를 걷게 되더라도 놀라지 말고. 또 행여…
내 탓인가… 그런 모자란 생각하지 마. (13화 #13)

수현, 차 의원의 지난 말들을 떠올린다. 가슴이 철렁 내려앉는다.

9. 차 의원 집 거실 (낮)

수현모, 소파에 그림처럼 미동도 없이 앉아 있다.

10. 회상—문화당 당대표실 (낮)

차 의원이 간절한 얼굴로 수현모를 설득하고 있다.

차 의원   내가 기자회견을 해도 증거가 필요해. 당신이… 증언을 해줬으면
좋겠어.
수현모   무슨…, 무슨… 말이에요…? 뭘 한다고요?
차 의원   태경에서 불법 정치 자금 받았다고 진술하자고.
수현모   그게 무슨 뜻인지 몰라, 당신?
차 의원   그 자금, 내가 이미 알고 있었다고 정리할 거야. 그러면 당신은 집행
유예 정도로 끝날 거고. 그동안 여행 다녀. 여기 있어봐야 시달리기
만 할 거니까.
수현모   못 해. 안 해!
차 의원   여보, 수현 엄마. 해야 돼…. 수현이 저렇게 평생 태경에 끌려다니게
둘 거야? 당신이 생각하는 거… 이젠 없어. 모르겠어?

수현모, 입이 떡 벌어져 기절할 지경이다. 손이 떨린다.

11. 현재-차 의원 집 거실 (낮)

차 의원의 행보에 갈 길을 잃은 수현모.

수현모 결국 다 끝내는구나, 당신….

더 이상 웃을 일이 없다는 걸 직면하는 수현모.

12. 동화호텔 홍보실 (낮)

모두 침울한 얼굴들이다. 김 부장은 자리에 없다.

박 대리 우리 대표님은 조용한 날이 없다…. 어떻게 되는 거야, 이러면…?
은진 태경에서 받았다는데…. 이러면 상당히 꼬이는 거 아니에요?
박 대리 태경이라고 누가 그래? 확실하지도 않은데.
은진 뻔하지. 그러니까 대표님이 태경이랑 결혼….

하다가 진혁을 의식하고 말 닫는 은진. 진혁은 차 의원의 말이 생각이 난다.

FB/
차 의원 오래전부터 망설이던 숙제가 있었어요. 망설인 게 아니지. 못 한 거지. 내가 비겁한 것도 있고, 제일 큰 건… 수현이가 혼자가 될 거라는 불안감 때문에 아무것도 하지 못했어요.
차 의원 이제 그 숙제를 좀 해보려고 하는데… 진혁 씨가 큰 힘이 돼주네.
(14화 #7)

진혁, 차 의원의 말뜻을 알게 된다. 마음이 복잡한 진혁. 핸드폰을 본다. 수현에게 문자를 보내려 창을 여는데, 섣불리 뭐라 적지 못한다.

13. 동화호텔 일각 (낮)

김 부장과 남 실장, 앞이 캄캄하다.

김 부장 이상하다 했어. 이러려고 오빠 기일에 오셨던 거야.

남 실장 당사무실 사람들도 아무도 몰랐던 눈치야. 혼자서 다 짊어지고 갈 심산인 것 같은데… 아휴….

김 부장 본인 진술로만 뭐가 달라져? 증거도 없이 이러면 차 의원 아저씨만 다치잖아.

남 실장 태경은 분명히 빠져나갈 텐데. 뭘 믿고 칼을 뽑냐고…. 돌겠네, 진짜.

김 부장 증거가 나와도, 오빠. 아저씨 구속이잖아. 어떡해….

남 실장 전화도 안 받고, 정말.

김 부장 대표님은 어때?

남 실장 아직 못 봤어. 걱정이다, 걱정….

답답하고 걱정돼 죽겠는 두 사람.

14. 우석 자동차 안 (낮)

대교를 달리는 우석의 자동차 안. 우석, 수현에게 전화를 건다. 받지 않는다. 김 비서에게 전화를 건다.

우석 차 대표 어디 있어요?

우석, 더 액셀러레이터를 밟는다.

15. 동화호텔 비서실 (낮)

우석이 들어온다. 장 비서 일어난다. 차분한 모습.

장 비서　차 대표님 아무런 미팅 열지 말라고 지시하셨어요. 죄송합니다.

우석, 밀고 들어갈 수 없다.

우석　　차 대표… 식사는 좀 하나요?
장 비서　… 제가 잘 모시고 있습니다.
우석　　나중에 다시 오죠.

우석, 돌아서 나간다. 장 비서는 우석이 달갑지 않다.

장 비서　여기 다시 오지 말고, 당신 엄마나 어떻게 해봐, 좀.

속 터지는 장 비서.

16. 동화호텔 홍보실 (밤)

진혁이 혼자 퇴근하지 못하고 있다. 핸드폰만 본다. 혹시 문자라도
온 게 없나 또 열어보고…. 수현에게 전화를 걸까 말까… 고민만 깊
어간다.

17. 태경그룹 김 회장 집무실 (밤)

김 회장, 초조하다. 분노에 휩싸여 있다. 안 되겠는지 수현모에게 전
화를 건다.

18. 차 의원 집 거실 (밤)

　　차분한 얼굴로 앉아 있는 수현모. 핸드폰이 울린다. '회장님' 뜬다.
　　가만히 바라볼 뿐, 받지 않는 수현모.

19. 태경그룹 김 회장 집무실 (밤)

　　수현모가 전화를 받지 않자 화가 더 치밀어오르는 김 회장. 핸드폰
　　을 쥔 손이 파르르 떨린다.

20. 동화호텔 대표실 (밤)

　　수현, 흐트러짐 없이 앉아 기다린다. 남 실장에게 전화가 온다. 다급
　　하게 받는 수현.

수현　　아빠는요.
(남 실장)　　지금 나오셨어. 내가 집으로 모실게. 좀 쉬어라.

　　수현, 이제야 좀 숨을 쉴 수 있을 것 같다. 책상에서 일어나는데 어
　　질…. 차분하게 핸드백을 챙겨 대표실을 나선다.

21. 동화호텔 주차장 (밤)

　　수현, 자동차로 이동하는데 갑자기 누군가 손을 잡는다. 보면, 진혁
　　이다. 놀라는 수현. 진혁은 괜찮냐는 듯한 미소로 수현을 본다.

진혁　　(손 내밀며) 키 줘요.

　　수현, 힘든 하루에 진혁을 보니 위로가 되지만 어떻게 해야 할지 모
　　르겠다.

22. 수현 자동차 안 (밤)

진혁은 운전을 하고 수현은 괴로운 생각에 잠겨 있다.

FB/
검찰 포토라인에 선 차 의원. 빗발치는 카메라 플래시. (15화 #7)

> **진혁모** 홍제동에서 30년을 넘게 살았어요. 근데… 요즘처럼 마음이 어려운
> 적이….
> **진혁모** (간절하다) 우리 가족은… 평범한 하루하루가 재산이거든요…. 대
> 표님, 저는… 우리 가족, 지금처럼… 조용하게 살았으면 좋겠어요.
> (13화 #45)

진혁 도착하면 깨워줄게요, 좀 자요.
수현 … 차 한 잔 할까요, 우리?
진혁 너무 늦었는데…. 오늘 힘들었잖아요. 가서 쉬어요.
수현 할 말이 있어….

수현, 차분하게 진혁을 본다. 진혁, 차 의원 일인가 싶어 거절하지
않는다.

23. 카페 룸 (밤)

수현과 진혁, 마주 앉아 있다. 수현은 잠잠히 진혁을 바라보며 얼굴,
손, 미소 하나하나를 꼼꼼하게 눈에 담는다. 진혁, 오로지 수현의 마
음이 어떤지 살피느라 여념이 없는 표정.

수현 퇴근이 늦었네.
진혁 기다렸어요. 남 실장님 검찰청 가신다고 전화주셨거든요. 혼자 있을
것 같아서 기다렸지.

수현, 이러한 진혁에게 이별을 고하려니 괴롭다. 하지만 해야 한다.

진혁 아버님… 많이 걱정되죠?

수현 … 어떻게 도와드려야 할지… 모르겠어요.

진혁 아마 아버님은, 수현 씨 밥 잘 먹고… 일 열심히 하고… 그런 게 돕는 거라고 생각하실 것 같은데. (위로는 안 되는 말인가) 식상하죠, 위로가.

수현 아니… 같이 걱정해줘서 고마워요.

진혁 서운하게… 당연히 같이 걱정하게 되지. 뭐 좀 먹었어요? 조각 케이크라도 사올까?

수현, 이제 말해야 한다.

수현 진혁 씨.

진혁 (웃으며 본다)

수현 … (겨우 꺼내는 말) 우리… 헤어져요.

진혁, 잘못 들은 것 같아서 여전히 미소는 걸려 있다. 그러나 눈은 흔들렸다.

수현 (겨우 꾹꾹 누르듯 전하는 말) 오래 생각했어요. 헤어져요.

진혁, 이게 무슨…. 아무 말도 못 하고 입술이 떨리는 진혁.

수현 진혁 씨가… 잘못해서 그런 것도 아니고, 우리 사랑이… 모자라서 그런 것도 아니야.

진혁 무슨… 말하는 거예요…?

진혁, 놀라고 당황…. 그러나 아직 웃으려 애쓰는 진혁.

수현   어떤 사랑은… 여기까지가 애틋한 사랑도 있어요.

진혁, 이게 현실인가… 꿈인가…. 멍한 얼굴로 수현을 본다.

수현   도와줘요. 나… 진혁 씨랑 좋은 추억으로 평생 살 수 있게… 도와줘.

진혁, 언성을 높이지도 않는다. 수현이가 충격이 큰가…. 뭘까…. 일단은 달래는.

진혁   왜 추억으로 살아…. 같이 추억 만들면서 살아야지. 아직도 해주고 싶은 거, 하고 싶은 게 얼마나 많은데 무슨 말이야….

진혁, 농담하지 말라는 듯 어색한 미소.

수현   우리만 행복한 거니까.
진혁   (이제 좀 정색) 수현 씨.
수현   진혁 씨 만난 모든 날들이… 기적이야. (겨우겨우) 이런 기적…, 선물 같은 추억… 깨게 하고 싶지 않아.

진혁, 수현의 마음이 장난 같은 게 아님을 느낀다. 어쩔 줄 몰라 하다가.

진혁   … 아버님 일이… 힘들죠? 이해해요. 내가 뭐라도 도울 수 없어서 너무너무 속상해. 그래도… 나는 당신 곁에서 당신 지켜야 해. 그러기로 약속했으니까. 그러니까 그런 말 하지 말고….
수현   나 아낀다고 했죠?
진혁   …. (당연하다는)
수현   나도… 진혁 씨 많이 아껴요. 그래서 여기서 그만하려는 거야….
진혁   (말문이 막히고, 손이 떨리고, 무슨 말을 해야 할지 황망하고)
수현   아빠 일은 올바른 방향으로 흘러갈 거예요. 나는… 그런 아빠 지지

하고 응원할 거고…. 힘들거나 두렵거나 하지 않아.

진혁   그런데 왜…. 왜 나를 버려….

진혁의 눈에 두려움과 의문이 가득하다. 수현, 왜 버리냐는 말에 마음이 너무 아프다.

수현   내가… 내가 어떻게… 당신을 버려….

눈물을 툭 떨구는 수현. 진혁의 눈에도 눈물이 고이는데, 받아들일 수 없어 차갑다.

수현   … (눈물 툭…) 보내는 거야.

수현, 이해해주길 바라는 간절한 눈. 진혁, 아무것도 이해되지 않는 가여운 눈.

수현   이해 안 될 거야. 알아. 시간이 지나면… 내가 이해됐으면 좋겠어. 그렇게 되지 못한다 하더라도… 괜찮아요. 내가 나빠도 괜찮아.

수현, 눈물 닦고, 울음을 삼키며 버틴다. 진혁, 믿을 수 없어 괴롭다.

수현   미안해요. 일어날게.

수현, 일어나 나가는데, 진혁이 다급하게 와 수현의 팔을 잡는다. 수현, 조용히 진혁의 손을 다독인다. 그리고 놓는다. 수현이 나가고 진혁, 휘청인다.

24. 거리 (밤)

진혁, 정신이 다 나간 듯한 얼굴로 걷고 있다. 너무 놀라고 믿을 수 없어 눈물도 나오지 않는다. 이게 무슨 일일까…. 하염없이 걷는다. 그러다 멈춰 선다. 이게 뭘까…. 이건 아니지 않을까. 달리기 시작하는 진혁.

25. 수현 집 침실 (밤)

수현, 외출복 그대로 침대에 앉은 채 엎드려 있다. 초인종 소리. 고개를 든 수현의 얼굴은 눈물로 범벅이 되어 있다. 진혁인 것 같아 열지 못한다. 핸드폰이 울린다. 진혁이다. 수현, 아무것도 하지 못한 채 이겨내고 있다.

26. 거리 (밤)

진혁, 현실이 아닌 것 같은 텅 빈 얼굴, 비애 가득한 얼굴. 다시 핸드폰을 열어본다. 수현에게 건 전화가 10여 통이다. 남 실장 연락처 열어서 망설이고… 장 비서 연락처 열어서 망설인다.
하…. 마음이 무너지는 진혁. 누구와 말할 수도, 왜 이렇게 된 건지 알 수도 없는 진혁. 입술이 다 부르텄다.

27. 수현 집 침실 (아침)

수현, 어제의 외출복 그대로 아침이 되었다. 한잠도 자지 못했다. 인생에 다시 행복은 없을 것 같은 무표정한 얼굴이다.

28. 진혁 집 주방 (아침)

아침이 차려져 있다. 진혁부, 자리로 오는데 진혁의 자리가 비어 있다. 진혁모, 걱정스러운 얼굴.

진혁부　진혁이는.

진혁모	깨웠는데… 못 일어나네.
진혁부	어디 아픈 거 아냐?
진혁모	모르겠어. 말을 안 하니….

진혁부, 진혁 방으로 가려는데 진혁이 방에서 나온다. 얼굴이 많이 안 좋다.

진혁부	몸이 안 좋아보인다?
진혁	일이 좀 많았어. 엄마 나 씻고 바로 나가야 돼. 아침 못 먹겠다.

진혁, 욕실로 간다. 진혁모는 예상한 일이 벌어진 걸까 걱정 반, 기다림 반. 진혁부, 진혁이 그냥 안 좋은 게 아닌 것 같다. 진혁의 표정이 마음에 남는다.

29. 동화호텔 대표실 (낮)

텔레비전에 속보가 나온다. 검찰 차량이 도착하고 박스를 승합차에 싣는 장면 등이 나오고 있다.

(기자)	검찰은 태경그룹에 압수 수색 영장을 발부했습니다. 증거인멸의 우려가 있다고 판단했기 때문입니다. 김화진 회장의 소환은 아직 불투명한 상황입니다.

텔레비전을 끄는 수현. 많이 상한 얼굴이다. 외로움과 두려움이 가득하다. 율마를 본다. 마음을 진정시키며 전화를 건다.

수현	아빠.
(차 의원)	그래.

30. 차 의원 집 거실 (낮)

홀로 앉아 통화 중인 차 의원. 오히려 차분한 얼굴이다.

(이하 교차)

수현 식사… 놓치지 마세요.

차 의원 너도.

수현 혈압약, 챙겨 드시고.

차 의원 알아.

수현 엄마는… 어때요?

차 의원 방에서 쉬고 있어. 너무 걱정하지 마. 넌 어때….

수현 내 걱정은 하지 마세요. 아빠랑 엄마가 힘들지.

차 의원 미안하구나.

수현 뭐가.

차 의원 이런 모습 보여줘서.

수현 아빠 정말…, 뭐가 미안해.

차 의원 (수현에겐 미안하다. 그래서 침울해지는)

수현 용기 내줘서 고마워요. 아빠 그 마음… 내가 잘 알아요.

차 의원, 그렇게 말해주는 수현이 고맙고 더 미안해서 먼 곳을 바라본다.

31. 태경그룹 김 회장 집무실 (낮)

이사들 둘 와 있다. 걱정이 가득한 모습들이다. 김 회장은 흔들리지 않는 모습을 보여준다.

이사1 이러다가 회장님까지 소환되시는 거 아닌가 걱정입니다.

김 회장 압수 수색 해봐야 나올 거 없어요.

차가운 김 회장.

이사2   혹시… 차 의원 와이프가….

김 회장   (멸시하는) 살려달라고 무릎 꿇는 사람입니다. 증인이랍시고 나설
위인, 못 되죠. 걱정하실 거 없습니다. 태경에는 아무 증거도 자료도
없어요.

김 회장, 단호하다.

32. 동화호텔 일각 (낮)

진혁, 멍하게 서 있다. 영혼이 다 나간 것 같은 얼굴.

FB/

수현   진혁 씨 만난 모든 날들이… 기적이야. (겨우겨우) 이런 기적…, 선물
같은 추억… 깨지게 하고 싶지 않아.

수현   나도… 진혁 씨 많이 아껴요. 그래서 여기서 그만하려는 거야….

수현   내가… 내가 어떻게… 당신을 버려…. 보내는 거야. (15화 #23)

진혁, 곧 쓰러질 것 같아 벽을 짚는다.

(혜인)   진혁아.

진혁, 정신을 차리며 돌아본다. 걱정이 가득한 얼굴의 혜인.

혜인   들어가자. 회의실로 다 모였어.

진혁   그래.

진혁, 힘없이 걸어간다.

33. 동화호텔 회의실 (낮)

직원들 회의 중. 분위기는 다운되어 있다. 김 부장, 기운을 낸다.

김 부장   모두 체감하겠지만 회사 분위기가 뒤숭숭하죠? 이런 분위기를 잠재울 만한 창립 기념 행사를 만드는 게 우리 홍보팀이 할 일입니다. 자, 힘을 좀 내보죠!

진혁, 최대한 집중하는데 안색이 안 좋다. 몸이 추운지 조심스럽게 손을 주무르는 진혁. 혜인, 진혁이 아픈가? 신경 쓰인다.

은진   아이돌 그룹 초청하는 건 어떨까요. 분위기 업 시키는 데는 아이돌이….

김 부장   집중하자.

은진   네.

진혁, 목도 아프고, 식은땀이 난다. 혜인, '너 아퍼?' 진혁에게 조용히 묻는다. 진혁, 아니라고 하는데….

박 대리   아픈 것 같은데!

김 부장, 진혁을 본다. 안색이 영 안 좋아 보이긴 한다.

진혁   괜찮습니다.

은진, 일어나 진혁의 손등에 손을 살짝 얹더니.

은진   열 많이 나는 거 같은데?

혜인, 혼자 세상 걱정이다. 어쩌지…. 진혁만 본다.

김 부장	아침에도 이상하다 했는데… 몸이 더 안 좋아지나 보다. 조퇴하자, 진혁 씨.
진혁	아닙니다. 제가 회의 끝나고 약 사먹고 올게요. 죄송합니다.
김 부장	우리가 안 괜찮아. 점점 안 좋아질 것 같다.
혜인	가. (한마디인데 걱정이 엄청 실려 있다.)

진혁, 난처하지만 사실 몸이 많이 아프다.

34. 약국 (낮)

진혁, 몸살 약 같은 것을 사고 있다. 약사가 약을 내준다.

진혁	감사합니다.

약을 꺼내 먹으려 하는데 진혁부에게 전화가 온다.

진혁	네, 아빠.
(진혁부)	근무 중이지?
진혁	아, 괜찮아요. 나 오늘 좀 일찍 끝났어.

진혁, 걱정할까 봐 아프단 말을 하지 않는다.

35. 장수 과일 (낮)

진혁부, 담담하게 수현이 가지고 왔던 건강음료를 마시고 있다. 진혁이 가게로 들어온다.

진혁부	왔어?
진혁	점심은 드셨어요?
진혁부	그럼, 시간이 몇 신데. (음료수 보이며) 대표님이 가지고 온 건데, 진

한 게 좋은 건가 보다. 하나 할래?

진혁   괜찮아. 나 감기약 먹어서….

진혁이 약을 먹었다는 말에 걱정이 되는 진혁부.

진혁부   아침에 보니까 조퇴할 컨디션이더라. 가게 잠깐 닫고 아빠랑 사우나 가자.

진혁   (고개 젓는다) 집에 가서 좀 잘래.

진혁부   그래? 괜히 가게로 오라 그랬네….

진혁   가까운데, 뭐.

진혁부   대표님 때문에… 걱정되지?

진혁   ….

진혁부   마음고생이겠다, 대표님.

진혁   ….

진혁부   야, 이럴수록 니가 기운을 내야지 감기 걸려서 이러면 되겠어?

진혁   약 먹으니까 괜찮아.

진혁부, 진혁이가 많이 다운되어 있는 게 마음 쓰인다.

진혁부   별일 없지?

진혁   없어요. 잠을 좀 못 자서 푸석해 보이나 봐.

진혁부   그래. 이왕 조퇴한 거 좀 쉬어.

진혁   응.

진혁이 별일 없다고는 하지만 진혁부는 뭔가 이상한 것 같다.

36. 동화호텔 대표실 (낮)

김 부장, 수현 앞에 서 있다.

322

수현	왜 서면 보고하셨어요? 매번 직접 보고 주시면서.
김 부장	대표님 어떠신지 몰라서요. 이럴 땐 사람 만나는 것도 기운 빼가잖아요.
수현	괜찮아요. 회사 일은 회사 일이죠. (보고서 보며) 창립 기념 행사… 이번엔 축하 공연 없어요?
김 부장	클래식 협주 정도 생각하고 있는데, 어떠세요?
수현	길지 않게 하면 좋겠어요. 사원들 지루해할 수도 있잖아요.

수현, 엷게 웃어 보인다.

| 김 부장 | 아이돌 그룹 초청하자는 말도 나왔어요. 지루하진 않을 것 같은데…. |

농담하며 웃는 김 부장.

수현	좋죠. (하고는) 이번엔 내실 있게 진행했으면 좋겠어요. 사원들 시상도 많이 하고.
김 부장	네. 그렇게 준비하겠습니다.

보고서 다시 받아서 드는 김 부장.

김 부장	대표님도 얼굴이 많이 안 좋아 보이십니다.
수현	(얼굴을 좀 만져본다)
김 부장	김진혁 씨도 오늘 조퇴시켰어요.
수현	…!
김 부장	본인은 괜찮다고 하는데 몸살이 난 건지 안 좋아 보여서요. 대표님도 몸살 나실까 봐 걱정입니다.
수현	… 전 괜찮아요. 수고하세요.

김 부장, 인사하고 나간다. 수현, 진혁이 아프다는 말에 가슴이 철

렁…. 너무 걱정된다.

37. 진혁 집 거실 (낮)

진혁모, 주방에서 반찬을 만들고 있는데 문이 열리고 진혁이 들어온다.

진혁모　진명이니?

진혁이 들어오는 게 보인다. 진혁모, 엄청 놀라서 서둘러 나온다.

진혁모　이 시간에 어쩐 일이야… (진혁이 얼굴 보니 철렁) 너 아프지.
진혁　많이 아픈 건 아니야. 약 먹었어. 나 좀 잘게. 걱정하지 마, 엄마.

엄마 토닥여주고 들어가는 진혁. 진혁모, 손이 떨린다. 진혁이가 힘들 건 알았지만 막상 아프니까 마음이 많이 안 좋다.

38. 찬이네 골뱅이 안 (낮)

진명이와 대찬이가 샌드위치 먹고 있다.

대찬　사고 친 거 수습해줘서 고맙다고 한턱 쏜다는 건 말이야. 적어도 고기는 먹여줘야 하는 거지.
진명　그 안에 고기 있어. 단백질 짱!
대찬　왜 갑자기 긴축 재정에 들어가는 건가. 왜 하필 지금.
진명　돈 모아야 돼. 진혁이가 호프집 물어줬단 말이야. 돈 모아서 진혁이 줄 거야.
대찬　홍제동 형제애에 감동 먹었어.
진명　그럼 그만 먹어. 이건 내가 다 먹을게.
대찬　니 형 생각하는 거 반의반의반의반의반! 이라도 이대찬을 생각해봐라, 자식아!

진혁부에게 전화가 온다.

진명   이대찬을 장 비서 누나보다 내가 더 사랑할걸? (전화 받으며) 아빠!
　　　　어. 나 대찬이 형 가게. 어. 형이? 어… 알았어요! 네!
　　　　진명, 핸드폰으로 진혁에게 전화를 건다.

대찬   진혁이 왜?
진명   일찍 집에 왔다고 안 바쁘면 가보라고.

진혁이 전화 받기를 기다린다.

39. 진혁 집 진혁 방 (낮)

책상에 기운 없이 앉아 있는 진혁. 핸드폰이 울린다. 수현인가 싶어
얼른 보는데… 진명이다.

진혁   어, 진명아.
(진명)   형! 너 몸살 났냐? (듣는다) 근데 왜 집에 있어, 심심하게. 나와!
진혁   형 좀 쉬려고.
(진명)   그럼 내가 집으로 갈게. 족발 먹을래?
진혁   아니야, 뭘 와. (안 되겠다) 그럼 나 좀만 쉬고 형 가게로 나갈게. 응.
　　　　그래. 이따 봐…. 그래.

전화를 끊는다. 기운이 다 빠진다. 텅 빈 얼굴로 멍하게 앉아 있는
진혁. 수현이 준 인형과 카메라와 구두를 본다. 진혁, 가까이 가서
하나하나 만져본다.

FB/

수현 진혁 씨 만난 모든 날들이… 기적이야. 이런 기적…, 선물 같은 추
억… 깨지게 하고 싶지 않아. (15화 #23)

진혁, 정말 이해되지 않는다. 그래서 괴롭다.

40. 뚜레쥬르 (밤)

장 비서, 주문을 한다.

장 비서 (마카롱 내밀며) 이거랑… (케이크 진열장을 가리키며) 아, 저거 초코
케이크도 주세요.

장 비서, 침울한 얼굴로 기다린다.

41. 동화호텔 대표실 (밤)

소파에 마주 앉아 있는 수현과 장 비서. 장 비서가 사온 마카롱과
초코케이크와 커피가 있다.

장 비서 먹고 기운 좀 내.
수현 왜 다시 왔어.
장 비서 너 종일 이러고 있는데 내가 퇴근이 되니?

수현, 아무것도 먹지 못한다. 장 비서, 포크를 억지로 쥐여준다.

장 비서 이별엔 달달한 거 많이 먹어야 돼. 일부러 초코케이크로 사왔잖아.
먹고 기분 좀 업 시켜!

수현, 피식 웃고 케이크 한 입 먹는다.

수현	맛있네. 고마워.
장 비서	아버진 좀 어떠셔?
수현	괜찮다 하시지….
장 비서	난 솔직히… 이번에 차 의원님 용기 내신 거 속이 시원해. 넌 아버지니까 마음 아프겠지만.
수현	….
장 비서	이젠 소송이고 뭐고 쭉 들어가겠지. 한 방에 정리하신 거잖아.
수현	나 때문에 이제 고생 시작이야….
장 비서	넌 맨날 왜 너 때문이래! 진혁 씨 엄마도 너 때문. 다 너 때문이야?!
수현	… 맞잖아.
장 비서	맞긴 뭐가 맞아. 아버지도 그렇고, 진혁 씨가 너 좋아하는 것도 니가 뭘 어쨌다고. 자기 아들만 귀해?
수현	미진아.
장 비서	몰라. 난 좀 짜증나. 자식 연애에 엄마가 왜 나서?
수현	내가 평범한 사람이 아니니까 그렇지.
장 비서	야! 남다른 게 죄면, 평범한 것도 죄야! 다 쌍방이지, 씨….
수현	나 힘내라고 온 거 맞아?
장 비서	그만할게. 먹어.

수현, 포크를 내려놓는다.

| 장 비서 | 진짜 말 안 할게. 입 꾹! 그러니까 더 먹어, 기집애야. 친구 정성은 안 보이냐? |

수현, 아휴…. 다시 포크를 든다. 장 비서, 속상해 죽겠다.

수현	아빠 일 좀 정리되면… 바로 쿠바로 갈 거야.
장 비서	그냥 여기 있자….
수현	중간 중간 들어올 거야. 아빠도 그렇고… 엄마도 걱정이고. 너도 일 년쯤 휴직해. 사직서는 안 돼.

장 비서	그래. 휴가 내고 쿠바 가서 니 옆에서 늘어지게 놀란다!

수현, 결정한 마음에 변함이 없어 보인다.

42. 찬이네 골뱅이 안 (밤)

진혁, 진명이 테이블에 앉아 있다. 혜인이 맥주 마신다.

혜인	병원 가봤어?
진명	형 진짜 어디 아파서 일찍 온 거야?
진혁	그 정도는 아니야. 약국에서 약 사먹고 좀 잤더니 괜찮아. (혜인에게) 회의는 잘 했어? 공유해주라.
혜인	그냥 좀 쉬어. 내일 회사에서 공유할게.
진혁	다 나았다니까?
진명	진혁이 숨넘어간다, 얘기해줘라.

진명, 일어나 대찬이가 있는 주방으로 간다.

혜인	아이돌 섭외하자는 은진 선배 의견은 아웃 됐고, 올해는 조용하게 내실 있게 가자는 게 대표님 뜻이고. 그래도 섭섭하니 각 호텔마다 인기 사원 투표해서 시상하기로 했어.
진혁	재미있겠다. 투표는 어디서 해?
혜인	홈페이지에서. 후보군은 미리 정리해서 올린대. 서울 본사는… 김진혁 사원이 유력하다던데?
진혁	뭐야… 인기는 박 대리님이 많지.

회사 일 이야기를 지나보낸다.

혜인	너 이렇게 기운 없는 거 처음 보는 것 같아. 힘든 일 있니?
진혁	아니. 너무 얇게 입고 다녔나 봐. 감기 기운 때문에 그래.

진혁, 이 자리도 편하지 않다. 진명, 형에게 무슨 일이 있는 것 같아서 신경 쓰인다.

43. 홍제동 일각 (밤)

진혁, 기운 없는 얼굴로 걸어간다.

(진명)   형!

진혁, 돌아보면 진명이 달려온다.

진명   이거 먹고 자.

진명, 쌍화탕 같은 걸 내민다. 진혁, 진명의 마음이 기특하다.

진명   마시고 따뜻하게 푹 자.
진혁   그래.
진명   간다.

진명, 돌아서 가려는데.

진혁   진명아.
진명   (돌아보면)
진혁   고맙다.
진명   닭살 돋게 왜이래. 가라!

쿨하게 다시 달려가는 진명. 그 모습을 한참 바라보는 진혁.

44. 진혁 집 주방 (밤)

진혁부 얼굴이 무섭다. 진혁모는 어쩔 수 없다는 얼굴이다. 미안함
도 있다.

진혁부　정말 그 사람 만나서 헤어져달라고 한 거야? 왜 그랬어…!

진혁모　내가 못나서 그래. 할 수 없어. 우리 진혁이 다치는 거 못 봐.

진혁부　진혁이 마음은 상관없어?

진혁모　진혁이가 물러설 애가 아닌 거 아니까 그런 거야. 정하면 가는 애잖아.

진혁부, 한숨이 나오고 속상하다.

진혁부　지가 가고 싶은 길이 있어서, 그렇게 정하고 가면 도와줘야지. 도와
주지 못하겠으면 그냥 두든가. 왜 그랬어, 이 사람아!

진혁모　후회 안 해. 시간 좀 지나면 조용해져. 근데 더 나가는 건 안 돼, 여
보. 진혁이도 지금은 힘들겠지만, 살다 보면 다 잊혀져. 다른 사람
만나고 또 좋아지고 결혼도 하고 애 낳고 살다 보면… 이런 날 있었
나 싶게 돼.

진혁부　진혁이가… 그럴 수 있는 사람이야? 그렇게… 살 수 있다고 생각
해? 아들을 그렇게 몰라….

진혁모　그래. 이렇게 만난다고 쳐. 이러다 헤어지면… 진혁이만 다쳐. 난 여
보, 난 그저 평범하게… 지금까지 그랬던 것처럼… 적게 먹고 적게
가져도 웃고 살았던 것처럼… 그렇게 살고 싶어.

진혁부　나랑 당신, 애들 어릴 때 가게 얻을 돈도 없어서 좌판에서 과일 팔
때. 나는 청과 시장 가고 당신은 꼭두새벽에 나가서 좌판 자리 잡
고… 그때… 일곱 살짜리 진혁이가 어린 지 동생 돌보고 살았어, 그
새벽에. 진혁이는 그렇게 버텨줬는데… 부모가 그걸 못 버텨…?!

진혁모　얼마든지 버텨. 자식 일에 부모가 못 버틸 게 뭐가 있어. 이건… 진
혁이만 상처받고 끝날 일이야. 불 보듯 뻔해, 여보….

진혁부　당신… 이번엔 당신, 잘못한 거야.

진혁모 내가 벌 받으면 돼. 나라고 마음 편해? 그 대표라는 사람 가슴 찢어지는 거, 내가 몰라? 그 사람 아프게 한 거… 내가 다 벌 받을 거야. 근데… 우리 진혁이는 안 돼….

카메라 현관을 비추면, 진혁이가 이 모든 걸 다 들었다. 집으로 들어가지 못하고 조용히 다시 나가는 진혁.

45. 홍제동 일각 (밤)

걷고 있는 진혁, 괴롭다. 아… 수현이가 왜 이러는지 알 것 같다.

FB/
수현 우리만 행복한 거니까.
수현 이해 안 될 거야. 알아. 시간이 지나면… 내가 이해됐으면 좋겠어. 그렇게 되지 못한다 하더라도… 괜찮아요. 내가 나빠도 괜찮아. (15화 #23)

고통스러운 진혁. 미칠 것 같다…. 수현에게 전화를 건다. 받지 않는다. 어떡하지…. 앞이 캄캄한 진혁. 장 비서에게 전화를 건다.

진혁 장 비서님. 대표님… 어디 있어요?

간절한 얼굴의 진혁.

46. 동화호텔 대표실 (밤)

수현, 퇴근하려 일어나는데, 대표실 문이 열리고 하얗게 질린 진혁이 들어온다. 놀라는 수현. 이내, 진혁이 얼굴을 보니 너무 반가워서 달려가 안기고 싶다. 하지만, 두 주먹을 꼭 쥐며 참는 수현. 진혁, 수현 앞으로 와 수현을 안는다. 수현, 이대로 그냥 만날 수 있을까….

정말 간절하게 고민하는데… 수현의 눈에 들어오는 진혁 엄마의 균청 병. 수현, 하…. 다시 마음을 다잡고 진혁에게서 좀 떨어진다.

진혁   우리 엄마… 만났다는 말… 왜 안 했어요.

수현   …. (어떻게 알게 됐을까…)

진혁   부모님 말씀하시는 거 들었어요. 엄마가 대표님 만났다고.

수현   그런 일 때문에 헤어지자고 한 거 아니에요. 난 정했어요. 그러니까 이제… 더 마음 아프게 이러지 말아요, 우리.

진혁   어떻게 그래요…. 어떻게 마음이 안 아플 수가 있어, 당신을 못 보는데.

수현, 진혁을 설득해야 한다.

진혁   부모님은… 시간이 필요한 거예요. 우리도 시간이 필요했잖아. 그 시간 지나오니까… 서로 아끼는 마음만 남았잖아요…. 기다려요, 우리. 우리 엄마도….

수현, 진혁이를 어떻게 설득할까…. 자신도 아픈데 진혁이를 설득해야 한다. 균청 병을 가지고 와 책상에 둔다.

수현   어머니께서 균청을 담아주셨어요. 너무 소박하고 예뻐. 돈으로… 살 수 없는 거… 그런 거야.

진혁, 수현이 무슨 말을 하고 싶은지 안다.

수현   그런 걸… 어떻게 깨뜨려…. 난 못 해요, 진혁 씨.

진혁   수현 씨…. (어떻게 설득할까…)

수현, 착한 눈으로 진심을 담아 설득해간다.

수현   우리 집은… 모여서 식사만 해도 기사가 나와. 나… 진혁 씨랑 라면만 먹어도 시끄러웠잖아. 기억나죠…?

진혁   ….

수현   이렇게 소란해, 우리 집이. 내가… 이 소박하고 예쁜 청이랑… 어울려요…?

진혁   내가, 당신이 동화호텔 대표라서 사랑하는 거 같아요? 내가… 당신 아버지가 유명한 정치인이라서 관심 가진 거예요? 아니잖아. 우리 집이, 또 당신 집이 서로 다른 거… 그게 이유가 될 수 없어요…. 다들 달라. 서로 다른 사람들이 서로 닮아가는 게 사랑이잖아…. 다 그렇게 사랑하면서 살아요…. 이러지 말아요, 제발. 난 당신 못 보내….

진혁, 너무나 간절하다. 수현이를 놓을 수 없다.

수현   나 때문에 진혁 씨나… 진혁 씨 소중한 사람들이 지쳐가는 걸 볼 자신이 없어. 진혁 씨를 못 보고 사는 것보다… 그게 더 고통스러울 것 같아요.

진혁, 수현의 마지막 말에는 뭐라고 설득할 수가 없다. 수현의 자신 없다는 말이 진혁을 무너지게 만든다.

수현   미안해요. (진심이 아니다. 하지만) 내가… 못 할 것 같아요….

진혁, 답이 없다. 할 말을 찾지만 깊은 절망으로 결국 아무 말도 할 수 없다. 진혁, 현실을 만난 충격에 한걸음 뒤로 물러난다. 한참을 고민한다. 눈물을 참고 있는 두 사람. 진혁, 결국 조용히 돌아서 나간다. 수현, 조용히 진혁을 보낸다.

47. 거리 (밤)

진혁, 하염없이 걷는다. 차분한 얼굴이다.

FB/

수현   나 때문에 진혁 씨나… 진혁 씨 소중한 사람들이 지쳐가는 걸 볼 자신이 없어. 진혁 씨를 못 보고 사는 것보다… 그게 더 고통스러울 것 같아요. (15화 #46)

진혁모   난 여보, 난 그저 평범하게… 지금까지 그랬던 것처럼… 적게 먹고 적게 가져도 웃고 살았던 것처럼… 그렇게 살고 싶어. (15화 #44)

수현   미안해요. 내가… 못 할 것 같아요…. (15화 #46)

정말 답이 없다. 이젠 정말 헤어져야 하는 건가. 걷던 진혁 멈춰 선다. 뭘 어떻게 해야 할지 모르겠다. 여기가 어딘지도 모르겠고… 결국, 다리에 힘이 풀려 오가는 사람들 사이에 주저앉아 울게 되는 진혁. 이별을 받아들이는 슬픈 오열이다.

48. 수현 집 침실 (밤)

박스에 진혁과 관련된 것들을 담는 수현. 쿠바 샌들….

FB/
수현의 발 앞에 샌들을 내주는 진혁. (1화 #46)

립스틱을 넣는다.

FB/
수현이 내민 손. 달려와 수현의 손에 립스틱을 건네주는 진혁. (4화 #34)

트리 방울을 넣는다.

FB/

진혁　오늘부터 1일 기념으로 하나씩 나눠가져요. (6화 #3)

카메라를 넣는다.

FB/

카메라로 진혁을 찍던 날. 수현의 눈물…. (8화 #18)

진혁의 사진도 넣는다. 카메라 케이스를 보는 수현. 넣는다. 그리고… 필름통의 반지….

FB/

진혁　천천히 다 해줄게요. (11화 #46)

수현, 결국 울음이 터진다. 혼자 고통스러워한다.

49. 진혁 집 거실 (밤)

늦은 밤. 진혁이 들어온다. 진혁모, 소파에서 웅크리고 잠이 들었다. 진혁, 엄마에게 담요를 덮어준다. 진혁이 들어가면, 진혁모 눈을 뜬다. 눈물이 난다.

50. 진혁 집 진혁 방 (밤)

진혁, 침대에 앉아 수현의 구두를 본다. 쿠바에서의 기억들이 떠오른다. 이미 다 울었다고 생각했는데…. 다시 맑은 눈물이 툭… 툭… 떨어진다.

51. 진혁 집 주방 (아침)

진혁모, 아침상을 차린다. 진혁의 방 쪽을 의식한다.

52. 진혁 집 진혁 방 (아침)

넥타이를 고르는 진혁. 수현이 사준 넥타이를 맨다.

(진혁모)　진혁아, 아침 먹어….

엄마의 목소리. 괴롭다. 이해는 하는데… 엄마 목소리가 오늘은 힘들다.

53. 진혁 집 주방 (아침)

진혁부, 진혁이 안 보이자 진혁의 방문을 두드린다. 진혁, 말끔한 얼굴로 웃으며 나온다. 그런 얼굴을 보니 진혁부, 마음이 무겁다. 진혁모도 진혁의 아무렇지 않은 척하는 몸짓에 먹먹하다. 세 사람, 식탁에 앉는다.

진혁　북엇국이네? 아빠 어제 한잔 하셨나?
진혁부　나 아니다….
진혁모　북어가 많이 남아서….

식사를 하는 진혁. 하지만, 밥을 겨우겨우 삼키는 모습이 안쓰럽다. 진혁부, 내색 안 하지만 진혁이 안타깝다. 진혁모, 미안한 마음과 어쩔 수 없다는 마음에 조용히 식사만 한다.

54. 차 의원 집 거실 (낮)

수현이 찾아왔다. 수현모, 매우 힘든 얼굴인데 차가운 기운은 여전하다.

수현모　길게 대화할 기운 없어.

　　　수현, 차가운 엄마가 안타깝다.

수현　삼청동에 작은 미술관 하나가 나왔어. 혼자 운영하기 좋은 미술관
　　　이야.
수현모　지금… 니 아빠 이렇게 된 와중에 그런 걸 왜 여기서 상의해.
수현　엄마가 운영해보는 건 어떨까 해서.

　　　수현모, 기운이 다 빠진다.

수현모　넌 대체 무슨 생각을 하고 사는 거니? 지금이 그딴 거 생각할 때야?
수현　엄마 그림 좋아했잖아.
수현모　지나간 얘기 할 기운 없어.
수현　나 어렸을 때… 엄마 속상한 일 있으면 나 데리고 전시회 가서 한참
　　　동안 그림 봤잖아.
수현모　난 이제 그런 거 몰라.
수현　엄마도 멋있는 사람이었어. 엄마는 내가… 아빠 보면서 신방과 간
　　　거라고 생각하잖아.
수현모　(아무것도 듣고 싶지 않다)
수현　엄마가 멋있어서… 나도 신방과 간 거야.

　　　수현모, 조금씩 균열이 온다. 무너지지 말아야 하는데.

수현　아침 뉴스에 엄마 나올 때마다 매일 봤어, 나.
수현모　…. (그런 날도 있었다)
수현　다시 멋있는 사람으로 살았으면 좋겠어. 갤러리 운영… 생각해봐줘.
수현모　그딴 거 하면서 낭만 찾을 인생은 지나갔어.
수현　이제부터… 다시 시작하자, 엄마. 내가 도울게.

수현모, 수현을 한참 본다. 많은 생각이 지나간다.

수현모   넌 내가 원망스럽지도 않아? 왜 이렇게까지 해.
수현   (진심으로 바라보며) 엄마고… 딸이잖아.

FB/
수현   엄마고… 딸이잖아. 우리 말이야.
수현모   관계가 중요해? 난 가치가 중요해. 쓸모 있는 자식으로 살아. (6화 #15)

외면하고 싶은 수현모. 시선을 돌려 다른 곳을 본다. 수현, 엄마를
안타깝게 바라본다.

55. 장수 과일 (낮)

진혁부, 핸드폰으로 차 의원 기사 본다. 수심이 깊다. 진혁모, 도시
락 가지고 온다.

진혁모   식사해요.
진혁부   둬. 나중에 먹을게.
진혁모   식어. 따뜻할 때 식사해요.

진혁모도 힘들지만 애써 꿋꿋하게 버티고 있다.

진혁부   나중에 먹는다니까….
진혁모   내 욕해도 돼. 그래도 난… 이렇게 사연 많은 사람… 진혁이 곁에
          두고 싶지 않아.
진혁부   (참다가 하는 말) 인생이지, 사연이야?

진혁모, 수긍하지 않는다. 조용히 도시락만 내놓고 있다. 진혁부는
진혁모를 안타깝게 바라본다. 이해하고 있다.

56. 동화호텔 홍보실 (낮)

진혁, 일에 집중 못하고 있다.

박 대리   진혁 씨, 우리 나가서 점심 먹을래?

진혁, 모니터만 보고 있다.

혜인   김진혁 씨.

그제야 정신 차리는 진혁.

박 대리   조퇴가 아니라 휴가 써야 되는 거 아냐? 요즘 진혁 씨 안 좋아 보인다. 나가서 곰탕 먹자. 내가 쏠게.

은진   나도.

혜인   그럼 오랜만에 다 같이 나가요. 부장님, 같이 가실 거죠?

김 부장, 진혁이를 근심 어린 눈으로 본다.

57. 회상—동화호텔 대표실 (아침)

김 부장, 놀란 얼굴. 수현 차분하게 웃는다.

김 부장   쿠바요?

수현   아무래도 큰 사업이라… 완공 때까지 가 있을까 해요.

김 부장   거긴… 이 과장도 가 있고… 굳이 대표님이 그렇게 오래….

수현   자주 들어올 거예요. 해서, 호텔 일은 부장님이 제일 잘 아시니까…. 총괄팀으로 이동하셨으면 해요. 부장님께 맡겨야 마음이 편할 것 같아요.

김 부장 무슨 말씀이세요…. 제가 그럴 능력도 안 되고…. 쿠바는 이미 전문
인력이 잘 진행해가고 있잖아요, 대표님.

수현의 알 수 없는, 그러나 무거운 미소.

58. 현재-동화호텔 홍보실 (낮)

김 부장, 진혁이 왜 힘든지 뭔가 감이 온다. 진혁, 곤란하다.

진혁 전 아침을 너무 많이 먹어서요. 다녀오세요.
박 대리 이거 봐. 입맛도 없어진 거야?
진혁 진짜 아침을 많이 먹었어요. 아직 소화도 안 돼서…. (어색하게 웃는다)

혜인, 아무래도 진혁에게 무슨 일이 있는 것 같아 걱정이다.

59. 동화호텔 대표실 (낮)

정 이사가 찾아왔다. 수현과 이야기 중이다.

정 이사 마음고생 심하지?
수현 아빠가 고생이시죠, 저야….
정 이사 말 안 해도 알아.
수현 무슨 일로….
정 이사 음… 정우석 대표 지분 말이야.
수현 ….
정 이사 태경 쪽 주주들 지분을 정리해서 가지고 있는 거 알지?
수현 ….
정 이사 그 지분… 차 대표한테 넘긴다고 하는데. 어때…?

수현, 생각을 한다.

수현	그냥 두시죠.
정 이사	수현아. 우석이가… 그래도 너 생각해서….
수현	다 알아요.
정 이사	?
수현	정 이사님이 왜 우석 씨 공동 대표로 들어오는 거 찬성하셨는지… 저도 알게 됐어요.
정 이사	… 서운했지?
수현	말씀 못하신 거 이해해요.
정 이사	그래. 다 안다니까 편하게 말할게. 지분 받아. 차 의원님이랑 태경이랑 이렇게 된 이상… 호텔 회수 소송 같은 건 의미가 없어지지 않겠어? 이참에 지분도 확보하고….
수현	아니요. 지분, 자산 권리…. 그런 거 중요하지 않아요. 그냥… 제가 동화의 일을 계속 할 수 있는 게 의미 있는 거예요. 태경에서 시작된 호텔인 건 사실이니까, 정우석 대표 지분은 그대로 두세요. 제가 받을 건 아닌 것 같아요.

정 이사, 수현의 마음가짐에 또 한 번 인정하게 되는 눈빛.

60. 동화호텔 회의실 (낮)

진혁이 들어온다. 김 부장이 있다. 진혁, 왜 불렀나…. 의아한 얼굴이다. 테이블에 식빵과 음료가 있다.

김 부장	나랑 같이 먹어요.
진혁	저 때문에 다시 오신 거예요?
김 부장	난 곰탕 별로야. 앉아요.

진혁, 마주 앉는다. 음료수를 내주는 김 부장. 진혁에게 빵을 떼어준다. 진혁, 손에 들고 먹지는 못하고 어색하다. 김 부장, 빵을 먹으며 진혁의 눈치를 좀 보더니.

김 부장	사적인 질문이 있어서 불렀어요.
진혁	(본다)
김 부장	대표님께서… 쿠바로 긴 출장을 가신대요.
진혁	!!!
김 부장	아무래도 이상해서…. 진혁 씨, 대표님이랑 무슨 일… 있어요?

진혁, 아무 대답을 할 수 없다. 그냥 빵만 만지작거리고 있다.

김 부장	완공 때까지 쿠바에 계시겠다는데…. 여기 호텔 두고 그럴 분이 아니거든. 두 사람, 혹시….
진혁	부장님. 저… 죄송합니다…. 먼저 일어나도… 될까요?

김 부장, 눈치를 챘다. 마음이 안 좋다.

김 부장	그래요. 괜찮아.

진혁, 인사하고 일어나 나간다. 김 부장, 하…. 한숨이 나온다.

61. 동화호텔 일각 (낮)

진혁, 마음이 혼란스럽다. 어쩔 줄 모른다.

진혁	왜 쿠바를… 하….

자신이 어떻게 해야 좋을지 너무나 힘겨운 진혁.

62. 동화호텔 대표실 (밤)

퇴근하지 않고 책상에 그림처럼 조용히 앉아 있는 수현. 노크 소리 들리고 남 실장이 들어온다.

(점프)

소파에 마주 앉아 있는 수현과 남 실장.

남 실장	아버지가… 큰마음 먹으신 거 알지?
수현	알아요.
남 실장	아무나 못 하는 거야. 정치 시작하고 여기까지 와서… 이런 결정하는 거. 아무나 못 해.
수현	… 네.
남 실장	이렇게까지 용기 내주는데… 니가 흔들리면 되겠니.
수현	괜찮아요, 저. 아빠가 걱정돼서 그런 거예요.
남 실장	그런데 왜 헤어져.

수현, 주춤…. 말 못한다.

남 실장	미진이한테 들었어. 뭐… 미진이가 말 안 해도 눈치 다 채고 있었고.
수현	… 아빠 일 때문에 헤어진 거 아니에요.
남 실장	수현아.
수현	네.
남 실장	아빠가 진혁 씨 만난 거 모르지?

수현, 놀란다. 두 사람이 만났다고….

FB/

진혁	그래도… 나는 당신 곁에서 당신 지켜야 해. 그러기로 약속했으니까. (15화 #23)

수현, 진혁이 한 말이 어떤 뜻인지 새삼 느낀다.

남 실장	이런 일 시작하려고 진혁 씨한테 너 잘 부탁한다고 한 것 같은데… 니가 이러면 아빠가 얼마나 걱정하겠어. 왜 헤어져. 아빠는 너 홀가

분하게 살라고 용기를 냈는데.

수현, 아빠의 마음과 진혁의 생각에 눈물이 고인다. 하지만….

수현　　내가… 이기적인 것 같아서요.
남 실장　다 참고 살아온 니가 뭘 이기적이야!
수현　　그냥… 내 존재 자체가… 누군가에겐 짐이 될 수 있으니까요.

수현, 온 힘을 다해 참아내고 있다. 남 실장, 수현의 말이 무슨 의미
인지 안다. 그래서 그냥 깊은 한숨만 나온다.

63. 버스 정류장 (밤)

진혁이 버스를 기다린다. 버스가 오는지 마는지 아무 생각이 없이
앉아 있다. 수현의 자동차가 지나간다.

/수현의 자동차 안.
남 실장, 수현의 심기를 살피는데, 수현은 눈을 감고 안 본 듯하다.
/진혁, 버스 탈 생각도 없이 일어나 그냥 걸어간다.

64. 진혁의 몽타주

/진혁 집 앞. 밤이다. 진혁, 집에 들어가려다 만다.
/찬이네 골뱅이 앞. 여기도 막상 들어가지 못하는 진혁. 발길을 돌
린다.
/어느 커피숍에 앉아 있다. 손님이 아무도 없다. 직원이 다가와 폐
점 시간이라고 안내한다. 마지막 손님인 진혁, 일어난다.

이 선생과 찻잔을 앞에 두고 앉아 있는 진혁. 이 선생, 망가진 진혁
의 얼굴에 가슴이 아프다.

이 선생   뉴스가 난리더라. 그 사람… 괜찮니?

진혁   … 모르겠어요. 알 수가… 없어요.

이 선생   (헤어졌구나…)

진혁   그 사람이 제일 힘든 시간인데…. 저는 할 수 있는 게 없어요.

이 선생   우리랑 참 다른 일들이라….

진혁   헤어지재요. 아니…, 그 사람은 이미 저랑… 헤어졌어요.

이 선생   너는….

진혁   (눈물이 고인다) 저도 이제… 헤어져야죠.

이 선생을 슬프게 바라보는 진혁.

이 선생   좀 더 기다려보자. 시간이 필요할 뿐이야.

진혁   … 그러겠다고 마음먹었는데, 그 사람 마음이… 저를 설득해버렸어
요.

이 선생   ….

진혁   선생님. 저는… 제가 그 사람… 높고 깊은 성에서 데리고 나온 거라
고 생각했어요. 그런데 그 사람 말을 들어보니까… 그 사람은 내 곁
에서 또 성에 갇히겠구나. 그런 생각이 들었어요.

이 선생   어떤… 성?

진혁   죄책감이라는 성. 자기 때문에 모두 힘들구나…, 지켜보는 죄책감.
그런 죄책감에 또 갇히게 되면… 이 사랑이 무슨 의미가 있어요….
그래서… 그 사람… 보내주려고요.

진혁, 이제 정말 이별을 정한다. 힘겨운 진혁.

66. 동화호텔 일각 (낮)

진혁, 서류철 들고 걷고 있다. 앞쪽에서 수현과 장 비서가 온다. 진혁, 얼마 만에 보는 수현인가…. 수현도 진혁을 본다. 오랜만에 본다.

(진혁) 얼굴이 그게 뭐예요….
(수현) 아픈 건… 괜찮아요…?

하지만 수현, 무심한 얼굴로 지나간다. 진혁도 목례. 그러나 숙인 얼굴을 얼른 들지 못하는 진혁. 천천히 고개 들고, 멀어져가는 수현을 보는 진혁.

67. 동화호텔 홍보실 (밤)

아무도 없다. 늦은 시간. 진혁이 혼자 책상에 앉아 있다. 깊은 생각에 잠겨 있다.

FB/
김 부장 완공 때까지 쿠바에 계시겠다는데…. 여기 호텔 두고 그럴 분이 아니거든. (15화 #60)

카메라가 컴퓨터 모니터를 비추면, 사직서 양식이 떠 있다. 진혁, 키보드 위에 손을 올려 둔 채 한 번 더 고민. 이내 마음을 정하고 한 자… 한 자… 사직서를 채워나간다.

소속/ 동화호텔 본사 홍보팀
직위/ 사원
성명/ 김진혁
사직 사유/ ……

진혁, 사직서를 적어나가던 손을 멈춘다.

FB/
진혁   차수현이 좋아했던 친구들처럼 멀어질 수도, 사라질 수도 없어요. (사이) 나는 온통 차수현이니까.
진혁   내가… 당신이 잠드는 그날까지 당신 곁에서 지킬 거야.
진혁   천천히 다 해줄게요. (11부 #46)

진혁   이젠 상상도 안 돼. 당신 없는 시간들은… 내 시간이 아니야. 나랑 오래오래… 같이 살아요. (13부 #28)

진혁, 적고 있는 사직서 양식을 지워버린다. 핸드폰을 꺼내 전화를 건다.

진혁   장 비서님. 대표님 지금 어디 있어요?

68. 동화호텔 대표실 (밤)

수현, 부케를 보며 멍하게 앉아 있다. 괴로움에 눈을 감는다.

69. 동화호텔 홍보실 (밤)

진혁, 일어난다. 단단히 마음을 먹고 홍보실을 걸어나간다.

70. 동화호텔 복도 (밤)

진혁, 흔들림이 없는 얼굴과 걸음이다. 힘 있게 수현에게 걸어가는 진혁의 모습.
엔딩.

16 화

제 인생에
새드는 없습니다

1. 동화호텔 홍보실 (밤)

진혁, 모니터 속 사직서 위에서 깜박이는 커서를 보고 있다. 눈물이 가득해서 바라보고만 있다. 진혁, 이렇게 헤어질 수는 없다. 일어난다.

2. 동화호텔 대표실 (밤)

수현, 당황하고 놀란 눈으로 책상에 서 있다. 앞에 진혁이 서 있다.

수현　아직… 퇴근 안 했어요? 난 지금 퇴근하려던 참이라….

수현, 이 자리를 벗어나려 허둥대는데.

진혁　나… 당신 이해해요. 헤어지려는 마음 충분히 이해해.

수현　… 남 실장님 기다리고 계셔서….

진혁　내 말 듣고 가요.

수현　….

진혁　나는, 당신이랑 헤어질 수 없어요.

수현　진혁 씨….

진혁　당신은 당신이 원하는 대로… 가도 돼. 근데… 나한테도 같은 걸 기대하지 말아요. 난 약속 지킬 겁니다. 내가 당신에게 했던 그 많은 말들, 약속들…. 지켜나갈 거예요.

수현　힘든 결정을 하고 있어요.

진혁　힘든 거 알아요. 서운하지 않아. 하지만 이건 알아야 해. 당신은 이별을 해요, 난 사랑을 할 겁니다. 다시 내기해요. 당신의 이별이 이기는지, 나의 사랑이 이기는지.

수현, 진혁의 단호한 모습에 말을 잇지 못한다. 수현은 여전히 진혁
의 손가락에 자리 잡고 있는 커플링을 보고, 진혁은 수현의 손가락
에 커플링이 없는 걸 본다. 진혁, 가슴 아프게 수현을 바라본다.

진혁 조심해서 들어가요. 내일 봐요.

진혁, 돌아서 나간다. 수현, 진혁이 나가자 자리에 털썩 앉는다. 진혁
의 말처럼 이별하고 싶지 않은 수현. 하지만… 돌이킬 자신이 없다.

3. 수현 자동차 안 (밤)

수현, 힘든 얼굴이다.

FB/
진혁 당신은 당신이 원하는 대로… 가도 돼. 근데… 나한테도 같은 걸 기
대하지 말아요. 난 약속 지킬 겁니다. 내가 당신에게 했던 그 많은 말
들, 약속들…. 지켜나갈 거예요. (16부 #2)

남 실장, 수현의 걱정 많은 얼굴을 룸미러로 본다. 답답한 남 실장.

4. 이 선생 집 안 (밤)

진혁과 이 선생 마주 앉아 있다. 이 선생, 진혁의 안색을 살핀다.

이 선생 심란하구나?
진혁 ….
이 선생 결국… 헤어졌어?
진혁 그렇게 해주는 게 그 사람 위한 건가 고민을 많이 했는데…. 그게
답이 아닌 것 같아요. 못 헤어진다고 했어요.

웃는 진혁.

이 선생   그래도 머리는 아픈가 보다?
진혁   어떻게 하고 있는지 볼 수가 없으니까… 걱정이 돼서요.

이 선생, 진혁의 마음이 안쓰럽다.

이 선생   암실 작업한다고?
진혁   네.

진혁, 가방에서 필름 뭉치들을 꺼낸다.

5. 이 선생 집 암실 (밤)

/진혁, 필름을 끼워 원하는 사진들을 현상 작업한다. 어떤 사진인지
는 보이지 않는다. 하나하나 공을 들이며 집중하는 진혁.
/환하게 불 켜진 암실. 진혁, 카메라를 들고 어떤 사진들을 한 장 한
장 찍는다. 사진을 사진 찍는 진혁. 간절한 마음으로 준비해나간다.

6. 검찰청 앞 (낮)

취재진들 모여 있다. 수현모가 등장한다.

기자1   태경에서 직접 정치 자금을 받으셨습니까?
기자2   현재 심경 좀 말씀해주시죠!

수현모는 아무 대답도 하지 않고 차갑게 들어간다.

7. 태경그룹 김 회장 집무실 (낮)

피가 솟구치는 김 회장. 어쩔 줄 몰라 한다.

8. 동화호텔 대표실 (밤)

텔레비전 모니터로 뉴스를 보는 수현. 표정이 굳어 있다. 수현모가 검찰 조사를 마치고 나와 차에 타는 장면. 검찰청 앞에서 보도를 전하는 기자3.

기자3 문화당 차종현 의원의 부인 진미옥 씨가 오늘 밤 검찰 조사를 마치고 귀가했습니다. 지난 2008년 재선 당시, 태경그룹 김화진 회장으로부터 직접 정치 자금을 받은 바 있다고 밝힌 진 씨는, 태경그룹 계열사였던 썬라이즈 호텔 스위트룸에서 자금이 오갔다고 증언했습니다. 이후 당시 썬라이즈 호텔에서 근무했던 매니저 이 모 씨가 해당 날짜에 진미옥 씨를 김화진 회장의 룸으로 직접 안내했다는 결정적 제보가 이어지며 진 씨의 증언에 힘이 실렸습니다. 태경그룹은 압수 수색 이후로도 혐의를 완강하게 부인하고 있지만, 이로써 차종현 대표의 구속과 김화진 회장의 검찰 출두는 불가피할 것으로 보입니다. 한편 최근 문화당과 한천당의 합당이….

수현, 뉴스에 연속으로 나오는 수현모의 모습을 바라본다. 초조하고 불안한 마음에 괴로운 수현. 수현모에게 전화를 건다. 받지 않는다. 차 의원에게 다시 전화한다.

9. 차 의원 집 거실 (밤)

차 의원 집 TV에도 뉴스가 나오고 있다. 수현모의 검찰 출두 모습들. 안타깝기도 하고, 여러 가지 감정이 섞인 표정으로 뉴스를 보고 있는 차 의원. 수현에게 전화가 온다.

(수현)   아빠! 집이세요? 저 지금 갈게요!

차 의원   아냐, 오지 마. 기자들 있어. 너무 걱정하지 마…. 바로잡아가는 거
          야. 속상할 일 아니야, 수현아.

(수현)   혼자 계시잖아요….

차 의원   엄마 곧 오겠지. 엄마랑 얘기도 좀 해야 할 것 같고. 오늘은 그냥 있
          자….

차 의원, 놀라서 어쩔 줄 몰라 하는 수현의 마음이 안타깝다.

10. 진혁 집 진혁 방 (밤)

핸드폰으로 수현모의 기사를 보고 걱정이 큰 진혁. 수현에게 전화
하려고 핸드폰을 들었다가, 참는다. 수현과 함께 마음이 타들어가는
진혁.

11. 차 의원 집 주방 (아침)

수현모, 밥상을 차리고 있다. 따뜻한 찌개를 끓여 내놓는다. 차 의
원, 나와서 밥상을 본다.

차 의원   당신이 만든 거야?

수현모   아침 드세요.

수현모, 닥쳐올 일들에 마음이 무겁다. 차 의원, 고맙기도 하고 착잡
하기도 한 마음으로 식탁에 앉는다. 첫 술을 뜬다. 맛이 좋다.

차 의원   좋네. 당신도 같이 식사합시다.

수현모, 그럴 생각이 없었지만, 어쩌면 마지막일지 몰라 식탁에 앉
는다. 조용히 식사를 이어가는데, 초인종 소리. 수현모는 가슴이 철

령. 차 의원은 의연하게 식사한다. 수현모, 인터폰 화면을 보면 검은 양복을 입은 검찰 사람들 보인다. 예상은 했지만 두렵고 눈물이 맺히는 수현모. 차 의원, 그런 수현모 곁으로 와 다독인다.

12. 수현 자동차 안 (아침)

초조한 얼굴의 수현. 시계만 보며 어쩔 줄 모른다.

수현   아저씨, 빨리요. 아빠 얼굴 봐야 돼요.

남 실장도 애가 탄다. 속도를 내며 달리고 있는데 남 실장 핸드폰이 울린다. 블루투스 이어폰으로 전화 받는다.

남 실장   어, 박 기자. 어, 그래. 그래….

남 실장, 하…. 기운이 다 빠지는 얼굴. 수현, 불안하다.

수현   아저씨….
남 실장   수현아. 아버지… 구속되셨단다….

하…. 무너지는 수현. 예상은 했지만 눈물이 난다.

수현   어떡해요…. 아빠 얼굴도 못 봤는데….

마음이 너무 아파서 눈물만 흐른다.

13. 동화호텔 일각 (아침)

진혁, 서류 들고 이동 중이다. 지나가던 직원의 말이 들린다.

(직원) 어머. 구속됐네…. 대표님 아버지 구속이래.

진혁, 걸음을 멈춘다. 핸드폰을 열어 기사를 본다. 차 의원의 검찰 출두 사진과 함께.

인서트/ 기사 속보. '차종현, 결국 구속'

진혁, 눈앞이 캄캄하다. 예상한 일이지만 손에 땀이 난다. 습관처럼 핸드폰 열어 수현에게 문자를 보내려 한다. 조금 망설인다. 하지만 진혁, 문자를 보낸다.

진혁 문자 수현 씨. 두렵죠…? 많이 울지는 말아요. 당신을 사랑하는 사람들, 우리 마음을 잊지 말아요. 다… 잘될 겁니다.

진혁, 다 잘될 거다. 초조하고 걱정되지만 의연함으로 기다린다.

14. 수현 자동차 안 (아침)

수현, 눈물이 멈추지 않는다. 진혁의 메시지를 본다. 울지 말라고 했는데 문자를 보니 더 마음이 아프다. 그래도 힘을 내는 수현.

수현 이촌동으로 가요, 아저씨.

15. 차 의원 집 거실 (낮)

수현과 수현모가 소파에 앉아 있다. 식탁에는 식사를 하다 만 흔적이 그대로 있다. 수현모는 버티고 있지만 얼굴은 두려움으로 가득하다. 수현, 자신도 힘들지만 엄마가 걱정이다.

수현 식사는 좀 했어?

수현모	검찰 사람들이 왔어. 아빠 식사 시작하는데⋯. 밥이라도 먹고 갔으면 좋았을 텐데⋯. 오늘 처음으로 밥했단 말이야. 니 아빠⋯ 미워죽겠다.

그러면서도 결국 눈물을 보이는 수현모.

수현	엄마, 힘내야 돼. 재판 진행되는 동안 힘든 일 많을 거잖아.
수현모	내가 원망스럽지, 너도.
수현	엄마가 아빠 뜻 따라서 나서줄 줄은 몰랐어.
수현모	한 번은⋯ 엄마처럼 해야 될 것 같아서. 감동할 건 없어. 아직도 백 번은 후회하는 중이야.

수현, 그렇게라도 버티는 엄마를 보며 안타까워한다.

수현	재판 끝나면⋯ 여행 가자, 엄마.
수현모	우리 집이 그런 게 어울리기나 해? 호텔이나 잘 지켜. 니 아빠⋯ 정치인 양심 어쩌구 하지만⋯ 너 태경에서 지키겠다고 뛰어든 거야.
수현	⋯ 아빠도 없는데. 여기 혼자 있기 괜찮아? 호텔에 룸 내줄게.
수현모	다 귀찮다. 사람들 눈에 드는 것도 싫고. (수현 보며) 나 독한 거 알잖아. 죽기야 하겠니. 가봐.

수현, 곁을 내주지 않는 엄마가 안타깝다. 더 외로워지는 수현.

수현	엄마.
수현모	⋯.
수현	이럴 땐 있잖아. 서로 힘들고 괴로워도⋯ 괜찮아, 다 잘될 거야, 우리 힘내자⋯ 그런 말 해주면 좋겠어.
수현모	부질없는 말이 무슨 의미가 있어.
수현	우리도 연습하자. 다들 그렇게 하고 살더라. 어색해도⋯ 부질없어도⋯ 연습하면서 살자, 엄마.

수현모, 뭐라 대답하지 않는다. 수현, 그래도 엄마를 원망하지 않는다. 그저 안타까울 뿐이다.

16. 홍제동 일각 (밤)

퇴근하는 진혁. 무거운 발걸음이다.

(진혁모)　진혁아.

진혁, 고개 들어보면 진혁모가 애처롭게 서 있다.

진혁　엄마. 왜 여기 있어, 추운데.

진혁, 가까이 와 진혁모를 보니 추위에 꽁꽁 언 것 같은 엄마의 얼굴이 보인다. 얼른 손을 잡아 녹여주는 진혁.

진혁　얼마나 있었던 거야…. 다 얼었잖아.
진혁모　답답해서 산책하다가….
진혁　들어가자, 춥다.
진혁모　진혁아.

진혁모, 할 말이 있는 듯하다.

17. 카페 (밤)

진혁과 진혁모, 커피를 마시고 있다. 진혁모, 진혁의 얼굴을 잘 보지 못하겠다. 진혁은 엄마의 고민을 알 것 같다.

진혁　좀 마셔요. 몸이 다 얼었어, 엄마.

진혁모, 차를 마신다.

진혁	이렇게 추운데 산책했어?
진혁모	너 기다렸어. 할 말이 있어서.
진혁	…. (엄마가 무슨 말을 할지 알 것 같다)
진혁모	사실은… 사실은 엄마가….
진혁	엄마.
진혁모	(본다)
진혁	나 다 들었어.
진혁모	!
진혁	엄마랑 아빠랑 하는 말… 듣게 됐어.
진혁모	근데도… 모른 척해온 거야?

진혁모, 진혁의 마음 씀씀이에 가슴이 내려앉는다.

진혁	처음에는 당황스럽고… 마음도 아프고 했는데, 엄마는 그럴 수 있겠다 싶어서.
진혁모	엄마가 원망스럽지…?
진혁	… 아니야. 그럴 수 있어.

진혁, 엄마가 죄인처럼 고개 숙이고 있는 것이 안쓰럽다. 진혁모의 손을 가져다 잡고 토닥이는 진혁.

진혁	엄마는… 아직 잘… 모르니까… 그럴 수 있을 거 같아.
진혁모	…?
진혁	엄마는… 내가 그 사람 얼마나 사랑하는지, 그 사람이 내 인생에 어떤 의미인지… 아직 잘 몰라서 불안했을 것 같아.
진혁모	… 얼마나… 사랑하는데…. (제발 진혁아) 니 인생에 어떤 의미인데?
진혁	엄마랑, 아빠랑… 진명이만큼 사랑해.
진혁모	…. (조금씩 무너진다)

진혁	그 사람은 그냥… 나야. 나 김진혁이야.
진혁모	…!
진혁	헤어지자는 말을 들었어.
진혁모	(눈물이 고인다)
진혁	그래서 마음이… 많이 아파.
진혁모	(점점 더 미안해진다)
진혁	헤어지고 할 때… 그 사람, 엄마 걱정을 했던 것 같아. 우리 집은 소박하지만 돈으로 살 수 없는… 그런 예쁜 거래. 그래서 그것들이 깨질까 봐 두렵대. 그래서 헤어지고….
진혁모	엄마가… 미안해서 어떡하니….
진혁	엄마 마음도 사랑이고…, 그 사람 마음도 사랑이야. 그래서 엄마, 난 이 두 사랑을 어떻게든 지킬 거야.
진혁모	…!!!
진혁	엄마가 이해하실 때까지, 그 사람이 죄책감에서 자유로워질 때까지… 기다릴 거야. 내 자리에서.

진혁모, 진혁의 흔들리지 않는 깊은 사랑을 본다. 눈물을 흘리는 진혁모.

진혁모	엄마는… 무서웠나 봐.
진혁	(본다)
진혁모	아빠한테는 너 다칠까 봐 싫다고 했는데…, 사실은 엄마가 무서웠나 봐. 엄마 밉다고 해도 괜찮아.
진혁	… 나 엄마 사랑해….

진혁, 진혁모가 죄책감에 살게 될까 봐 마음이 쓰인다. 진혁모, 다 자신의 탓이라 생각되어 괴롭다.

18. 수현 집 드레스 룸 (밤)

수현이 들어온다. 핸드백을 두고… 옷을 갈아입으려다 힘이 빠진다. 큰 한숨을 쉬는 수현. 한쪽에 진혁과의 물건을 담아둔 상자를 본다.

FB/
진혁의 손가락에 여전히 있는 커플링. (16부 #2)

수현, 상자를 테이블 위에 올려두고 뚜껑을 열어 필름통을 찾아 든다. 가만히 꼭 쥐고 있는 수현. 다시 꺼내지는 못한다.

수현   (이겨내려는 주문처럼) 원래 다 별로였어. 처음부터 다 별로였던 거야.

하지만 수현, 쓰러질 듯 고통스럽다.

19. 라면집 (낮)

진혁과 남 실장, 점심을 먹고 있다. 남 실장, 여러 가지로 답답한 얼굴이다.

남 실장 점심 산다고 해서 아침도 살살 먹었는데 라면이야. 둘 다 라면 되게 좋아해.
진혁   다음에는 빈대떡 사드리겠습니다.
남 실장 난 진혁 씨랑 먹는 건 다 좋아. (해놓고) 떡이라도 넣지….

진혁, 여전히 웃음을 보여주는 남 실장에게 고맙다.

진혁   저… 대표님 아버님… 어떻게 지내시는지 걱정이 돼서요.
남 실장 내가 들어가봐서 아는데, 힘들지. 먹고 지내는 것도 힘들지만 마음이 뭐….

진혁	혹시 뵙게 되면… 대표님은 걱정하지 마시라고 전해주세요. 어떤 소식을 듣게 되셔도… 그냥 과정이라고….
남 실장	뭐, 수현이가 헤어지자고 한 거?
진혁	….
남 실장	차 대표 저렇게 마음먹는 거…, 이해하지? 차 대표가 심성이 그래. 자기가 참아서 다른 사람들이 편하면 그게 맞다고 생각하는 사람이라. 그러니까 진혁 씨가 속상해도….
진혁	과정이에요. 다 잘되기 위한 과정.
남 실장	믿어야지, 뭐. 진혁 씨도 힘들지? 수현이가 철벽을 치고 저러니까….
진혁	괜찮습니다. 제가 이길 거니까.
남 실장	뭘 이겨야 하는 건지 모르겠지만 해피하게 가는 거다?
진혁	그럼요. 제 인생에 새드는 없습니다. 그래서요, 남 실장님….

뭔가를 부탁하려는 진혁. 남 실장, 뭐든 들어줄 얼굴이다.

20. 동화호텔 회의실 (낮)

팀원들 모두 빵과 음료를 먹고 마시며 회의 중이다.

은진	근데요. 우리 대표님 아버지 그렇게 되신 건 안타까운데… 호텔 이미지는 괜찮을까요?
김 부장	그게 호텔 이미지랑 무슨 상관이 있지?
은진	아니…. 호텔은 고객 만족이 최우선인데 정치 자금 그런 게 좀….
혜인	호텔 이용객 수는 더 늘었어요.
은진	호기심 아닐까?
박 대리	호텔이 걱정이 아니라 나는 대표님이 걱정이다. 얼마나 속이 탈까? 아버지가 감옥에 갔잖아.

진혁, 이들의 말에 말을 얹지 않는다.

김 부장	웨딩 상품 릴리스된 것 좀 볼까요?

분위기 넘겨버리는 김 부장. 진혁, 잡지에 난 기사를 펴서 김 부장에게 보여준다.

진혁	원래는 1면짜리 기사였는데 2면으로 진행했어요. 제가 잡지사에 찾아가서 사진을 더 넣어달라고 부탁했어요.
김 부장	일을 이렇게 하자고, 분위기에 휩쓸리지 말고. 창립 기념 축하 영상은 누가 편집하고 있지?
진혁	박 대리님께서 1차 편집해주셔서 제가 음악 넣는 작업하고 있어요.
박 대리	편집 예술로 했습니다!
김 부장	정말 예술 맞아?

박 대리, 잘난 척하는 얼굴. 진혁, 예술 맞다는 표정으로 박 대리를 본다.

21. 동화호텔 주차장 (밤)

수현이 자동차에 오른다. 무심코 운전석을 보는데 진혁이다. 수현, 난감하다. 진혁, 수현을 돌아보며 무리하지 않게 웃어 보인다.

수현	(다시 내리려 하며) 내가 해요. 내려요.
진혁	운전만 할게요. 난처하게 하려고 온 거 아니에요.
수현	… 진혁 씨, 나는….
진혁	뭘 어떻게 하자고 온 거 아니야. 괴롭게 할 마음 없어요. 집까지 편하게 데려다주고 싶어서요. 그건 하게 해줘요. (기어 넣으며) 갈까요!

진혁, 억지로 용기를 내며 무거운 분위기를 이겨내려 한다. 수현, 뭘 어떻게 해야 할지 모르겠다. 출발하는 자동차.

22. 수현 자동차 안 (밤)

도로를 달리고 있다. 진혁은 수현이 불편하지 않게 말을 걸지 않는다. 수현도 아무 말도 할 수 없다. 서로 조용히, 그저 한 공간에 있다.

23. 수현 집 주차장, 수현 자동차 안 (밤)

진혁, 차를 세운다. 수현, 내릴 준비한다.

수현   고마워요. 그럼…. (내리려는데)
진혁   이거.

수현, 진혁을 보면, 진혁 손에 필름통 하나가 있다. 수현, 뭘까… 다시 만나자는 걸까…. 주춤하며 바라보기만 한다.

진혁   (흔들어 보이며) 반지 그런 거 아니에요. (웃고) 정말 필름이야….
수현   (받지 않는다)
진혁   수현 씨가 꼭 봤으면 하는 사진들이에요.
수현   미안한데… 그냥 가져가요.
진혁   가지고 가요. 당신만 모르는 차수현이 여기 있어요.

수현, 매몰차게 내리지 못한다. 필름통을 받는다. 진혁, 다행이다. 수현, 조용히 차에서 내린다.

24. 진혁 집 진혁 방 (밤)

수현을 데려다주고 온 진혁. 그대로 침대에 걸터앉는다. 책상에 놓인 필름들을 본다. 수현이 그 필름을 꼭 봤으면 좋겠다.

25. 수현 집 거실 (밤)

필름통을 손바닥에 놓고 보는 수현. 열어본다. 정말 필름 롤이 들어 있다. 궁금하지만 다시 통에 넣어서 거실 탁자 위에 놓는다.

26. 진혁 집 주방 (낮)

진혁모, 열심히 반찬을 만들고 있다. 진명이 방에서 나와 이 모습을 본다.

진명　　엄마 오랜만에 장 봤어? (반찬 집어먹으며) 음, 맛있다!
진혁모　짜. 밥이랑 먹어.
진명　　나 씻고.

진명, 욕실로 간다. 진혁모 정성을 다해 반찬을 만든다.

27. 동화호텔 커피숍 (낮)

수현과 진혁모가 마주 앉아 있다. 수현, 차분하게 말을 기다린다.

진혁모　요즘… 힘들 텐데… 저까지 만나자고 해서 불편하시죠…?
수현　　아니요. 괜찮아요. 여기까지 와주셨는데요.
진혁모　… 아무래도… 내가 잘못한 것 같아서요.
수현　　…!
진혁모　진혁이가 나도… 사랑이고, 대표님도… 사랑이래요. 그래서 그 사랑 다 지킬 거라고.
수현　　(마음이 아프다. 고개를 숙인다)
진혁모　두 사람 마음인데 내가 걱정이 앞서서… 미안합니다.
수현　　아닙니다. 어머님 잘못이 아니에요.
진혁모　나 때문인데요….

수현	어머님. (진심을 담아) 제가… 어머님 말씀 때문에 헤어진 거라면… 매일매일 어머님 찾아뵙고 매달렸을 거예요. 제발 허락해달라고 매일 찾아뵀을 거예요. 제가 이렇게 마음을 먹은 건, 어머님 걱정하시는 부분이 저도 두려웠기 때문이에요. 제가… 진혁 씨 참 좋아해요. 좋아해서… 진혁 씨에게 제가 겪었던 힘든 일들 겪게 하고 싶지 않았어요. 어머님 잘못이 아닙니다.
진혁모	…. (안타깝다)
수현	진혁 씨 말이 맞아요. 이런 저도… 이게 사랑이라… 헤어진 거예요. 마음 쓰지 마세요….

진혁모, 수현의 마음을 알게 된다. 고맙기도 하고 미안하기도 하다. 반찬통을 테이블에 올려준다.

진혁모	우리 집 음식… 입맛에 맞으시는 거 같아서…. 아버지 일 때문에 걱정 많을 텐데… 식사라도 잘 했으면 해서요.

수현, 반찬통을 본다. 진혁모 마음이 고맙다. 하지만….

진혁모	그럼 이만….

진혁모, 일어난다. 수현, 일어나며.

수현	감사합니다…. (진심이다)

진혁모, '그래요…' 하는 눈빛으로 수현을 한 번 보고 간다. 수현, 진혁모의 뒷모습을 한참 바라보다가 반찬통을 바라본다. 복잡하다.

28. 카페 (낮)

진혁과 혜인이 커피를 두고 있다.

혜인	점심 좀 많이 먹지. 모처럼 내가 샀는데.
진혁	맛있게 먹었어. 모처럼 내가 커피 사니까 남기지 말고 마셔라.
혜인	넌 남겨놓고!
진혁	바로 외근 나가?
혜인	응. 금방 와.

진혁, 웃으며 커피를 마신다. 혜인, 진혁의 기분을 살핀다. 안 되겠
는지 직구로 묻는다.

혜인	솔직하게 말해주면 안 돼?
진혁	별일 없는데?
혜인	내가 너 모르냐?
진혁	….
혜인	그래도 내가 친구인데… 너한테 무슨 일이 벌어지는 건지 하나도 모르잖아.
진혁	그냥…. 대표님을 도울 수가 없어서.
혜인	니가 옆에 있는 것만으로도 힘이 되실걸?
진혁	… 옆에… 있고 싶다….
혜인	(뭔가 이상하다) 너… 대표님이랑 무슨 일 있지?
진혁	… 헤어지재. 내가 힘들까 봐 안 되겠대.

혜인, 가슴 쿵…. 다른 생각은 들어오지 않는다. 오직 진혁이와 수현
이 걱정되는 마음만.

혜인	(커피 잔 만지작거리며) 아프겠다, 너….
진혁	대표님이 더 아프지.

혜인, 뭔가 결심이 섰는지 가방에서 다이어리를 꺼내 진혁에게 보
여준다. 진혁은 얼른 기억해내지 못한다.

진혁   뭐지?

혜인   기억 안 나지? 이거 니가 골라준 거.

FB/

진혁   이거 어때? 색깔이 너무 튀나?

혜인   (언제 마음에 안 들어했던가) 좋은데? 색깔 밝아서 찾기도 쉽겠다.
         (진혁의 손에서 받아들며) 나도 이거 보고 있었는데. (5부 #45)

진혁, 생각이 났다.

진혁   아…. 야, 그걸 아직 가지고 있어?

혜인   웃긴 거 얘기해줄게. 이거 살 때, 원래는 이 색깔 별로였거든? 패스
         했는데 니가 이게 어떠냐는 거야. 나도 이거 살라고… 그랬던가? 암
         튼 나 원래 이런 튀는 색 별로 안 좋아해. 웃기지?

진혁, 조금 느낌이 온다.

혜인   여기에다 가끔 일기… 일기는 아니지. 그냥 메모 그런 거 쓰거든.

진혁   ….

혜인   진혁아. (다 정리된 맑은 얼굴) 좀 부끄러운데… 나 너 좋아했어.

진혁, 느낌이 맞았다. 어떻게 말해야 할지 몰라 눈빛만 분주하다.

혜인   그래서 여기다 일기 쓰면서 너한테 언제 말하나… 아니, 니가 언제
         내 마음 좀 알아주나 그랬거든.

진혁   (커피 잔만 만지작…)

혜인   그러다 니가 대표님이랑 스캔들이 나고, 정말 좋은 사이가 되고….

진혁   … (농담이지만 위로를 하고픈 마음에) 회사 다니기 짜증 났겠다.

진혁, 웃어 보인다. 혜인도 풉 웃는다.

혜인	왕짜증 났지.
진혁	밥이라도 많이 사줄걸.

혜인, 중요한 다음 이야기에 힘을 싣는다.

혜인	근데, 그런 생각이 드는 거야. 내가 정말… 너를 좋아한 건가…? 너를 좋아한 시간들을 좋아한 건가.
진혁	….
혜인	니가 대표님한테 직진하는 거 보면서, 니 기준에 맞춰서 생각을 해봤거든? 난 그냥 널 좋아했지 사랑한 건 아닌 것 같아.
진혁	뭐라고 말해야 될지 모르겠다….
혜인	뭘 말해. 쪽팔리게.

또 웃는 두 사람. 친구다.

혜인	진혁아.
진혁	(본다)
혜인	너 정말 멋있는 사람이야. 대표님만큼 멋있는 사람이야.
진혁	….
혜인	그러니까 난 니 마음 응원해.

진혁, 이젠 돌이킬 수 없는 일인 것 같다. 혜인이의 마음을 생각하는 진혁.

진혁	혜인아.
혜인	뭐.
진혁	나 좋아해줘서 고맙다.
혜인	니 마음 몰라줘서 미안하다 보다 낫다. 덜 쪽팔려.
진혁	그 말할 타이밍인데. (웃는다)
혜인	미안하다고 하지 말라니까.

진혁	그래도 미안한데 어쩌냐···.
혜인	내가 큰마음 먹고 말한 건···, 대표님이랑 끝내지 않았음 좋겠어.
진혁	··· 그런 일 없을 거야. 내가 버티고 있을 거야.
혜인	버티느라 힘든가 보다.
진혁	···.
혜인	(커피 한 모금) 커피 다 식었어.
진혁	니가 고백해서 이런 거잖아.
혜인	고백이 뭐냐, 자수지.
진혁	범죄냐, 그게? 자수가 뭐야.
혜인	자백이라고 할까?
진혁	그게 그거지···.

티격태격하며 우정을 지키는 두 사람.

29. 수현 집 거실 (밤)

수현, 반찬통을 테이블에 두고 바라보고 있다. 이걸 어떻게 하나···.
마음이 어려워 얼굴만 쓸어내린다.

30. 버스 안 (밤)

진혁, 퇴근하고 있다. 하늘을 본다. 수현이 생각으로 가득하다. 수현
과의 문자 창을 연다. 쓸까··· 말까··· 망설이다가 몇 자 적는다. 그리
운 마음이 가득한 얼굴이다.

31. 수현 집 거실 (밤)

심란해하는 수현. 문자가 들어온다. 무심코 핸드폰 보는데, 진혁이
다. 볼까 말까 하다가 반찬통 보고··· 문자 열어본다.

(진혁)   저녁은 먹었어요? 퇴근하다 하늘을 봤는데 달이 참 예뻐요.

수현, 진혁의 문자에 버티고 있던 것들이 무너질 듯 괴롭다. 수현, 반찬통을 본다. 일어나 거실 창밖을 바라본다. 달을 찾는 듯하다.

32. 김 회장 집 거실 (낮)

김 회장, 얼음 같은 얼굴로 소파에 앉아 있다. 흔들림이나 두려움은 없으나, 어딘가를 향한 분노는 여전하다. 우석, 그런 김 회장을 애석하게 바라보고는 소파에 앉는다.

우석   부드러운 거라도 좀 드시는 게 어떠세요. 이동하시면 식사하기 더 어려우실 것 같아서요.

김 회장   난 늘 그 아이 눈빛이 불편했어. 말도 행동도 순종적이었지. 하지만 말이야, 그 눈빛이… 늘 마음에 걸렸어. 뭐랄까…. 차수현 눈에는 이 태경의 힘, 가치, 위엄… 그런 것에 대한 선망이 없었어. 그게 그렇게 신경 쓰이더라. 미웠지.

우석   어머니께선… 그래서 그 사람이 미웠고… 전, 그래서 수현이한테 미안했어요.

김 회장   결국 발목을 잡는구나, 그 아무것도 아닌 차수현이.

김 회장의 말에 우석, 절망을 느낀다. 변하지 않는구나….

우석   조사가 길어질 수도 있어요. 제가 가까운 곳에 대기하고 있을 거니까….

김 회장   그깟 동화호텔 얻자고 소송 준비했던 것 같니?

우석   ….

김 회장   차수현, 정말 숨만 쉬고 살던 차수현이 변했어. 어떨 때 보면… 꽤 괜찮아 보이기까지 하더구나. 그렇게 차수현을 변하게 만든 게, (분노 시작) 태경의 후계자가 아니라… 어느 동네 과일 가게 아들이란

게! 자꾸 거슬려. 소송? 그보다 더한 것도 했을 거다.

우석   어머니. 이제 어머니 생각만 하세요. 다들 자기 자리를 찾아가고 있어요.

김 회장   너는.

우석   ….

김 회장   니 자리는 어딜까?

우석   … 어머니를 지키고, 태경을 지키는 겁니다. 아무 걱정 마세요.

김 회장, 처음으로 우석을 든든한 눈빛으로, 좀 후회가 되는 눈빛으로 본다. 하지만, 약한 모습은 아주 잠깐. 예의 그 차가운 모습으로 돌아온다. 초인종 소리 들린다. 김 회장, 누군지 짐작하며 품위를 지키려는 듯 더 반듯하게 앉는다. 잠시 후, 김 비서가 다가온다.

김 비서   대표님. 검찰에서 사람들이….

우석   모시고 나간다고 해줘요.

우석, 김 회장을 본다. 냉정함 유지하며 물을 한 모금 마시는 김 회장. 손이 좀 떨리는 것 같다. 우석, 안타깝고 마음이 아프다.

33. 검찰청 앞 (낮)

김 회장의 자동차가 와 선다. 문이 열리고 김 회장이 내린다. 카메라 플래시 쏟아진다. 포토라인 무시하고 묵묵부답으로 기자들 사이를 지나가는 김 회장.

34. 태경그룹 우석 집무실 (낮)

아무것도 보지도 듣지도 않는다. 조용히 기다린다. 김 회장의 구속은 우석에게도 힘든 일이다.

35. 동화호텔 대표실 (낮)

텔레비전으로 김 회장 출두 보는 수현. 장 비서는 옆에서 체증이 내려간 듯 활기찬 모습.

장 비서   이런 날이 오는구나. 아, 속이 다 시원하네.

장 비서, 제대로 즐감 중인데 수현, 리모컨으로 텔레비전을 끈다.

장 비서   명장면인데…. (쩝…)

수현의 표정은 통쾌하지도 않고 그저 담담하다.

수현   (시간 보면) 지금 나가면 되나?
장 비서   아 맞다….

수현, 외출 준비를 한다.

36. 구치소 면회실 (낮)

수현과 차 의원이 마주 앉아 있다. 차 의원은 편안해 보인다. 수현도 차분한 얼굴로 면회 중이다.

차 의원   엄마는 어떻게 지내?
수현   남 실장님도 저도 자주 가봐요. 아직은 밖으로 나오기 힘든가 봐.
차 의원   그래. 잘 챙겨줘.
수현   아빠는… 추운데 지낼 만하세요?
차 의원   응, 괜찮아. 지낼 만해. 식사도 제때 하고. 이참에 미뤄뒀던 책도 좀 읽고 하려고.
수현   읽고 싶으신 책 말씀하세요. 보내드릴게요.

차 의원, 수현의 근황이 더 궁금하다.

차 의원 헤어졌다며.

수현 ….

차 의원 명식이한테 들었어. 왜 그랬어.

수현 아빠는… 나 힘들어하는 거 옆에서 보면서 어떠셨어요? 어쩌면 나보다 더 힘드셨을 것 같아.

차 의원 너 보면서 속상했지. 내가 정한 길이라고 같이 가주는데 웃음은 점점 사라지고….

수현 그래서. 진혁 씨나 진혁 씨 가족들이 그렇게 될까 봐.

차 의원 그래… 니가 그렇게 정했으면 가야지. 그래서 지금… 행복하니?

수현 … 어떻게 그럴 수 있겠어요.

차 의원 그 사람은…. 행복해?

수현 아빠….

차 의원 누구 하나는 행복하면 갈 만한 길인데… 두 사람 다 웃지 못하는 이 길을 왜 가고 있어.

수현, 차 의원의 말이 깊게 박힌다.

차 의원 여기서 무슨 생각을 제일 많이 하는 줄 알아? 내가 정해서 이 길을 걸어왔는데, 누구 하나 행복하지 않았다는 거야. 너도, 엄마도… 나도.

수현 ….

차 의원 주변 살피는 니 마음 알아. 근데… 너를 먼저 살펴봐. 평생, 지금 그 표정으로 살 수 있겠어…?

차 의원, 수현의 행복하지 못한 얼굴을 마음 아프게 바라본다. 수현, 흔들린다.

374

37. 카페 룸 (밤)

담담하게 마주 앉아 있는 수현과 우석.

우석   힘들지.

수현   ….

우석   내가 물어볼 안부는 아닌 것 알아. 자리 불편할 텐데 요점만 전할게.
      소송은 정리했어. 법무팀에서 관련 서류 보낼 거야. 다시는 동화호
      텔 권리 주장 같은 거 없을 거야.

수현   ….

우석   그동안 말도 안 되는 소송, 막아내지 못해서 미안하다.

수현   김 회장님과 나의 일이야. 대신 사과할 필요는 없어.

우석   동화호텔 내 지분은… 작은아버지께 전해 들었어. 지금은 내가 경
      황이 없어. 어머니 지지하던 이사들 힘 빠지면서 태경이 어수선해.
      태경부터 정리하고, 동화호텔 지분은 차차 법무팀과 상의할게.

      우석, 어쩌면 이게 수현과의 마지막인 것 같다. 안타까움으로 한 번
      이라도 더 바라보다가.

우석   … 먼저 일어나야겠다.

수현   우석 씨.

우석   (본다)

수현   잘 지내.

우석   그래. 너도 잘 지내.

      우석, 일어나 나간다. 수현, 우석과의 일들을 이렇게 정리한다.

38. 찬이네 골뱅이 안 (밤)

장 비서와 대찬. 장 비서는 기분이 다운되어 있다.

대찬	어쩐지…. 한참 됐네, 그럼. 왜 이제 말해줘요, 두 사람 헤어졌다고.
장 비서	진혁 씨한테 들은 줄 알았죠.
대찬	진명이도 모르는 것 같던데.
장 비서	형제가 사이가 안 좋나 봐. 쯧…. 오늘 왜 보자 그랬어요?
대찬	분위기 이래서 좀 그런데….

작은 비닐봉지에 담긴 귀걸이를 툭 내놓는 대찬. 장 비서, 귀걸이 본다.

장 비서	뭔데요.
대찬	지나가다 생각나서 하나 샀어요.
장 비서	나 금속 알러지 있는데.
대찬	참나…. 이거 금이거든요. 14K.

장 비서, 받지 않고 보기만 한다.

대찬	디자인이… 별론가.
장 비서	내 스타일 맞아요.
대찬	거봐! 내가 유심히 봤거든. 이런 스타일 자주 하더라고요.
장 비서	안 받을래요.
대찬	금인데.
장 비서	이대찬 씨. 사람이… 다 똑같은 건 아니잖아요…. 다르거든요….
대찬	그렇죠. 다 다르죠.
장 비서	미안한 말을 또 하게 돼서 또 미안한데요.
대찬	(감이 안 좋지만. 웃는다) 편하게 말해요. 괜찮아.
장 비서	내가 생각해온 기준…이라는 게 있거든요. 어떤 사람은 그런 거 초월하고 다른 세상에 막 뛰어들어서 진정한 사랑 그런 거 하는데… 난 그런 사람 아니야. 현실적이고… 내 기준이랑 다르면 브레이크 걸리는 사람이에요. 이대찬 씨 만나면 재미있고 좀… 설레기도 하고 그런데…. 이놈의 브레이크가 또 걸려버렸어요.

대찬, 미진이가 무슨 말을 하는지 알 것 같다. 음… 마음은 좀 아쉽다.

대찬 그럴 수 있지. 그게 나쁜 것도 아니고.

장 비서 그렇게 생각해줘서 고마워요.

대찬 … 이건 가져가요. 내가 하고 다니기엔 좀 튄다.

장 비서 다시 환불해.

대찬 버려, 그럼 그냥. 선물은 선물이지 누가 이거 받고 같이 살자는 것도
아닌데. 버려, 그냥….

장 비서 이해한다면서 승질내는 거 봐. 뭡니까?

대찬 이왕 주려고 산 거 가져가면 되잖아요. 환불? 사람 두 번 죽이는 거지.

장 비서 받으면 되잖아요. 우정으로.

대찬 뭐로 받든 가져가요. (쩝…) 맥주 한 잔 할래요?

장 비서 다 정리된 거죠? 그럼 마시고.

대찬, 끝까지 웃음 주는 장 비서 때문에 기가 막혀 웃는다.

39. 진혁 집 진혁 방 (밤)

진혁, 수현과의 물건들을 본다. 핸드폰을 열어 수현에게 온 문자가
없나 확인한다. 아무 소식도 없다. 진혁, 이 선생에게 전화한다.

진혁 선생님. 저… 혹시 대표님 암실 왔었나 해서요.

(이 선생) 안 왔는데. 오면 연락 줄까?

진혁 아니에요. 늦게 죄송해요, 주무세요.

진혁, 아직 필름을 현상해보지 않은 수현이가 기다려진다. 어떻게
하면 보게 할 수 있을까 고민하는 진혁. 문득, 수현의 구두를 본다.

FB/

수현 구두 좀 가져다줘요. (1부 #37)

맨발로 걷는 수현, 진혁의 손에 들린 구두. (1부 #44)

진혁, 잠시 생각을 한다. 책상으로 가 백지를 꺼낸다. 구두를 앞에 두고 편지를 쓰는 진혁.

40. 동화호텔 대표실 (낮)

수현, 들어온다. 장 비서가 따라 들어온다.

수현　　교향악단 신년 식사 초대 체크 좀 해줘요. 단원들 모두 오실 거예요. 레스토랑 메뉴 다시 한 번 알아봐줘요.

장 비서　네. 제가 미리 체크했는데 뷔페 쪽으로 모실 예정입니다. 인원이 거의 백 명 정도 돼요. 다른 레스토랑은 예약이 몇 팀 있어서 전체 식사가 어렵습니다.

수현　　그렇겠네요. 오시는 날 한 번 더 알려주세요. 잠깐 내려가 인사해야 하니까.

장 비서　네, 대표님.

수현, 책상으로 가 앉으려는데, 책상 위에 신발 상자 사이즈의 예쁜 상자가 있다.

수현　　뭐예요?

장 비서　아…. 그거…, 아까 저기… 김진혁 씨가 전해달라고.

수현　　… 네.

장 비서, 알아서 빠져준다. 수현, 이게 뭘까…. 열어보기 두렵다. 망설이다가 상자를 열어보는데, 쿠바의 그 구두가 담겨 있다. 갑자기 참았던 이별의 감정이 현실로 다가와 눈물이 차오른다. 수현, 정말 이제 이별인가…. 잠시 창밖을 본다. 눈물을 겨우 말리고, 구두와 함께 들어 있는 편지를 떨리는 손으로 꺼내서 읽는다.

(진혁) 당신을 나에게 데려다준 구두예요. 이 구두가 다시 당신을 내게 데려다줄 거라 믿어요. 요즘 당신은 힘든 곳만 걷게 되죠? 이 구두를 보면서 기억해요. 우리의 행복한 그 걸음들을. 차수현, 당신은 나의 단 하나의 사랑이란 거 잊지 말아요.

수현, 눈물이 터져버린다.

FB/
차 의원 누구 하나는 행복하면 갈 만한 길인데, 두 사람 다 웃지 못하는 이 길을 왜 가고 있어. (16부 #36)

진혁모 진혁이가 나도… 사랑이고, 대표님도… 사랑이래요. 그래서 그 사랑 다 지킬 거라고. (16부 #27)

수현, 감정이 소용돌이 쳐온다.

FB/
진혁 난 약속 지킬 겁니다. 내가 당신에게 했던 그 많은 말들, 약속들…. 지켜나갈 거예요.

진혁 당신은 이별을 해요, 난 사랑을 할 겁니다. (16부 #2)

수현, 더 이상은 견디기 힘들다. 핸드백을 열어 필름통을 꺼낸다. 바라보다가 필름통과 핸드백 들고 나간다.

41. 이 선생 집 암실 (낮)

수현, 사진을 현상하고 있다. 차례대로 현상 중인 수현. 무슨 사진일까. 마음이 떨린다.

첫 번째 사진이 약품 속에서 드러난다.
처음, 쿠바에서 진혁이가 우연히 찍게 된 무표정하고 뭔가 불안해
보이는 수현의 사진.

두 번째 사진.
전망대에서 찍은 수현의 웃는 사진.

이어지는 사진.
메타세콰이어 길에서 찍은 환하게 웃는, 무척 행복해 보이는 수현
의 사진.

수현, 감정이 올라온다.

FB/
진혁　수현 씨가 꼭 봤으면 하는 사진들이에요.
진혁　당신만 모르는 차수현이 여기 있어요. (16부 #23)

수현, 진혁의 마음을 알 것 같다. 이 선생이 조용히 곁으로 와 선다.

이 선생　(쿠바 사진 보며) 대표님, 알아요? 요즘 대표님 표정… 이 사진이랑
똑같은 거? (웃는 사진들 보며) 이렇게 예쁘게 웃을 수 있는 사람이
왜 이렇게 기운 빠져 있어요….

수현, 눈물이 난다. 결심을 한다.

42. 이 선생 집 앞, 수현 자동차 안 (밤)

남 실장, 대기 중이다. 수현, 자동차에 오른다. 많이 운 것 같은 수현
의 얼굴을 보며 착잡해하는 남 실장.

남 실장   집으로… 모실까요?

수현   … 홍제동으로 가주세요.

남 실장, 홍제동이라는 말에 얼굴에 화색이 확 돈다. 신나게 기어를
넣고 출발하는 남 실장. 이제는 자신과 진혁만 생각하며 마음을 다
잡는 수현.

43. 수현 자동차 안 (밤)

남 실장 운전이 험하다.

남 실장   신호 떨어졌잖아! 가라, 쫌!

수현, 결정한 얼굴이다. 더 이상 이별은 없다. 수현, 핸드백에서 필
름통 꺼내 본다.

44. 홍제동 놀이터 (낮)

진혁, 그네에 앉아 있다. 핸드폰으로 수현의 사진을 본다. 수현의 집
에서 찍은 두 사람의 셀카 사진을 본다. 또… 망원동 맛집 갔을 때
SNS에 올라온 사진도 본다.

(수현)   놀이터 사라지면 어떡해요…?

진혁, 잘못 들었나…. 뭐지…. 돌아본다. 맙소사… 수현이 서 있다.
진혁, 일어나 수현을 향해 선다. 결국 달려와준 수현을 보니 눈물이
맺힌다.

수현   나만 모르는 내 마음을 봤어요.

진혁   …. (눈물만 차오른다)

수현	진혁 씨랑 같이 있던 시간들, 다 웃고 있어. 내가 그렇게 행복하게 웃는 줄 몰랐어.
진혁	그렇게 웃고 살아요, 수현 씨….
수현	진혁 씨 없이는… 웃을 수 없어. 나… 당신 곁에 있게 해줘요. 진혁 씨 옆에서 그렇게 웃고 살고 싶어. 내가 미안해. 헤어지자고 해서 미안해.

진혁, 수현을 꽉 안아준다. 이제 놓칠 수 없다. 꼭… 안아주는 진혁.

진혁	미안해하지 말아요. 사랑이라서 그랬던 거야. 고마워요, 용기 내줘서. (수현의 얼굴을 보며) 사랑해.
수현	사랑해요, 진혁 씨.

두 사람, 이제 다신 헤어질 수 없는 깊은 사랑을 마주한다. 놀이터에서 사랑을 완성하며 키스하는 수현과 진혁.

45. 찬이네 골뱅이 안 (밤)

골뱅이무침을 들고 신나게 서빙하는 대찬. 맥주 두 잔을 신나게 가져오는 진명. 수현과 진혁의 테이블로 모인다.

대찬	특별히 골뱅이 곱빼기로 넣었습니다.
수현	잘 먹을게요.
진명	맥주도 꾹꾹 눌러 담았어요. 특별히.

진혁, 더 신나하는 대찬과 진명이를 보고 웃는다.

대찬	그럼 저희들은 이만.
진명	합석해야지!
대찬	(진명이 헤드락 걸어 데리고 가며) 즐거운 시간 되십쇼.

질질 끌려가는 진명. 수현, 다시 이런 소소한 행복이 좋다.

수현　저녁은 집에서 먹어야 되는데. 우리 집에 반찬 되게 많아.

진혁　?

수현　진혁 씨 어머님께서 만들어주셨어요.

진혁　(놀란다) 정말?

수현　미안해서 못 먹고 있었는데 이제 마음 놓고 먹어야지.

진혁　2차는 수현 씨 집에 가서 밥 먹어야겠네!

웃으며 건배하는 수현과 진혁. 진혁, 수현의 빈 손가락을 본다.

진혁　그래서, 커플링은 어디다 둔 거예요?

수현, 조금 웃더니 핸드백에서 필름통을 꺼내서 흔들어 보인다.

수현　그래도 매일 가지고 다녔어. 혼내지 마.

진혁　의리는 있다.

수현　사랑이지, 의리인가.

진혁　줘봐요.

필름통 받아서 반지를 꺼내는 진혁. 다시 수현의 손가락에 반지를 끼워준다. 수현, 많은 감정이 교차되는 듯한 표정으로 다시 손가락에 자리 잡은 커플링을 바라본다.

진혁　이제 다시 빼는 일 없는 거야. 진짜. 꼭.

수현　커플링도 안 빼고… 카메라로 사진도 많이 찍고… 그럴게요.

진혁　카메라 케이스 잘 있죠?

수현　네.

진혁　왜… 케이스 만들어줬는지 알아요?

수현　… 알아. 내 집이 돼주고 싶다는 거잖아.

진혁, 수현을 한참 보더니.

진혁	이봐. 똑똑해서 다 아는 사람. 알면서 새드엔딩 만들려고 그랬어요?
수현	미안해하지 말라고 해놓고 또 혼낸다….
진혁	미안, 순간 섭섭해서 욱했네.
수현	그래서 나도 한번 만들어보려고. 내가 예쁜 집 만들어줄게요.
진혁	일 년은 걸릴걸요? 나니까 그 정도지.
수현	오래 걸려도 상관없잖아. 더 오래오래 내 옆에 있을 거잖아.
진혁	백만 번 말했잖아. 오래오래 같이 있을 거라고.

수현과 진혁, 행복하게 바라보며 웃는다.

46. 동화호텔 대표실 (밤)

수현의 책상 위, 부케가 조명을 받아 화사하게 보인다.

47. 동화호텔 홍보실 (낮)

2020년 1월

김 부장, 여전히 일하고 있다. 이 과장 자리에 박 대리, 이제 박 과장이 되어 앉아서 일하고 있다. 박 대리 자리에는 진혁이 있다. 혜인과 은진은 여전히 자기 자리. 진혁의 원래 자리에는 신입 남자 직원이 있다.

박 과장	오광희 씨는 술 좀 하나?
신입사원	저 술 한 잔도 못합니다.
박 과장	어허…. 그래서 사회생활 하겠어?
신입사원	저희 엄마가 그런 편견은 나쁜 거라고 하셨습니다.

박 과장, 컥…. 김 부장, 웃는다. 혜인과 은진도 웃는다.

박 과장　마마보이인가?

신입사원　그런 면이 없진 않습니다.

박 과장　김진혁 씨.

진혁　네, 과장님.

박 과장　신입사원 멘탈 교육 어쩔 거야?

진혁　어… 제가 맥주부터 한 숟가락씩 채워가보겠습니다.

신입사원　맥주를 숟가락으로 마셔요?!

은진　저 팀이 그래요. 오징어 좋아하는 스타일인가?

신입사원　별로 안 좋아합니다.

혜인　안 맞아, 안 맞아.

은진　나랑 비슷한 취향이구나?

신입사원　아닌 것 같습니다.

은진, 이런 씨…. 모두 풉…. 웃음이 터진다.

48. 태경그룹 우석 집무실 (낮)

'회장 정우석'
우석, 일을 하고 있다. 김 비서 들어온다.

김 비서　회장님. 저… 어머니께서 면회를 또 거부하셨습니다….

우석　… 알겠습니다. 다음 주에 다시 신청해보시죠.

김 비서　네.

김 비서, 나간다. 우석, 이제는 일에만 전념하고 있다.

49. 커피베이 (낮)

대찬이가 음료를 먹고 있다. 장 비서, 짜증난 얼굴로 앉아 있다.

장 비서   오늘도 이 동네 일이 있어요?
대찬   네.
장 비서   그럼 일만 보고 가죠? 왜 매번 사람을 불러내?

대찬, 장 비서가 하고 있는 귀걸이를 본다. 자신이 선물한 귀걸이다.

대찬   귀걸이 했네?
장 비서   오늘 한 번 해봤더니 생색은…. 아끼다 똥될 것 같아서 해봤거든요.
대찬   (음료 마시며) 아유, 달달하다.
장 비서   혹시나 해서 자꾸 오는 것 같은데. 그만 하죠, 이제?
대찬   역시나 나오면서 뭘.
장 비서   올 때까지 기다린다니까 나오죠!
대찬   그 마음을 잘 들여다봐. 왜 자꾸 나오게 되나. 사람 참….

장 비서 씩씩거리지만 싫지는 않은 듯. 대찬은 계속 들이댈 모양이다.

50. 삼청동 작은 갤러리 앞 (낮)

수현모, 나온다. 실내복 차림. 입구에 떨어진 휴지를 줍는다. 욕심을 덜어낸 맑은 얼굴이다. 다시 갤러리로 들어간다.

51. 교도소 면회실 (낮)

수현과 차 의원이 한결 편한 얼굴로 면회 중이다.

차 의원   올 때마다 표정이 좋아진다?

수현	그래요?
차 의원	진혁이도 갈수록 좋아 보이더라.
수현	자주 와요? 말 안 하던데.
차 의원	가끔 와서 얼굴 보고 가. 좀 지루해, 사람이.
수현	진혁 씨가?
차 의원	책 얘기만 해. 너한테도 그래?
수현	나한테는… 맛집 얘기만 해.

사이좋게 웃는 수현과 차 의원.

52. 장수 과일 (낮)

배를 깎아 먹는 진혁모와 진혁부.

진혁모	진혁이 미워 죽겠어.
진혁부	또 왜….
진혁모	하루가 멀다 하고 여자친구 데려오면, 어? 내가 메뉴를 어떻게 해? 이제 돌려 막기도 힘들어. 나가서 먹지, 자꾸 집으로 와.
진혁부	밥값을 받아, 그러니까….
진혁모	그래야겠어. 김진혁 아주….

오순도순 배를 나눠먹는 일상.

53. 산자락 도토리묵 집 (낮)

등산복 차림의 남 실장과 김 부장. 남 실장은 막걸리를 좋다고 마시고, 김 부장은 뚱하다.

남 실장	어제 종현 형님 면회 갔다 왔는데, 출소하면 산에나 다니자고 하더라. 힘들게 하필 등산이야.

김 부장	이게 등산이냐.
남 실장	야, 원래 등산은… 이 막걸리 집까지만 올라오는 게 정석이야.
김 부장	누가 그래. 등산복은 왜 샀니?
남 실장	넌 니 생각만 하면 되겠어? 오빠같이 머리가 큰 사람은! 중력을 더 받는다고! 그래서 산 타는 게 더 힘들어. 니처럼 머리 작은 애들은 모르지?!
김 부장	그놈의 머리 사이즈는 아무 데나 갖다 붙여.
남 실장	묵 제대로다! 먹어, 먹어. 묵은 살 안 찐다, 먹어.

투덜거리며 먹는 김 부장, 좋다고 먹는 남 실장.

54. 찬이네 골뱅이 안 (밤)

진명이 혼자 가게를 보고 있다. 혜인이가 서빙 도와준다.

혜인	오빠는 왜 자꾸 가게 비워? 진짜 체인점 내냐?
진명	몰라! 자꾸 사라져…. 아, 누나. 일루 와봐.

진명, 혜인이를 앉혀놓고 한 남자의 사진을 보여준다.

혜인	뭐야?
진명	내 군대 동기인데, 나이는 누나랑 같아. 이 형 성격 엄청 좋아. 소개팅 한 번 하자!
혜인	싫다니까….
진명	너 아직도 진혁이 좋아하냐? 거긴 이제 물 건너갔어!
혜인	넌 얼마나 맞아야 사람 되냐?!

진명의 등짝을 마구 패는 혜인. '아퍼!' 궁시렁거리며 사진을 들이미는 진명.

진명   한번 만나보라니까!!!

수현과 진혁이 팔짱을 끼고 걸어가고 있다. 천천히 느린 걸음. 여느 연인들처럼 느긋하고 편안한 분위기다. 소소한 대화를 주고받으며 걷는, 이젠 정말 연인이 된 수현과 진혁. 말투도 한결 편하고 부드럽다.

수현   아빠한테 갔었어?
진혁   가끔. 내 말씀 하셔?
수현   응. 자기 너무 심심하대. (피식) 책 얘기만 한대.
진혁   내가 원래는 음악 쪽으로 시작했거든. 근데 공통점이 없는 거야. 아버님이랑 나랑 음악 취향은 완전 달라.
수현   그래서 책으로 돌렸어?
진혁   그건 좀 대화가 되더라고. 지루하셨나?

수현, 웃는다. 산책하듯 데이트 중인 두 사람의 모습이 여러 컷으로 보인다. 수현, 진혁의 팔에 매달리듯 걷는다.

진혁   집에 햄 남았지? 샌드위치 만들어 먹을까?
수현   김치볶음밥 해줘.
진혁   그건 나 잘 못 하는데…?
수현   자꾸 해야 늘지….
진혁   내가 하기 싫어서 그런 게 아니라, 맛이 없어.
수현   김치랑 햄은 맛없기 힘든 조합이야.
진혁   내가 한 말이잖아.
수현   그랬어? (큭큭큭 웃는다)

초등학교 1학년 정도로 보이는 남자아이 둘이 달려온다. 진혁과 부덮힐 뻔한 걸 진혁이 잘 잡아준다. 남자아이, 꾸벅하고는 또 막 달려간다. 소소한 일상이다.

진혁 2분기 때도 바쁠까?
수현 나?
진혁 응.
수현 글쎄…. 쿠바도 완공됐고… 덜 바쁘지 않을까?
진혁 그럼… 시간 좀 내봐.

수현, 걸음을 멈추고 신나는 얼굴로 진혁의 팔에 매달려 진혁을 본다.

수현 산티아고 갈까?
진혁 (웃더니) 결혼하고 가면 안 될까?

수현, '아…. 이런 프러포즈…' 걸음을 멈추고 진혁을 본다. 고맙고 너무나 사랑하는, 언제나 함께 할 진혁을 바라보는 수현. 진혁, 지난 힘들었던 모든 시간은 기억에도 없다. 지금 이 사람, 수현을, 처음부터 지금까지…, 앞으로도 사랑한다. 다시 걸어가는 수현과 진혁.

(수현) 맛있는 거 먹으러 가자.
(진혁) 김치볶음밥은?
(수현) 좋은 날이잖아. 엄…청 맛있는 거 먹자!
(진혁) 엄…청 맛있는 거 먹으러 가자!!!

외투로 수현을 감싸듯 안고서 걸어가는 진혁. 진혁의 외투와 품 안에서 행복하게 웃는 수현. 세상에서 가장 행복하고 편안한 웃음을 나누며 걸어가는 두 사람.

엔딩.

女子 차수현

男子 김진혁

꿈 같은 하루 끝에 남은 우리

〈남자친구〉를 마치며

'사랑'이라는 말은 흔합니다.
매일 어린 딸에게 강요하듯 묻습니다.
"엄마 좋아? '엄마 사랑해!' 해줘."

흔한 말이지만 또 아무에게나 할 수 없는 말입니다.
'사랑'에 집중하는 이야기를 써보고 싶었습니다.

완벽한 두 배우와 연출 덕분에 〈남자친구〉는
더 밀도 높고 규모 있는 작품이 되었습니다.
오롯한 사랑에 대한 이야기를 응원해주신
시청자 여러분께 깊은 감사를 드립니다.

2019년 1월,
유영아

남
자
친
구
2

1판 1쇄 인쇄 2019년 1월 28일
1판 1쇄 발행 2019년 2월 7일

지은이 | 유영아
펴낸이 | 김영곤
펴낸곳 | (주)북이십일 아르테팝
미디어사업본부 본부장 | 신우섭
기획·편집 | 이은 **미디어믹스팀** | 강소라 김미래 곽선희
미디어마케팅팀 | 민안기 김한성 정지은 정지연 김종민
영업팀 | 권장규 오서영
홍보팀장 | 이혜연 **제작팀장** | 이영민
포스터 사진 | 문석환

출판등록 | 2000년 5월 6일 제 406-2003-061호
주소 | (우 10881) 경기도 파주시 회동길 201(문발동)
대표전화 | 031-955-2100 **팩스** | 031-955-2151

(주)북이십일 경계를 허무는 콘텐츠 리더

아르테팝 채널에서 도서 정보와 다양한 영상자료, 이벤트를 만나세요!
북이십일과 함께하는 팟캐스트 '[북팟21] 책 이게 뭐라고'
페이스북 | facebook.com/21artepop 블로그 | arte.kro.kr
인스타그램 | instagram.com/21_artepop 홈페이지 | arte.book21.com

ISBN 978-89-509-7928-7 (04680)
ISBN 978-89-509-7929-4 (SET)